感染の法則

ウイルス伝染から金融危機、ネットミームの拡散まで

アダム・クチャルスキー［著］
日向やよい［訳］

ADAM KUCHARSKI
THE RULES OF CONTAGION
WHY THINGS SPREAD-AND WHY THEY STOP

草思社

THE RULES OF CONTAGION
Why Things Spread - and Why They Stop

by Adam Kucharski

感染の法則　目次

・〔〕で囲まれている部分は訳注
・本文中の番号ルビは原注（巻末に記載）

序章

本書の初版がイギリスで出版された2020年2月13日、僕の頭はほかのことでいっぱいだった。COVID－19（新型コロナウイルス）について朝に報告されたデータを見たあと、感染爆発の分析で自分たちが大きな間違いを犯したのかどうか確認する作業に追われていたのだ。その日中国から報告された新規患者数が1万5000人を超え、前日より750％も増えていた。[1] 僕たちの調査班は、中国国内はもとより海外旅行者のあいだの感染者も含むデータセットを用いた分析結果を1週間前に公表し、[2] 1月後半に武漢に導入された感染対策が効を奏して、市内での流行は頭打ちになろうとしていると結論づけていた。いくつかのメディアがこの予備的な分析結果を報じ、[3] 数日間は、僕たちの結論が正しかったように見えた。何週間も増加し続けていた患者数が、ようやく減少に転じたように思われた。

そこへ飛び込んできたのが、2月13日の急激な増加の報告だ。寄せ集めの不完全なデータから流行の傾向を引き出そうと早朝から夜まで1カ月近く奮闘したあげく、何か重大な見落としをしてしまったのだろうか？　やがてその急増は、中国当局が患者の定義を変えて、重症でない患者も集計に含めるようにしたためだとわかった。データを再検討した僕たちは、やはり、伝染が全体として減少傾向にあることを示す十分な証拠があるという結論に達した。ただ、誰もが同じ考えというわけではなかった。日本のあるチームは、中国での流行のピークは3月後半から4月後半にかけてのどこかで、1日の新規患者数が最大230万人に達するだろうと考えていた(4)。

いま振り返ってみると、武漢でのCOVID–19患者数の減少は、のちのほかの都市での減少同様に明らかだったように見える。しかし、あの当時は明らかなことなど何もなかった。世界中の研究者が、アジアで出現しつつある初期の、そしてしばしば互いに矛盾するさまざまなパターンをなんとか理解しようとしていた。1月半ばからずっと、僕たちの研究班は中国本土や日本から香港やシンガポールに至るアジア全域の科学者や保健当局者と、ひんぱんに意見交換を行った。わかっていることとわからないことに関するメモをやり取りしたが、わからないことのほうがいつも圧倒的に多かった。

特に目についたのは、この新しいウイルスの制圧が一筋縄ではいかないだろうという予想だった。2月初めに僕が見た予備的なデータは、COVID–19に感染した人の多くが、はっきりした症状が現れる前に他人に感染を広げる可能性を示唆していた。これは、具合が悪くなってウイルス検査を受けたときには、すでにほかの人にうつしているかもしれないことを意味する。すると今度はその人たちが感染源となって、目に見えない伝染のサイクルが続く。新規ウイルスの性質としては、まさに一番出会いたくないたぐいの性質だ。それと気づかないうちに、ほんの一握りの患者から大規模な感染爆発に発展してしまう。その週、仕事でメルボルンを訪れていた僕は、ウイルスの影響を写真に収めようと市の中心部を歩いてみた。周囲の通りは人影もなく、武漢からの映像さながらだった。僕の2020年はガラパゴス諸島でのハネムーンで幕を開けたのだが、島の至る所で、動物から2メートルの距離を保つようにという注意書きを見かけたものだ。休暇中に出会ったこの風変わりな注意書きが世界のありふれた日常になろうとは、思いもしなかった。

新型コロナウイルス重症化の解明

COVID-19については、その広がりやすさのほかに、重症化の程度も解明する必要があった。2月11日までに、中国では約4万5000人の患者が確認され、1000人をわずかに超える死亡が報告されていた。(5) 一見すると、だいたい45人に1人が死亡したことを示しているようだが、実は問題が2つある。まず、患者が病気に屈するには時間がかかる。たとえ、ある日COVID-19患者100人が病院にやって来て、その時点で全員が生きていたとしても、致死率がゼロということではない。患者たちがその後どうなるかを見る必要がある。この「様子を見る」時間が経過したあとでの中国の最初期の患者データによれば、患者の15%が最終的に死亡していた。そこで2番目の問題が出てくる。中国での患者が一人残らず検出されていたわけではない。日本でのダイヤモンド・プリンセス号のケースのように詳細な検査が行われた世界各地の流行のデータを総合すると、中国での感染者の死亡率は0・5％前後と推定された。高齢者ではそれより大幅に高い。[6]

もし感染者のごく一部しか死亡せず、しかも重症化に時間がかかるとすると、COVID－19による新規の死亡例が突然報告されたなら、はるかに大規模な流行が人知れず進行しているしるしかもしれない。2月19日、まさにそうしたしるしが出現した。イランでCOVID－19による死亡が2例報告されたのだが、それはイランでの初めての検出例でもあった。2日後、イタリア北部のロンバルディア地方での流行が報告された。患者の多くはすでに重症化していて、背景にはやはり大きな流行が隠れていることが窺われた。

不完全なデータや未確認の患者という問題が絶えず分析の邪魔をした。2月27日にはスペインで最初の地域的な流行が報告され、2週間もしないうちにマドリードの病院の一部は対応能力の限界を超えた。[7] 一方イギリスでは、議会のメンバーが感染していたという報告が3月10日にあり、その日の新規患者数は全部で54人となった。のちに僕の同僚が推定したところによれば、実際にはおそらく5000人以上の新規感染が発生していたようだ。[8] ヨーロッパ全土で、イベントや集会、スキーリゾートやオフィス、家庭や学校が、音もなく感染爆発に呑み込まれつつあった。[9]

2つの対策シナリオ

毎年2月末から3月にかけて、僕は理系の修士コースで感染性疾患の蔓延とその対策を教えている。履修評価の一環として、学生には3日間の感染爆発調査の演習を課す。学生は、病人が何人か出たという条件を与えられたうえで、症状から社会的な接触までさまざまな断片的情報を総合して、何が起こっているかを見定めなければならない。学生たちが架空の感染爆発の分析に取り組んでいる一方で、僕たちのチームは保健当局や政府、国際援助団体と協力して、COVID‐19を相手に同じことを試みていた。この感染症についてわかっていることは何か？　それぞれの対策のプラス面とマイナス面は何か？　僕たちの知識のどこに穴があるのか？

さまざまな不確定要素があるなかで唯一はっきりしていたのは、かなりの期間にわたって人々の生活が変わってしまうだろうということだった。武漢での初期の流行に関する僕たちの分析では、1月末までに感染していたのは市の人口の5%ほどだろうと思われた[10]。もしその時点で対策をすべて中止し、感染が広がるままにしたとしたら、どうなっていただろう？　市内にはまだ、感受性のある人がどっさりいたのだ。3月17日に僕は保健に関する国際的な行事で講演することになったが、英国での規制措置の実施を受けて、急遽オンラインでの講演に切り替えられた(11)。そのなかで僕は、COVID－19下で予想される今後のシナリオを2種類、おおまかに述べた。シナリオAは気がめいるような未来だ。有効なワクチンや治療法がないため、各国は医療体制が崩壊しないよう、散発的なシャットダウンタイプの措置に頼らざるを得ない。シナリオBはもう少し希望がもてる。一部の国は、ターゲットを絞った検査を拡充し、併せて厳密な隔離と感染対策を行うことによって、社会のその他の方面に過大な破綻をもたらすことなく感染爆発を抑え、最も感染リスクの高い人々を感染から遠ざけておくことができるかもしれない。つまり、2020年がどのような年になるかは結局、政府が自国民にどのような対策を課すかによって決まるだろう。韓国や台湾のように、電子機器による監視で感染者を特定して確実に隔離するか、ベトナムやニュージーランドのように国境を封鎖するか。あるいはスウェーデンのように、在宅勤務や集会規模の制限といったもっと緩やかな対策を試してみるか。

僕にとって、COVID－19で一番驚かされたのは、世界各国の反応が実にまちまちだったことだ。まるでウイルスが、この1年――ひょっとするとそれ以上――自国をどのような社会にしたいのか決めるようにと、各国に要請したかのようだ。答えは千差万別だった。個人の自由を重んじる政策に対して、集団としての規律を求める政策。自発的な手段に対して、強制的な手段。個人データの集中管理に対して、プライバシー保護に留意しながらの調査。散発的な移動制限に対して、継続的な移動禁止。

パンデミックによって、世論を二分するような難しい選択を強いられた結果、影響が社会の基本的なありかたにまで及ぶかもしれない。COVID－19による影響は最終的に、病気自体の影響を遥かに超えるものになるに違いない。2020年には、コロナウイルスと並んで、ほかの形の伝染もいくつか広がるだろう。誤情報の拡散が正しい健康情報の伝達を妨げ、政治的な対立をいっそう煽る。COVID－19対策によって引き起こされた混乱から、経済的な低迷や社会不安が生まれる。在宅勤務の初心者がサイバー攻撃やマルウェアの餌食になる。[12]とはいえ、こうした混乱のなかにあっても、ときおり楽観的な見方が広がることもあった。ワクチンの開発、新しい治療法の発見、知識の蓄積といった、希望のもてる動きも見えた。

あらゆる「感染爆発」が存在する

伝染するものというと、感染性疾患やウイルス化したオンライン情報のようなものを考えがちだ。しかし感染爆発をもたらすものはほかにもいろいろある。暴力やマルウェア、金融危機のように有害なものもあれば、新しいテクノロジーや科学的新機軸のように有益なものもある。生物学的な病原体やコンピュータウイルスのように目に見える感染もあれば、抽象的な概念や信念のように見えにくい感染もある。急激に拡大する場合もあれば、時間をかけてゆっくり広がる場合もある。なかには、予想もしなかったパターンをとり、どうなるか様子を見ているうちに、そうしたパターンが興奮や好奇心、さらには恐怖心さえ掻き立てるようになることもある。そもそも、感染はなぜそんなふうに勢いを増し、やがて衰えるのだろうか？

　第1次世界大戦が始まって3年半、ドイツ軍がフランスでいわゆる春季攻勢に出ていた頃、大西洋の反対側に新たな脅威が現れた。米国のカンザス州にある大規模な軍事基地のキャンプ・ファンストンで、人々が死に始めていたのだ。原因は新型のインフルエンザウイルスで、近隣の農場の動物のあいだで蔓延しているうちに、人への感染力を獲得したものと思われた。１９１８年から１９１９年にかけて、この感染症は世界的な流行、すなわちパンデミックを引き起こし、５０００万人以上の死者を出す。最終的な死者数は第一次世界大戦による総死者数の2倍にのぼった[13]。

　その後の１００年間に、インフルエンザのパンデミックがさらに4回起こっている。ＣＯＶＩＤ－19が現れる以前、次のパンデミックはどのようなものになるのだろうかと訊かれたことがあるが、残念ながら、ひとことでは言えない。これまでのインフルエンザのパンデミックはどれもわずかずつ違っていたからだ。ウイルスの種類もそれぞれ違っていたし、感染爆発の程度にも、地域によって違いがあった。実際、僕らの仲間内には、「パンデミックをひとつ経験したからといって、次も同じだとは思うな」という警句があるほどだ[14]。

　調べているのが疾病やオンライントレンドの拡散であれ、何かほかのものの拡散であれ、まず突き当たるのが、感染爆発はみな同じような姿をしているとは限らないという問題だ。そこで、ある感染爆発に特異的な性質と、感染を推し進める一般原則とを識別する方法が必要になる。単純化された説明に惑わされることなく、目に見える感染爆発パターンの背後にあるものを明るみに出す方法が必要なのだ。

この本の狙いはそこにある。生活のさまざまな領域における伝染という現象を詳しく調べることで、何がものごとを拡散させるのか、なぜ感染爆発はそのような姿をとるのかを明らかにする。その過程で、一見無関係な問題、たとえば金融危機や銃による暴力、フェイクニュースから、病気の進化やオピオイド中毒、社会的不平等といった問題のあいだのつながりが見えてくるだろう。感染爆発への対処に役立つさまざまな考え方を紹介するだけでなく、実際の感染爆発の際に見られた一風変わった状況も取り上げる。感染症や信念や行動のパターンについてのこれまでの考えが、一新されるような体験になるかもしれない。この本の最初の版を書いたのはCOVID-19パンデミックの起こる前だった。最終校正刷りを承認したのが2019年12月初めで、そのすぐあとに武漢の海鮮市場近くで最初の患者の発生が報告された。2020年のさまざまな出来事が反映されるよう、一部修正を加えたとはいえ、本書の大筋に変更はない。これはひとつのウイルス、あるいはひとつの感染爆発についての物語ではなく、僕たちの生活のあらゆる面に影響を与える感染という現象についての物語であり、それに対して僕たちに何ができるかについての物語である。

流行曲線でみる感染爆発

ではまず、感染爆発の形を考えてみよう。疾病調査員が新たな脅威を耳にしたとき最初にすることのひとつが、流行曲線と呼ばれるもの、つまり症例数の経時変化を示すグラフを描くことだ。曲線の形は事例によって大きく異なる場合もあるが、典型的な曲線には、発生、拡大、ピーク、衰退という4つの段階が含まれる。時には、こうした段階が幾度か繰り返される。2009年4月に英国に達した「ブタインフルエンザ」パンデミックは、初夏に急速に拡大して7月にピークを描いたあと、ふたたび拡大に転じて10月後半にピークに達した（その理由はのちほど述べる）。

4つの段階のうちでも関心が集中しがちなのが「発生」だ。感染爆発がなぜ起こったのか、どのように始まったのか、誰に責任があるのか、人はみな知りたいと思う。終わってみれば、何らかの説明や物語をつくりたいという気持ちに駆られる。まるでその感染爆発が起こるべくして起こったことであり、同じようにして再び起こりうると言いたいかのように。しかし、伝染病が起こったりトレンドがうまく拡散したりした事例の特徴をただ並べあげても、感染爆発が実際にどのように進行するのかについては、不完全な理解しか得られない。そもそも、ほとんどの場合、「発生」は起こらない。動物のあいだで蔓延しているインフルエンザウイルスのうち、人への感染力を獲得してパンデミックを引き起こすのは、何百万にひとつだ。急速に拡

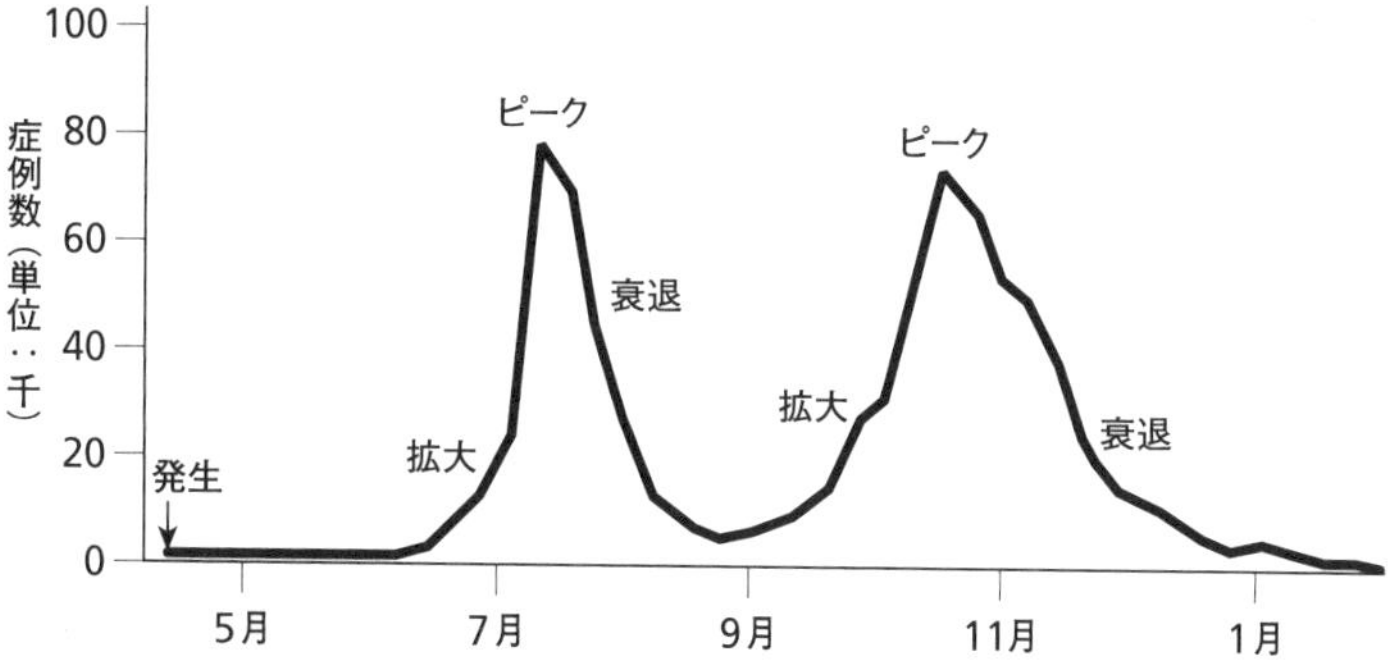

英国での2009年のインフルエンザパンデミック。
イングランド公衆衛生局のデータより。(15)

散するツイートがひとつあれば、その陰には、そうならないツイートがはるかに多く存在する。

たとえ感染爆発が発生したとしても、それはほんの始まりにすぎない。試しに、どれか特定の感染爆発の流行曲線を描いてみよう。疾病の流行でもいいし、新しいアイディアの拡散でもいい。拡大はどれくらい急速か？　なぜそれほど急速に拡大するのか？　いつピークに達するか？　ピークはひとつだけか？　衰退期はどれくらい続くか？　いろいろな要素が考えられるのがわかる。

感染爆発を、今後拡大するかどうかという観点から眺めるだけでなく、どう見積もり、どうやって予測を立てるか、考える必要がある。例として、2014年の西アフリカにおけるエボラの流行を見てみよう。ギニアからシエラレオネとリベリアに広がったあと、症例数が急上昇し始めた。僕たちのチームでは当初、最悪の感染地域では2週間ごとに流行が倍増するだろうと分析していた。(16)現在の症例数が100なら、2週間後には200、1カ月後には400となる。そこで、医療機関には迅速な対応が迫られた。流行への対処に時間がかかればかかるほど、抑え込むにはより大きな努力が必要になるからだ。つまり、新しい治療センターひとつを即座に開設することは、1カ月かけて4カ所開設するのに匹敵したのだ。

もっと短い時間軸で拡大する感染爆発もある。2017年5月、「ワナクライ」というコンピュータウイルスが世界中のマシンを襲った。そのなかには、英国の重要な国民健康保険システムに使われているものも含まれていた。初期段階では攻撃の規模がほぼ1時間ごとに倍になり、ついには150カ国の20万台以上のコンピュータが感染した。[17] 広がるのにもっと長い時間を要するタイプのテクノロジーもある。1980年代初頭にビデオデッキが普及し始めたときには、所有者の数が倍になるのに480日ほどかかった。[18]

感染を比較し、解明する

スピードに加えて規模の問題もある。急速に広がる伝染がすべて、最終的に大規模な感染爆発を引き起こすとは限らない。では、何が感染爆発にピークをもたらすのか？　そしてピークのあとには何が起こるのか？　これは金融や政治からテクノロジーや医療まで、多くの社会活動にかかわりのあることがらだ。といっても、感染爆発に対して誰もが同じ態度を示すわけではない。僕の妻は広告業界で働いている。僕の研究が疾病の伝播の阻止を目指すのに対して、彼女はアイディアやメッセージが広がることを望む。この2つの視点は非常にかけ離れているように見える。しかし、伝染という現象を社会活動の違いを越えて評価し比較することがますます可能になり、生活のある領域のアイディアを別の領域での理解に役立てられるようになってきている。このあとに続く各章で、なぜ金融危機が性感染症と似ているのか、なぜ疾病研究者にはアイス・バケツ・チャレンジのようなゲームの予測がたやすいのか、天然痘の根絶に用いられたアイディアがなぜ銃による暴力を止めるのに役立つのか、といったことがらを見ていこう。また、伝播の速度を鈍化させる——マーケティングの場合は保たせる——のに使えるテクニックについても考えてみよう。

伝染についての理解は近年大きく進んでおり、それは疾病調査という僕の専門分野に限らない。社会的な相互作用に関する詳細なデータが利用できるようになったおかげで、情報がどのように進化して、より説得力を持ち、共有されるようになるのか、またなぜ一部の感染爆発は、たとえば2009年のインフルエンザパンデミックのように、ピーク形成をくり返すのかが明らかになりつつある。遠く離れた友人間の「スモールワールド現象」〔知り合いを数人たどれば、世界の誰とでもつながりがあるという仮説〕によるつながりが、いかに特定の考えを広範囲に広げる（それでいてほかの考えの広がりは妨げる）のに役立つかも、解明されつつある。同時に、噂がどう生まれて広がるか、一部の感染爆発はなぜ解明が難しいのか、オンラインのアルゴリズムが僕たちの生活にいかに影響し、プライバシーを侵害しているか、についての認識も深まりつつある。

その結果、感染爆発の科学から得られる考え方が、いまではほかの分野での脅威への取り組みに役立っている。中央銀行はそうした方法を将来起こりうる金融危機の防止に役立てているし、ハイテク企業は有害なソフトウェアに対する新しい防御策の構築に利用している。一方、感染爆発はどのように進行するのかという古くからの難問への取り組みも続いている。伝染という現象については、ものごとがなぜ広がるのかに関する見解がいつも現実に合致しているとは限らない。歴史がそれを証明している。たとえば中世の社会では、散発的に起こる性質があることから、感染爆発を天体の影響のせいにした。「influenza（インフルエンツァ）」はイタリア語で「影響」を意味する(19)。

一般に流布している感染爆発の説明は、科学的な発見によって絶えずひっくり返される。科学的な研究が伝染の謎を明らかにし、単純化しすぎた逸話や役に立たない解決策の避け方を教えてくれる。ところがそうした進歩にもかかわらず、感染爆発に関する報道は依然として曖昧な傾向がある。僕たちが聞かされるのはただ、何かに感染力がある、つまりウイルス化したという話だけだ。なぜそれほど素早く（あるいはゆっくり）拡大したのか、何が原因で頭打ちになったのか、次回はどうなるのか、といった情報はめったに得られない。関心の対象がアイディアや新機軸の拡散であろうと、ウイルスや暴力の阻止であろうと、伝染の原動力が本当は何なのかを突きとめる必要がある。ときには、それは感染について僕たちが知っているつもりになっていることすべての見直しを意味する。

第１章　感染の理論

３歳のとき、僕は歩けなくなった。初めは、なかなか立ち上がれないときがあるかと思えば、足元がふらつくことがあるといった程度だった。ところがその後急速に悪化して、短い距離さえ最大限の注意を要するようになり、坂道や階段となると、ほとんどお手上げとなった。１９９０年４月のある金曜日の午後、両親は衰え続ける脚をかかえた僕を、バースのロイヤルユナイテッド病院に連れて行った。翌朝には神経科の専門医の診察を受けていた。まず脊髄の腫瘍が疑われ、その後数日にわたって、さまざまな検査が続いた。Ｘ線撮影をし、血液検査や神経刺激試験を受け、腰椎穿刺《せんし》をして脊髄液を採取した。その結果、腫瘍ではなく、ギランバレー症候群（ＧＢＳ）という珍しい病気と診断された。フランス人神経科医のジョルジュ・ギランとジャン・アレクサンドル・バレーに因んで名づけられた病気で、免疫系の機能不全によって起こる。体を護るはずの免疫系が神経系を攻撃し始め、麻痺を広げていたのだ。

作家のアレクサンドル・デュマが言ったように、「希望を捨てずに待つ[1]」という言葉に人類の叡智が凝縮されているように思えるときがある。僕の場合も、それが一番の治療法となった。

じっと辛抱して、よくなると信じて待つのだ。両親はカラフルなピロピロ笛を渡され、それで呼吸の強さをチェックするようにと言われた（幼児に使えるほど小さな家庭用の測定器はなかったのだ）。もし息を吹き込んでも笛がひゅるひゅると伸びなければ、肺に空気を送り込む筋肉にまで麻痺が及んでしまったとわかるわけだ。

祖父の膝に座る僕を撮ったその当時の写真がある。祖父は車椅子に乗っている。25歳のときにインドでポリオに感染し、それ以来、歩けなくなってしまったのだ。僕はそんな姿の祖父しか知らない。車椅子の車輪を回す逞しい腕が、言うことを聞かない脚の代わりをしていた。それを見ていたから、歩けないという思いがけない事態も、僕にとってはある意味でなじみ深いものだった。とはいえ、僕と祖父を結びつけたものは、ふたりを分かつものでもあった。同じ症状を共有していたものの、ポリオが祖父に残した印は永遠に消えないのに対して、ＧＢＳはいくら悲惨であっても、普通は一過性で終わる。

というわけで、僕たちは希望を捨てずに待った。ピロピロ笛が伸びなかったことは一度もなく、長い回復期が始まった。両親は僕に、ＧＢＳは「Getting Better Slowly（だんだんによくなっていく）」の頭文字なんだよと言い聞かせた。歩けるまでに12カ月、なんとか走るのに似たことができるまでにさらに12カ月かかった。その後何年も、体のバランスをとるのには苦労させられた。

症状が消えるにつれ、記憶も薄れていった。一連の出来事は遠ざかり、日々の生活の背後に押しやられた。注射の前にはいつもボタン型チョコレートをもらっていたため、普通の日常が戻ってからもボタン型チョコレートを拒否するようになってしまったらしいが、自分では少しも覚えていない。小学校での鬼ごっこの記憶もかすかだ。まだ足が弱くて誰もつかまえられず、昼休みのあいだずっと「鬼」をしていたという記憶も。回復してから25年、その間《かん》に小中高を終えて大学に進み、博士号を取得したが、ＧＢＳについて正面切って話題にしたことは一度もない。あまりにもまれな病気なので、わざわざ持ち出しても意味がないように思われた。「ギラン？　バレー？　それって人名？」そんなふうに言われるのがオチだろう。どっちみち決して話題にすることのなかったこの病気の話は、僕にとってはもう済んだことのはずだった。

　ところがそうではなかったようだ。２０１５年、フィジー共和国の首都スバで、今度は仕事の関係でＧＢＳに再び出会うこととなった。スバに滞在していたのは、先ごろ流行したデング熱の調査を手伝うためだった。[2]蚊が媒介するデングウイルスは、フィジーのような島々で散発的な流行を引き起こしている。たいていは軽い症状で済むが、ひどい高熱で入院が必要になる場合もある。２０１４年になって最初の数カ月のあいだに、デングウイルス感染の疑われる住民２万５０００人以上がフィジーの医療センターに押しかけ、医療体制には大きな負担となっていた。

ギランバレー症候群とジカ熱

フィジーと聞くと、太陽の光が降りそそぐビーチが頭に浮かぶかもしれないが、それはスバの実際の姿とはほど遠い。リゾート開発の進んだフィジー西部地域とは違って、首都スバは本島であるビティレブ島の南東部にある港湾都市だ。市の幹線道路2本が湾曲しながら半島部を南下して馬蹄の形をつくり、そのあいだの地域には大量の雨が降る。イギリスの気候をよく知っている地元民からは、故郷にいるように感じるだろうと言われた。

すぐに、故郷を思い出させるもっと古いものに出会うことになった。初顔合わせの会合で、世界保健機関（WHO）の同僚の1人が、GBSのクラスターが太平洋諸島に出現していると言ったのだ。そのようなクラスターは異例だった。この病気の人口10万あたりの年間平均症例数は1か2なのに、いくつかの地域ではそれが倍増していた[3]。

僕がなぜGBSに罹ったのかは、結局わからなかった。なんらかの感染症のあとで発病することがあり、インフルエンザや肺炎をはじめ、いくつかの病気とのつながりが知られているが[4]、何が引き金となったのかはっきりしない場合もある。僕の発症例は単なるノイズ、人類全体の健康状態をモニターする画面上にたまたまぽつんと出現した輝点にすぎない。しかし2014年から2015年にかけての太平洋では、GBSは何かを示すシグナルであり、ラテンアメリカではまもなく先天性欠損症が、同じようにそのシグナルとなろうとしていた。

これらの新しいシグナルの背後にあったのは、ウガンダ南部のジカ森に因んで名づけられたジカウイルスだった。デング熱ウイルスの近縁種で、１９４７年にその森の蚊の体内で初めて確認された。ジカは地元の言語で「育ちすぎ」という意味だが、[5] ジカウイルスはやがてウガンダからタヒチを経てリオデジャネイロへ、そしてさらに広範囲に広がった。２０１４年と２０１５年に太平洋とラテンアメリカに現れたシグナルは、しだいに明瞭になっていった。ジカウイルスへの感染と神経学的な病状につながりがあるという証拠がますます増え、ジカ熱はＧＢＳだけでなく妊娠合併症も引き起こすのではないかと思われた。一番心配されるのは小頭症で、脳が通常の大きさにまで発達しないため、小さな頭の赤ん坊が生まれる。[6] これは発作や知的障害を含め、多くの深刻な健康問題の原因となりかねない。

２０１６年2月、小頭症の原因となっている可能性があることから、ＷＨＯはジカ熱の流行が「国際的に懸念される公衆衛生上の緊急事態」すなわちＰＨＥＩＣ《フェイク》にあたると宣言した。[7] 初期の研究では、妊娠中のジカ感染１００例につき1〜20例の小頭症新生児が生まれるとされていた。[8] ジカ熱については小頭症が最大の懸念事項だとはいえ、僕にとってはもちろんのこと、医療機関にとっても、この感染症に注意を引かれたきっかけはＧＢＳだった。２０１５年、スバに一時的に設けた事務所に腰をおろしていた僕は、自分の子供時代に大きな影響を及ぼしたこの症候群について、ほとんど何も知らないことに気づいた。その無知はみずから選んだものと言ってよく、いくらかは（無理もないことながら）両親も加担していた。命にかかわる恐れもある病気だったのだと親から聞かされたのは、何年もあとになってからだった。

　同じころ、医療の世界もはるかに深刻な無知に直面していた。ジカについては当時もわからないことだらけだったが、そのいくつかはいまだに解明されていない。「科学者が、あれほどわずかな知識をもとにあれほどの切迫感をもって新規の調査課題にかかわったためしは、ほとんどない」と、疫学者のローラ・ロドリゲスが２０１６年初頭に書いている[9]。僕にとって最初の難題はこれらの流行の変化のパターンを理解することだった。感染の広がりやすさはどれくらいか？　流行はデング熱の流行と似ているか？　症例数はどれくらいになりそうか？

　こうした疑問に答えるため、僕たちの調査班はまず感染流行の数理モデルをこしらえることにした。いまでは公衆衛生分野で広く使われている手法で、ほかの研究分野でも見かけるようになっている。とはいえ、こうしたモデルはもともとどこから来たものなのだろう？　実際にはどんな働きをするのだろう？　その物語は１８８３年、１人の若い軍医と貯水樽、不機嫌な参謀将校とで幕を開ける。

数理モデルの夜明け前

　ロナルド・ロスは作家になるのが夢だったが、父の強い意向で医学校に進む。ロンドンの聖バーソロミュー病院での修行中も詩や戯曲や音楽への興味に時間を取られがちで、１８７９年に医師の資格試験を2つ受けた際には、外科医のほうしか通らなかった。これでは、植民地インドでの医療業務という、父の希望通りの職業には就けない[10]。

総合診療ができないので、翌年は船の外科医として大西洋を航海して過ごす。やがて残りの試験にも受かり、１８８１年になんとかインド医療団に加わることができた。2年間マドラスで勤務したあと、１８８３年9月にはバンガロールに移り、駐屯地づき外科医の地位に就く。快適な植民地暮らしを満喫していたロスはその地を、陽光に溢れ、庭園や列柱のある邸宅の散在する「絵のように美しい街」と表現している。そんな彼にとって唯一の悩みは蚊だった。彼の新しいバンガローは、ほかの兵舎より異様に多くの蚊を引き寄せているように思われた。窓の外に据えてある貯水樽に関係があるのではないだろうか。その周りには蚊が群がっている。

そこでロスは、樽をひっくり返して蚊の繁殖場所をなくすことにした。この解決策が功を奏したらしく、よどんだ水がなくなると、蚊に悩まされることはなくなった。試みがうまくいったことに気をよくしたロスは、ほかの貯水樽も撤去してはどうかと参謀将校に持ち掛けた。ついでに、兵舎の周りに散らばっているかめや壺も処分しては？　卵を産みつける場所がなくなれば、蚊はどこかよそに移るしかなくなるだろう。参謀将校は気乗り薄だった。「いかにも人を見下したような態度で、兵士をそうした作業に駆りだすことを拒否した」とロスはのちに書いている。「そんなことをすれば自然界の秩序を乱すことになる、蚊もなんらかの目的があって創造された生き物である以上、我慢するのが我々人間の務めだ、というのだ」

この実験はロスにとって、生涯にわたる蚊の分析の最初の試みとなった。２つ目の実験は、その10年後のロンドンでのある会話がきっかけとなる。１８９４年、ロスは1年の長期休暇を取ってイングランドに戻っていた。ロンドンは前回来たときとは大きく変わっていた。テムズ川に架かるタワーブリッジが完成し、ウィリアム・グラッドストンが第4次内閣の首相を退いたばかりで、英国初のフィルム・パーラー（映画館）が出現しようとしていた。[11] しかし、ロンドンに到着したロスの関心は、そうした世情とは別のところにあった。マラリア研究の最新事情を知りたいと思っていたのだ。インドではマラリアに倒れる住民があとを絶たず、発熱や嘔吐の末に死に至る者もいた。

マラリアの原因は「悪い空気」？

マラリアは人類の知る最古の病気のひとつだ。実際、種としての人類の歴史が始まって以来、常に僕たちとともにあったと言えるかもしれない。[12] ただ、マラリアという名称は中世イタリアに起源がある。熱病に罹った人々はしばしば、「mala aria」つまり「悪い空気」に責めを負わせた。[13] そこから、マラリアという名称とともにその責めも定着した。やがてこの病気の原因がプラスモディウムという寄生虫であると判明したものの、ロスがイングランドに戻った時点では、その寄生虫がどのようにして広がるのかは依然として謎だった。

ロンドンでロスは、インドにいるあいだに見逃したかもしれない進歩について学びたいと、聖バーソロミュー病院にて生物学者のアルフレッド・カンタックを訪ねた。カンタックが言うには、マラリア原虫のような寄生虫について詳しく知りたいなら、パトリック・マンソンという医者と話すべきだという。マンソンは数年にわたって中国南東部で寄生虫の調査を行い、人がどうやって、フィラリアと呼ばれる特にたちの悪い微細な寄生虫グループに感染するか発見していた。この寄生虫は人間の血液の流れに乗ってリンパ節に感染できるほど小さい。体液の貯留を引き起こすため、重症になると手足が通常の何倍ものサイズに腫れて、象皮病として知られる病状を呈する。マンソンはフィラリアがどのようにして病気を引き起こすかを突きとめただけでなく、感染した人を蚊が刺すときに寄生虫も吸い上げることを明らかにしていた[14]。

マンソンはロスを自分の研究室に招いて、感染した患者からマラリアのような寄生虫を見つける方法を伝授した。インドにいるあいだにロスが見逃した最新の論文も教えてくれた。「僕は頻繁に彼のもとを訪れ、彼が教えてくれることをすべて学んだ」とロスはのちに回想している。ある冬の午後、一緒にオックスフォードストリートを歩いているときにマンソンが洩らした一言が、ロスの職業人生を変えることになる。「実は、」とマンソンは言った。「ある説を考えたんだ。蚊はフィラリアを運ぶのと同じようにマラリアも運ぶのではないだろうか」

ほかの文化圏でも、蚊とマラリアにつながりがあるのではないかと、昔から考えられていた。英国人地理学者のリチャード・バートンが、ソマリアには蚊に刺されると命にかかわる熱病になるという言い伝えがあると指摘している。ただしバートン自身はそうした考えを退け、「この迷信は恐らく、蚊と熱病がほぼ同じ時期に蔓延するという事実から来ているのだろう」と1865年に記している。[15] 原因を知らなかったにもかかわらず、治療法を考え出した人々もいた。4世紀の中国の道士、葛洪《かっこう》は、クソニンジンという植物で熱病を和らげられると記述した。いまではこの植物から抽出された物質がマラリア治療薬のもととなっている[16]（他のさまざまな試みにはそれほど効果がなかった。たとえば「アブラカダブラ」はもともと、マラリアを寄せつけないためにローマ人が唱えたまじないの言葉だった[17]）。

蚊とマラリアを結びつける憶測はロスも小耳に挟んでいたが、ほんとうに確信が持てたのはマンソンの考えを聞いてからだった。蚊が人間の血を吸うときにああした小さな寄生虫を体内に取り込むなら、マラリア原虫も取り込めるだろう。その後、原虫は蚊の体内で増殖し、やがてなんらかの方法で、また人体に入る。水を飲むことで感染するのかもしれない。マンソンはそう指摘した。ロスはインドに戻ると、その説の検証に取り掛かった。彼が行った実験は現代の研究倫理委員会の審査には通りそうもない[18]。感染した患者の血を蚊に吸わせてから、瓶の水に卵を産ませる。卵が孵ると、報酬を支払って、3人にその水を飲ませた。しかしがっかりしたことに、誰もマラリアに罹らない。では、原虫はどうやって人の体内に入るのだろう？

結局、ロスはマンソンに手紙を送り、感染は蚊に刺されることで広がるのではないかという新しい説を提案した。蚊は人を刺すたびに唾液をいくらか注入する。一緒に原虫も注入されるのかもしれない。今度は志願者を十分に集められなかったため、ロスは鳥で実験した。まず蚊を何匹か採集して、感染した鳥の血を吸わせる。次いでそれらの蚊に健康な鳥を刺させると、その鳥もすぐにマラリアに罹った。最後に、感染した蚊の唾液腺を調べたところ、マラリア原虫が見つかった。伝染のほんとうの経路を発見したロスは、自分たちのそれまでの説がいかにばかげたものだったかを悟ったのだった。「人も鳥も死んだ蚊を食べて回ったりはしません」と、彼はマンソンに語っている。

１９０２年、ロスはマラリア研究の業績が認められて、史上二人目のノーベル医学賞受賞者となる。感染経路の発見に貢献したにもかかわらず、マンソンは受賞にあずかることなく、新聞を見て初めてロスの受賞を知った[19]。かつては親しくしていた師と弟子のあいだの友情は、しだいに激しい敵意へと変わっていった。ロスは科学者としては優秀だったものの、仕事仲間としては、自分勝手で協調性のない人物だったようだ。ライバルたちとのいざこざが絶えず、訴訟に発展することも多かった。１９１２年、ロスはマンソンを名誉棄損で訴えると脅すことまでした[20]。何が気に入らなかったのか？　マンソンは賛辞を連ねた推薦状を別の研究者のために書いていたのだが、その研究者というのが、ロスが最近辞した教授の地位に就こうとしていた人物だった。マンソンは論争に応じず、謝罪する道を選んだ。「口論には愚か者が二人必要だ」とのちに語っている[21]。

ロスはマンソン抜きでマラリアの研究を続けることとなり、その過程で、猪突猛進の新たなはけ口と新たな好敵手を見つけた。マラリアがどのようにして広がるのか発見した彼は、今度はその広がりを止められることを証明したいと思ったのだ。

いかにしてマラリアを止めるか

マラリアはかつて、いまよりはるかに広い範囲に存在しており、何世紀にもわたって、オスロからオンタリオに至るヨーロッパおよび北アメリカの全域に広がっていた。17世紀と18世紀のいわゆる「小氷河期」に気温が低下したときでさえ、刺すような冬の寒さのあとにはやはり、人を刺す蚊に悩まされる夏がやって来た[22]。温帯の多くの国々ではマラリアは風土病であり、伝染が切れ目なく起こって、毎年新たな患者が発生した。シェイクスピアの戯曲のうち8編には「瘧《おこり》」についての言及があるが、それはマラリア熱を指す中世特有の言い方だ。ロンドンの北東にあたるエセックスの塩性沼沢地は病気の発生源として何世紀ものあいだ悪名を馳せ、ロナルド・ロスも医学生時代に、その沼地でマラリアに罹ったという女性を治療したことがあった。

蚊と感染症とのつながりを明らかにしたロスは、蚊の駆除がマラリア制圧の鍵だと主張した。インドでの体験――バンガロールでの貯水槽に関する実験など――から、蚊の数を減らすことは可能だと考えていたのだ。しかしそのアイディアは世間には受け入れられなかった。蚊を一匹残らず駆除することは不可能であり、常にいくらかは残る。したがって、マラリアが広がる可能性も残るというのが、一般の考えだった。確かに一部の蚊は残るだろうが、それでもマラリアの伝染を止められるとロスは確信していたものの、アフリカ西部のフリータウンからインドのカルカッタまで、彼の提案はよくて無視され、悪くすると嘲笑された。「どこへ行っても、市中での蚊の数を減らすというわたしの提案には、嘲りしか返ってこなかった」とのちにロスは回想している。

１９０１年、ロスはチームを率いてシエラレオネに乗り込み、蚊の駆除という自分のアイディアを実地に試そうとした。チームは荷車何台分もの空き缶や瓶を撤去し、蚊が好んで卵を産む淀んだ水に毒を撒いた。道路の穴も埋め戻して、ロスの言う「死をもたらす水たまり」ができないようにした。結果は有望で、１年後にロスが再訪したときには蚊の数が大幅に減っていた。とはいえ、そうした努力を継続しなければ効果は長続きしないだろうと、ロスは衛生当局に警告している。清掃作業の資金はグラスゴーの裕福な篤志家が出していた。資金が尽きると熱意もしぼみ、蚊の数が再び増えた。

翌年ロスがスエズ運河会社に助言したときには、もっとうまくいった。イスマイリアというエジプトの街では年に２０００人前後のマラリア患者が発生していたが、集中的な蚊の駆除を行うと、患者数は１００人以下になった。ほかのところでも、蚊の駆除の有効性が証明されつつあった。１８８０年代にフランスがパナマに運河を建設しようとした際には、やはり蚊の媒介する黄熱病に加えてマラリアのせいで、何千人もの作業員が死んでいた。１９０５年にはアメリカ人がパナマ運河建設の指揮を執ることになり、陸軍大佐ウィリアム・ゴーガスが蚊の大々的な駆除作戦を監督して、運河の完成に漕ぎつけた。[23] 一方、はるか南では医師のオズワルド・クルスとカルロス・シャーガスがブラジルにおけるマラリア撲滅計画の先頭に立ち、建設作業員の症例数の減少に貢献した。[24]

マラリア伝染モデルの構築

これらのプロジェクトの成功にもかかわらず、蚊の駆除の効果には多くの人が疑念を抱いたままだった。ロスが同業者を納得させるには、もっと強力な論拠が必要だった。そこで最終的に数学に目を向ける。インド医療団の一員だったころに、ロスは独学で数学を学び、かなり高度なレベルまで習得していた。ロスの内なる芸術家は数学の優雅さを称賛した。「証明された定理は完璧に均衡のとれた絵画のようだった。無限の級数が未来へと消えゆくさまは、ソナタの変奏が延々と続くのに似ていた」と、のちに述べている。自分がどれほど数学に魅了されているか気づいたロスは、学校で正式に学ばなかったことを悔やんだ。彼のキャリアはすでに確立され、方向転換するには遅すぎる。医学の道で働く人間にとって、数学が何の役に立つというのか？　ロスによれば、「それは結婚している男が美しいけれども手に入らない女性に抱く不幸な情熱だった」。

ロスはこの知的な浮気心をしばらくほうっておいたが、蚊に関する発見のあと、再び向き合うこととなり、今度は数学という趣味を自分の専門職に役立てる道を見つける。彼には、どうしても答えを知りたい疑問があった。蚊を一匹残らず駆除しなくても、ほんとうにマラリアは制圧できるのだろうか？　この疑問に答えるために、彼はマラリア伝染の簡単な概念モデルをこしらえた。まず、地図上の任意の地域において、平均して毎月何人のマラリア感染者が新たに発生するか、計算するところから始めた。これは、伝染のプロセスをその基本要素にまで分解することを意味する。伝染が起こるには、最初にその地域に少なくとも１人、マラリアを他人に感染させうる人間がいなくてはならない、と彼は考えた。そこでひとつの例として、感染性を持つ人が人口１０００人の村に１人いるというシナリオを取り上げた。別の人にマラリアがうつるには、ハマダラ蚊がこの感染性のある人を刺さなければならない。首尾よく人を刺せるのは、４匹の蚊のうちせいぜい１匹だろう。すると、もしある地域に４万８０００匹の蚊がいるとすれば、人を刺すのは１万２０００匹ということになる。そして、最初に感染性を持っていたのは１０００人のうちたった１人なので、１万２０００匹のうち、その感染性のある１人を刺して寄生虫を吸い上げるのは、平均して12匹だけとなる。

マラリア原虫が蚊の体内で増殖するにはある程度時間がかかるので、それらの蚊が感染性を持つには、原虫の増殖に十分なほど生き延びる必要がある。それができるのは３匹につき１匹くらいだろうと、ロスは考えた。つまり、原虫を宿した12匹から、感染性を持つ蚊が最終的に

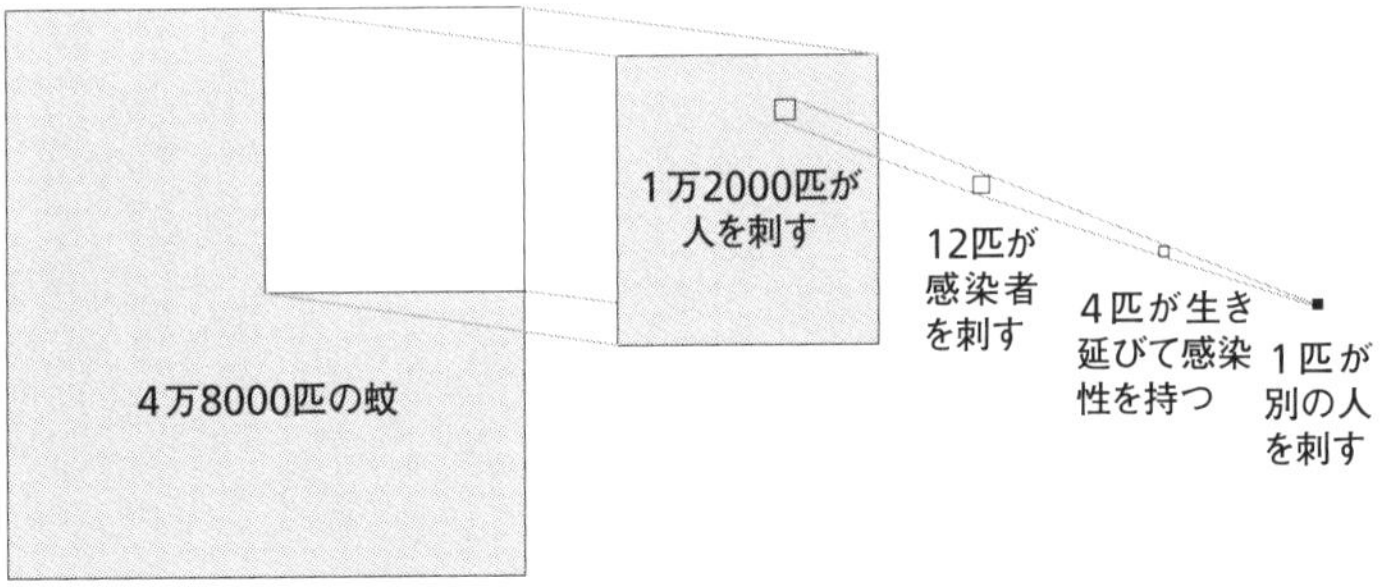

ロスの計算によれば、たとえ誰か1人がマラリアに感染している村に4万8000匹の蚊がいたとしても、追加の感染者は結局、たった1人に過ぎない。

4匹残る。感染を広げるには、これらの蚊が別の人を刺す必要がある。ここでも、やはり4匹のうち1匹しか人の血にありつけないとしたら、結局、原虫をうつせる蚊はたった1匹しか残らない。こうしてロスは、たとえある地域に4万8000匹の蚊がいたとしても、それらの蚊によって新たに生じる感染者は平均して1人にすぎないことを、計算によって明らかにした。

この論法によれば、もし蚊がもっと多ければ、あるいは感染した人がもっといれば、ひと月あたりの新規感染者ももっと多くなるだろう。ただし、その効果を減殺するもうひとつのプロセスがある。ロスの推定によれば、毎月、マラリアに感染した人の約20％が回復する。マラリアが集団内の風土病であり続けるには、この2つのプロセス——感染と回復——が互いに相殺し合う必要がある。もし回復のペースが新規感染のペースを上回れば、患者数はやがて減少し、ゼロになる。

この洞察が、ロスの主張の決め手だった。マラリアを制するには、蚊を最後の一匹まで駆除する必要はない。蔓延には一定限度以上の蚊の密度が必要で、そのレベル以下になれば、マラリアはひとりでに消える。ロスによれば、「ハマダラ蚊がおびただしくいて、新たな感染者の数が回復者の数を相殺するような共同体でない限り、マラリアは存続できない」

この分析を1910年の著書『*The Prevention of Malaria*（マラリアの予防）』に載せたとき、ロスは、読者に彼の計算すべてを理解してもらうのは無理かもしれないが、言わんとするところは察してもらえるだろうと考えた。「読者にはこうした考え方を注意深く検討してほしい」と彼は書いている。「それでも、理解するのは少し難しいだろう。学校で習った数学はほとんど忘れてしまっているだろうから」。数学に則った考え方であることを示すため、彼はこの発見を「蚊の定理」と呼んだ。

「記述的手法」と「機構的手法」

この分析は、どうすればマラリアを制御できるかを明らかにするものだったが、伝染をどう捉えるべきかに革命を起こす、もっと深い洞察も含んでいた。ロスによれば、疾病分析にはふたつの手法がある。仮に、「記述的手法」と「機構的手法」と呼ぶことにしよう。ロスの時代には記述的論証を用いる研究が大半を占めていた。実際のデータから出発し、起こったことを振り返って、そのパターンを見極める。たとえば、1830年代末のロンドンで起きた天然痘の感染爆発を分析したウィリアム・ファーの場合を考えてみよう。政府の統計学者だったファーは、流行が最初は急速に拡大したものの、やがて勢いが鈍化し、ピークに達したのち衰退し始めたことに気づいた。この衰退はほぼ拡大期の鏡像になっており、ファーは症例データをもとにプロットして曲線を作成し、全体の形を把握した。1840年にまた別の感染爆発が起こると、ほとんど同じ経過をたどることがわかった。[25] ファーの分析には疾病伝染のしくみの説明はなく、感染率もなければ回復率もない。当時は誰も天然痘がウイルスによって起こるとは知らなかったことを思えば、それほど意外とは言えない。したがってファーの手法は伝染病がどのような形をとるかが中心で、なぜそのような形をとるかは問題にしていない。[26]

これに対してロスは機構的手法を採用した。データを集めて観察し、現れた傾向の特徴を説明できるパターンを探すのではなく、伝染に影響を与えるおもなプロセスをおおまかにつかむことからスタートしたのだ。マラリアに関する自分の知識を用いて、人がどのようにして感染するか、どのようにしてほかの人を感染させるか、患者がどの程度すばやく回復するかを明示する。そしてこの伝染の概念モデルを数学の方程式を用いて要約し、次にその方程式を分析して、起こりうる感染爆発パターンに関する結論を導き出した。

ロスの分析には伝染プロセスに関する具体的な前提が含まれていたため、それらの前提を微調整することで、状況が変わった場合には何が起こるかを知ることができた。蚊の数を減らせばどんな効果があるか？　伝染が減ればどれくらい速く消えるか？　ロスの手法を使えば、単にいまあるデータのなかにパターンを探すだけでなく、将来に目を向けて、「もしこうなればどうなるか？」と問うことができる。これ以前にもほかの研究者がこのタイプの分析を大雑把に試みた例はあったものの、アイディアをまとめて、明確で包括的な理論にしたのはロスが初めてだった[27]。伝染病を静的なひとそろいのパターンとしてではなく、相互作用する一連のプロセスとして扱うという、いわば動的な視点から調べるやり方を示したのだ。

記述的手法と機構的手法――片方は後ろを振り返り、片方は前を向く――は、理論上は同じ答えに行き着く。記述的手法の場合、実際のデータが十分にあれば、蚊の駆除の効果を評価できる。貯水槽をひっくり返すとか、何らかの方法で蚊を駆除し、その後どうなるかを観察すればいい。逆に、ロスの数学的な分析において予測される駆除の効果は、理論上、そうした駆除手段がもたらす現実の影響と一致する。もし駆除戦略に本当に効果があるなら、どちらの手法でも、効果があるという結果が出るわけだ。違いは、ロスの機構的手法では、どんな効果があるか評価するために貯水槽をひっくり返す必要がないことだろう。

実験できない問題に答えを出す

ロスが考案したような数理モデルはしばしば、曖昧だとかわかりにくいとか評される。しかし基本的にモデルとは現実の世界を単純化したものであり、与えられた状況において何が起こるか理解するのを助けるものだ。機構的なモデルは、実験で答えを出すことができない疑問には特に役に立つ。保健当局が、自分たちの疾病コントロール戦略がどれほど効果を上げたかを知りたいと思ったとしても、過去に戻って、その戦略がなかった場合を再現することはできない。同様に、将来のパンデミックがどのような姿になるか知りたくても、新しいウイルスを故意に放出して、どのように広がるかを見るわけにはいかない。しかしモデルを使えば、現実の世界に介入することなく感染爆発を調べられる。伝染とか回復のような要素が感染の広がりにどう影響するか研究できるし、蚊の駆除からワクチン接種まで、さまざまなコントロール手段を導入した場合、多様な状況下でどの程度効果があるか知ることもできる。

20世紀の初頭にあって、この手法こそ、ロスが必要としたものだった。ハマダラ蚊がマラリアを広げると彼が発表した当時、同業者の多くは、蚊の駆除でマラリアを減らせるとは考えていなかった。これは記述的分析ではうまく対処できない。使われてもいないコントロール手段を記述的分析で評価しようとすればインチキになってしまう。しかしロスは自前の新しいモデルのおかげで、長期にわたる蚊の駆除に効果があると確信していた。次の課題は自分以外の全員を納得させることだった。

現在の考え方からすると、ロスのアイディアにそれほど大きな反対意見があったのは奇妙に思えるかもしれない。当時すでに科学としての疫学が発展しつつあり、疾病パターンを分析する新しい方法が生まれていたものの、医師たちはマラリアに対して、ロスと同じような見方をしていなかった。要するに見解の相違があったのだ。大半の医師はマラリアを記述の観点から捉え、感染爆発を調べる際には計算ではなく分類を用いた。しかしロスは、疾病流行の背後にあるプロセスを定量化する必要があると強く主張した。「疫学とは実のところ、数学のテーマのひとつなのだ」と１９１１年に書いている。「もし疫学を数学として学ぶことにもっと留意すれば、疫学に関するばかばかしい勘違い（たとえばマラリアに関する勘違い）は少なくなるだろう[28]」

蚊の駆除が広く採用されるにはさらに長い年月を要した。ロスはマラリア症例数の劇的な減少を見ることなく亡くなる。イングランドでは１９５０年代になってもまだマラリアが見られ、ヨーロッパ大陸から一掃されたのは１９７５年になってからだった[29]。最終的にはロスのアイディアが採用されるようになるのだが、彼はその遅さを次のように嘆いている。「世間が新しいアイディアを理解するには少なくとも10年はかかる。どんなに重要でも、単純でも」

ロスの遺志を継ぐ者たち

時が経つにつれ広がったのは、ロスの唱えた実際的な取り組みだけではなかった。シエラレオネへの１９０１年の遠征チームのなかに、グラスゴー出身で医師の資格を取得したばかりのアンダーソン・マッケンドリックがいた。マッケンドリックはインド医療団の採用試験で首位の成績を収め、シエラレオネのあとはインドで新しい仕事に就くことになっていた[30]。英国へ戻る船中で、マッケンドリックとロスは疾病の数学的処理について長時間にわたって話し込む。そのあともふたりは何年も意見交換を続けた。やがてマッケンドリックはロスに倣って自分でも分析を試みるくらいにまで数学を習得する。「あなたの研究をみごとな著書で読ませていただきました」と、1911年8月にロスに語っている。「微分方程式から同じ結論に到達しようとしたのですが、なかなかうまくいかず、数学的処理を新しい方向に広げているところです。望むような成果をあげられるかどうかわかりませんが、『人はおのれの手の届きそうにないところまでも目指すべきだ』と言いますから[31]」

マッケンドリックはカール・ピアソンのような統計学者に対して批判的な目を向けるようになる。ピアソンはロスの機構的な手法を採用せず、記述的な分析を重視していた。「ピアソン信奉者たちは例によって、何もかも恐ろしくめちゃめちゃにしています。わたしは彼らにも彼らの手法にもまったく共感を覚えません」と、マラリア感染症の不完全な分析を読んだあとでロスに語っている[32]。昔ながらの記述的な手法は医学の重要な一翼を担っていたが――そしていまでもそうだが――、伝染のプロセスを理解する段になると限界がある。感染爆発分析の未来はもっとダイナミックな考え方にあると、マッケンドリックは信じていた。ロスも同じ意見で、「我々は最終的には新しい科学を打ち立てるだろう。しかしまず君と僕とでドアを開けよう。

そうすれば、入りたい者は誰でも入ってこられる」とマッケンドリックに語った[33]。

１９２４年のある夏の夕方、実験装置が破裂して、ウィリアム・ケルマックは腐食性のアルカリ溶液を目に浴びてしまう。化学を学んだケルマックは脊髄液の研究によく使われる方法を調べているところだったが、その夕方はエディンバラの王立内科学協会の研究室で、ひとりで仕事をしていた。この事故で2カ月間入院することになり、26歳にして完全に視力を失う[34]。

入院中にケルマックは友人やナースに頼んで数学の本を読み聞かせてもらった。もう目が使えないと知って、ほかの方法で情報を得る練習をしようと思ったのだ。彼は記憶力抜群で、数学の問題を頭の中で解くことができた。「紙にいっさい書きつけることなく、彼がどれほど多くのことをできるか知って、信じられない思いだった」と同僚のウィリアム・マクリーが述べている。

退院後もケルマックは科学の仕事を続けたが、化学の実験はやめ、新しいプロジェクトを手掛ける。特に、エディンバラ研究室の長になっていたアンダーソン・マッケンドリックとともに数学上の疑問に取り組み始めた。インドで20年近く働いたマッケンドリックは１９２０年にインド医療団を離れ、家族を連れてスコットランドに移り住んでいた。

ふたりは協力して、ロスの考え方を疫学一般にまで広げた。特に、感染性疾患の研究において何より重要な疑問、「何が流行を終息させるのか？」に関心を持った。彼らの見るところ、

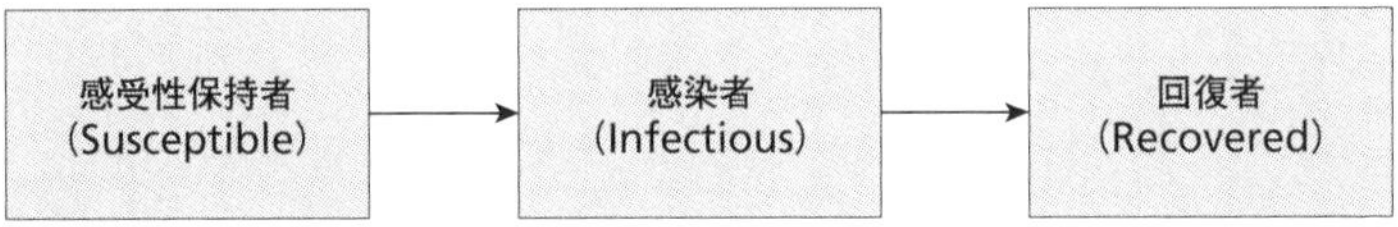

SIRモデルによるパターン。

当時は次のふたつの説明が一般的だった。ひとつは、伝染がやむのは、感受性のある人が1人も残っていないから、もうひとつは、流行が進むにつれ、病原体自体の感染力が衰えるから、というものだ。ケルマックとマッケンドリックは、大半の状況ではどちらの説明も正しくないことを明らかにした[35]。

彼らもロスのように疾病伝染の数理モデルをつくるところからスタートした。単純化のため、彼らのモデルでは人々がランダムに混じり合うこととした。瓶に入ったおはじきを振り混ぜたときのように、集団内の全員に、ほかの全員と出会う機会が均等にある。このモデルにおいて、一定数の感染者が出て流行が始まり、ほかの全員が感染に感受性を持つとする。いったん感染から回復した人には、その病気に対する免疫ができる。そこで、病気に対する状態に基づいて、集団を上記の3つのグループに分けることができる。

これは3つのグループの頭文字をとって「SIRモデル」と呼ばれる。仮に人口1万人の集団に1例のインフルエンザ症例が導入されたとしよう。SIRモデルを使ってインフルエンザのような伝染病をシミュレーションすれば、次頁の図のようなパターンが得られる。

スタート時点では感染者がたった1人しかいないため、流行が進展するにはしばらく時間がかかるが、それでも50日以内にピークに達する。そして80

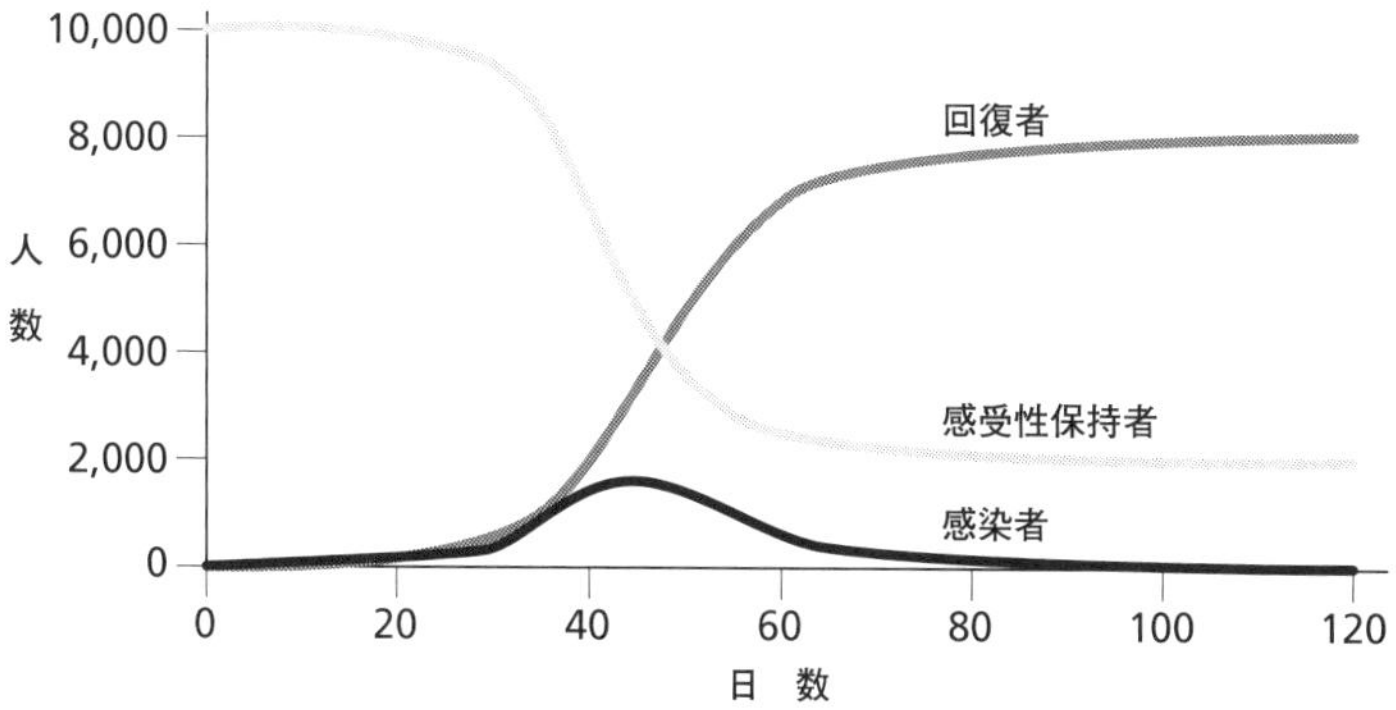

SIRモデルを用いてシミュレーションされたインフルエンザ感染爆発。

日後にはほぼ終わっている。流行の終息時にもまだ幾人かは感受性保持者が残っていることに注目してほしい。もし全員が感染したなら、1万人すべてが最後には「回復者」グループに入るはずだ。ケルマックとマッケンドリックのモデルは、そうはならないことを示している。感染爆発は全員が感染する前に終息しうるのだ。彼らによれば、「伝染病は一般に、感受性のある人が1人残らず感染する前に終息する」

なぜ、1人残らず感染してしまわないのか？　それは感染爆発の中ほどで状況が変わるせいだ。流行の初期段階では、感受性保持者がたくさんいる。そのため、日々感染する人の数が回復する人の数より多く、流行が拡大する。しかし、感受性保持者の集団は時とともに縮小する。この集団がある限度以下にまで縮むと、状況が180度変わる。毎日新たに感染する人よりも回復する人のほうが多くなるため、流行は下火になり始める。感染しうる感受性保持者はまだいるものの、あまりにもわずか

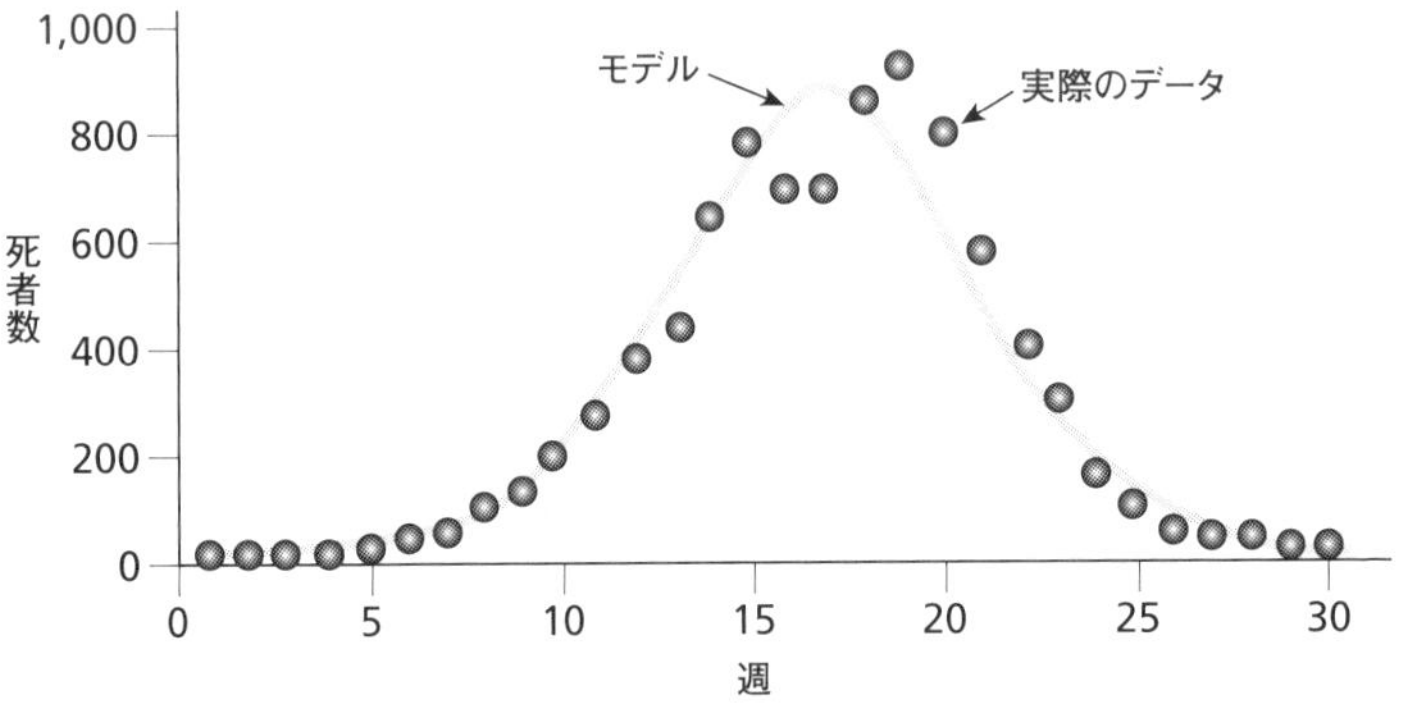

1906年のボンベイでのペストの感染爆発。実際のデータとともにSIRモデルを示す。

しか残っていないため、感染者はそのうちの1人に出会う前に回復してしまう可能性が高いのだ。

この効果を説明するため、ケルマックとマッケンドリックは、1906年のボンベイ（いまのムンバイ）でのペストの感染爆発の際の推移をSIRモデルで再現してみせた。SIRモデルでは、病原体の感染力はずっと同じままで、感受性保持者と感染者の数の逆転が、流行曲線の上昇と降下をもたらす。

決定的な変化は流行のピークで起こる。ピーク時には、回復して免疫のできた人が非常に多く、感受性のある人が非常に少なくなっているため、流行が拡大し続けることはできない。頭打ちとなり、衰退し始めるのだ。

「集団免疫」の概念の登場

伝播を阻止するのに十分なほど、免疫のある人がいる場合、その集団は「集団免疫」を獲得したと言う。この言葉はもともと統計学者のメイジャー・グリーンウッドが20世紀初頭に考案したものだ（Majorは少佐を意味するが、この場合はファーストネームで、彼の実際の階級は大尉）[36]。心理学者は以前、個人よりむしろ集団として行動するグループを指すのに「群本能」という言葉を使っていた[37]。集団免疫というのは同じような考え方に則った概念で、たとえまだ幾人かは感受性のある個人がいたとしても集団としては免疫ができていて、感染の拡大を阻止できることを言う。

集団免疫という概念が広く知られるようになったのは、それから数十年が経ち、疾病の抑制に対して強力な手段となりうると、ようやく一般にも理解されるようになってからだった。伝染病が流行すると、感染した人々が感受性保持者グループから自然に抜けていく。しかし多くの感染症では、ワクチン接種によって人為的にこのグループから移動させることができる。ちょうど、蚊を最後の一匹まで駆除しなくてもマラリアを制御できるとロスが指摘したように、集団免疫の考え方によれば、全人口にワクチン接種しなくても感染症を制御することが可能となる。集団内には新生児とか免疫不全の人など、ワクチンを接種できない人もいるわけだが、ワクチン接種した人が、自分自身はもちろん、接種していない脆弱な人たちも護れるのだ[38]。そしてもしワクチン接種によって病気を制御できるなら、集団から病気を排除できる可能性がある。こうして、集団免疫が伝染病理論の中心となった。「この概念には特別なオーラがある」と、疫学者のポール・ファインが評している[39]。

ケルマックとマッケンドリックは流行がなぜ終息するのかに注目しただけでなく、感染爆発が一見ランダムに起こることにも関心を持った。自分たちのモデルの解析中に、彼らは病気の伝播が病原体や人の集団の特性の小さな違いに極めて敏感なことに気づいた。大きな感染爆発がどこからともなく出現するように見えるのは、それで説明がつく。SIRモデルによれば、感染爆発が始まるには、十分に感染力のある病原体、人々のあいだの豊富な交流、十分な人数の感受性保持者の3つが必要だ。集団免疫の閾値の付近では、これらの要因のひとつにわずかな変化が起こっただけでも、一握りの症例で終わるか、大きな流行になるかの違いが生じうる。

ヤップ島の感染爆発を追う

ジカ熱の感染爆発が報告されたのは、2007年にミクロネシアのヤップ島で始まった例が最初だった。それ以前、人間の感染例はウガンダ、ナイジェリア、セネガルで散発的に確認されたものが14例あるだけだった。しかしヤップ島の流行は違っていた。爆発的に広がって島民の大半が感染し、しかも完全に予想外の出来事だったのだ。「育ちすぎた」森からやってきた未知の部分が多いウイルスは、どうやら新たな時代に突入したようだった。「公衆衛生当局はジカウイルス伝染がさらに拡大する危険に気づくべきだった」と、疫学者のマーク・ダフィーと共同研究者らは感染爆発報告で結論づけている[40]。

ヤップ島では、ジカ熱は大きな脅威というよりむしろ奇妙な出来事だった。おおぜいが発熱

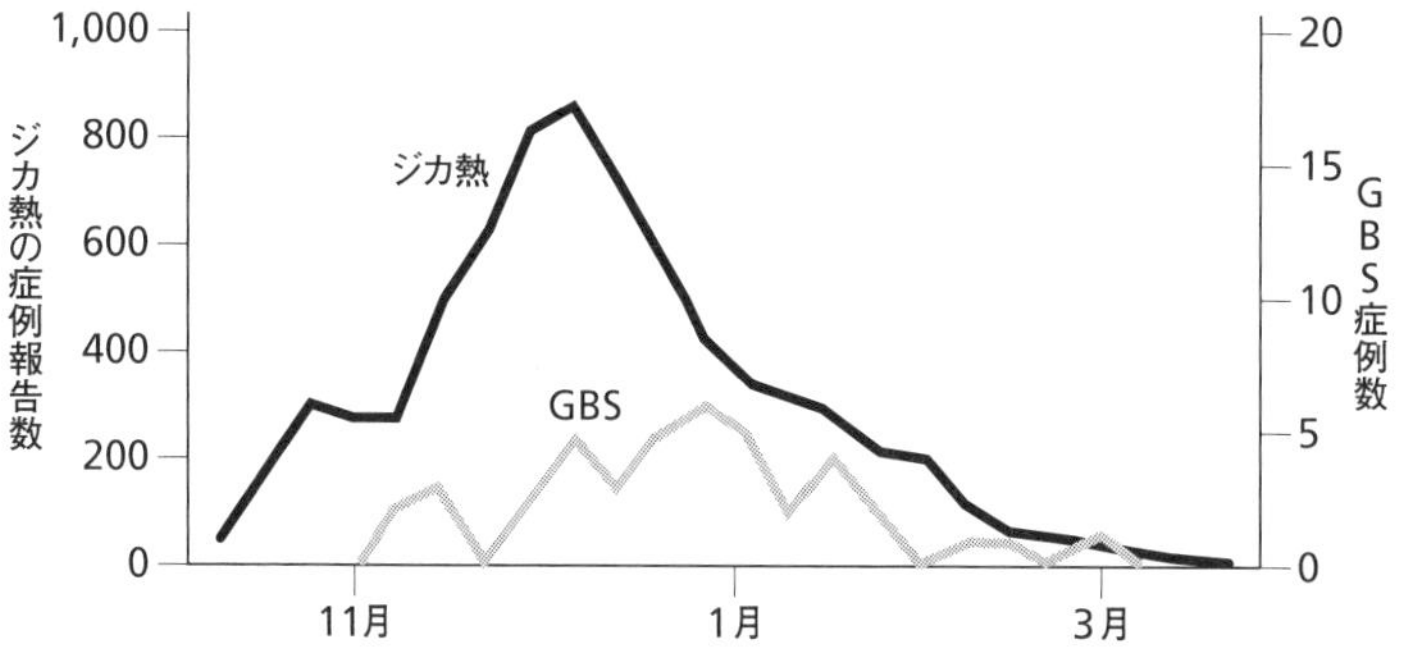

フランス領ポリネシアにおける2013年と14年のジカ熱およびギランバレー症候群の症例数。
データはフランス領ポリネシア保健省より。(41)

または発疹を起こしたものの、入院した者は１人もいなかった。それが一変したのは、ウイルスが２０１３年の末にフランス領ポリネシアのもっと大きな島々に広がったときだった。その結果起こった感染爆発中に、42人がギランバレー症候群を発症して、タヒチの北岸にあるパペーテの主要市立病院にやって来た。ＧＢＳの症例はジカ熱の流行よりわずかに遅れて現れており、感染症の２週間ほどあとに現れるという予想に合っていた。さらに、現地の科学者のヴァン＝マイ・カオ＝ロルモとその共同研究者たちにより、ほぼすべてのＧＢＳ患者が最近ジカ熱に感染していたと確認されたため、ふたつにつながりがあるという推測が裏づけられた。(42)

ジカ熱を運んでいるのは何者か？

ヤップ島の例のように、フランス領ポリネシアでの流行の規模は巨大で、人口の大多数が感染した。そしてヤップ島同様に流行は非常に短く、症例のほとんどは数週間以内に出現していた。2014年から2015年にかけて、僕たちのチームは太平洋でのデング熱を分析するための数理モデルを開発して過ごしていた。そこで、ジカ熱にも注意を振り向けることにした。マラリアを媒介する単色のハマダラ蚊は何キロも飛ぶことがあるのに対して、デング熱とジカ熱を媒介するヤブ蚊は、縞模様と出不精で知られる（学名の aedes はラテン語で「家」を意味する）。そのため、感染は一般にある場所から別の場所に人が移動することで広がる[43]。

僕たちのモデルによるシミュレーションを使ってフランス領ポリネシアでのジカ熱の動態を再現してみたところ、これほどの爆発的な感染を引き起こしたからには、デング熱のような高速の拡散があったに違いないとわかった[44]。感染プロセスに含まれる遅延時間を考慮に入れると、流行の期間の短さがいっそう目立つ。伝播の各サイクル中に、ウイルスは人から蚊に移り、また別の人に移らなければならないのだ。

フランス領ポリネシアにおける伝播速度を解析する一方で、2013年10月に最初の症例が報告された時点ですでに何人が感染していたのかを推定する作業にも取り組んだ。僕たちのモデルによると、この時点で数百人が感染していた可能性がある。これは、数カ月とは言わないまでも、数週間前にはこの国にウイルスが到着していたことを意味する。この結果から、別の謎が浮かんできた。ジカウイルスはどうやってラテンアメリカに到達したのか？　2015年

５月にブラジルで最初の症例が報告されたあと、誰がいつ、南米に感染を持ち込んだのかについて、おびただしい憶測が飛び交った。早期に唱えられた仮説のひとつでは、２０１４年の６月から７月にブラジルで開催されたサッカーのワールドカップが名指しされた。このときは３００万人以上のサッカーファンが世界中からブラジルにやって来ていた。もうひとつの候補は２０１４年８月にリオデジャネイロで開かれたアウトリガーカヌーの選手権大会だった。ワールドカップと違って、規模の小さいこのイベントにはフランス領ポリネシアのチームが参加していた。さて、どちらの説明のほうが、説得力があるだろう？

進化生物学者のヌーノ・ファリアらによると、どちらの説もあまりよくない[45]。２０１６年までにラテンアメリカに広がったジカウイルスの遺伝的多様性からすると、これまでの想定よりもかなり早くやって来ていたと考えられるという。ウイルスは恐らく、２０１３年中頃から末にかけて、南米に到達していた。カヌーの大会やワールドカップと結びつけるには早すぎるものの、２０１３年６月に開かれたコンフェデレーションズカップならぴったりだ。これはサッカーの各大陸代表を決めるトーナメントで、フランス領ポリネシアも出場国のひとつだった。

この説にはたったひとつ、穴があった。コンフェデレーションズカップは、フランス領ポリネシアでのジカ熱の最初の症例報告の５カ月前に開催されている。ただし、もしフランス領ポリネシアでの流行が、僕たちの解析で示唆されたように実際には２０１３年10月より早く始まっていたなら、夏のあいだにラテンアメリカに広がったことは十分にありうる（もちろん、ジカ熱の流行物語の序章がスポーツ大会によって書かれたと決めつけるべきではない。太平洋地域の感染者がたまたま、２０１３年のある時点に飛行機でブラジルにやって来た可能性もある)。

将来予測にも利用できる数理モデル

数理モデルは、過去の感染爆発の分析だけでなく、将来何が起こるかを考える際にも使える。これは感染爆発中に難しい決断を迫られる保健当局には、とりわけ役に立つ。２０１５年12月、ジカ熱がカリブ海のマルティニーク島に到達したとき、まさにそうした難しい局面がやって来た。島の医療体制でＧＢＳ患者に対応できるかどうか、大いに危ぶまれる事態となったのだ。肺をやられた患者には人工呼吸器が必要になる。当時、人口38万のマルティニークに人工呼吸器は８台しかなかった。これで間に合うのだろうか？

答えを知るため、パリのパスツール研究所はその島でのジカ熱伝播のモデルをつくった[46]。一番知りたかったのは感染爆発全体の形だった。人工呼吸器が必要になったＧＢＳ患者は普通、数週間、呼吸器につながれたままになる。したがって、短い期間に大きなピークをもたらすような感染爆発が起これば、医療体制がパンクする。ピークがもっとなだらかなら、そうはならない。マルティニークでの流行のスタート時には症例数が少なかったため、フランス領ポリネシアでのデータを出発点に使った。２０１３年から２０１４年にかけてそこで報告された42例のＧＢＳ患者のうち、人工呼吸器が必要になったのは12例だった。パスツール研究所のモデルによると、これは大きな問題に直面する可能性を意味した。もしマルティニークの流行がフランス領ポリネシアと同じパターンをたどれば、恐らく９台の人工呼吸器が必要になる。１台足りない。

幸い、同じパターンにはならなかった。新しいデータが入ってくると、ウイルスはフランス領ポリネシアのときほど急速に広がっていないことが明らかになったのだ。人工呼吸器が必要なＧＢＳ患者は、ピーク時には３例程度だろうと予想された。最悪のシナリオでも、７台で十分だろう。上限に関するこの推測は正しかったとわかる。人工呼吸器が必要な患者は、流行のピーク時でも５例だったのだ。このときのＧＢＳ患者は結局30人で、２人が死亡した。医療体制がパンクしていたら、もっと悲惨な結果になっていたかもしれない[47]。

こうしたジカ熱の研究は、感染症に対する僕たちの理解にロスの方式がどれほど影響を与えているかを示すほんの一例にすぎない。感染爆発の形の予想から制御手段の評価まで、機構的なモデルはこんにちの感染研究の不可欠の要素となっている。疾病専門家はそのモデルを使って、遠く離れた島から紛争地帯に至るいろいろな場所で、マラリアやジカ熱からエイズやエボラに至る多くの感染爆発に対処する保健当局に助言を行っている。

自分のアイディアがどれほど大きな影響力をもつに至ったかを知れば、ロスは喜んだに違いない。蚊によるマラリアの媒介を発見してノーベル賞を受賞したにもかかわらず、彼はそれを自分の最大の業績とは見ていなかった。「わたしとしては、自分の最も重要な仕事は流行の一般法則を確立したことだと思っている」と書いている[48]。しかもそれは病気の流行だけを意味していたわけではなかった。

数理モデルを感染症以外に適用する

ケルマックとマッケンドリックはロスの蚊の定理をやがてほかのタイプの感染症にも拡大したが、ロスはもっと広範な展望をもっていた。「感染はこうした生命体に起こるいろいろな種類の出来事のひとつにすぎないのだから、われわれは『出来事』一般を対象とすべきだ」と、『*The Prevention of Malaria*（マラリアの予防）』の第2版に書いている。ロスが提案した「出来事の理論」は、病気であれ、その他のことであれ、とにかく何かに影響を受けた人の数が時とともにどう変化するかを記述するものだった。

ロスによれば、出来事にはおもにふたつのタイプがある。ひとつは人々にそれぞれ独立に影響を与えるタイプ。もしあなたに何かが起こっても、そのことはその後誰か別の人にそれが起こる可能性を一般に増やしも減らしもしない。ロスによれば、このタイプには非感染性疾患、事故、離婚といったものが含まれる[49]。たとえば、ランダムに誰でもなりうる新しい状況があるが、最初は集団の中の誰もその状況にないとしよう。もし、毎年どの人にもそうなる一定の可

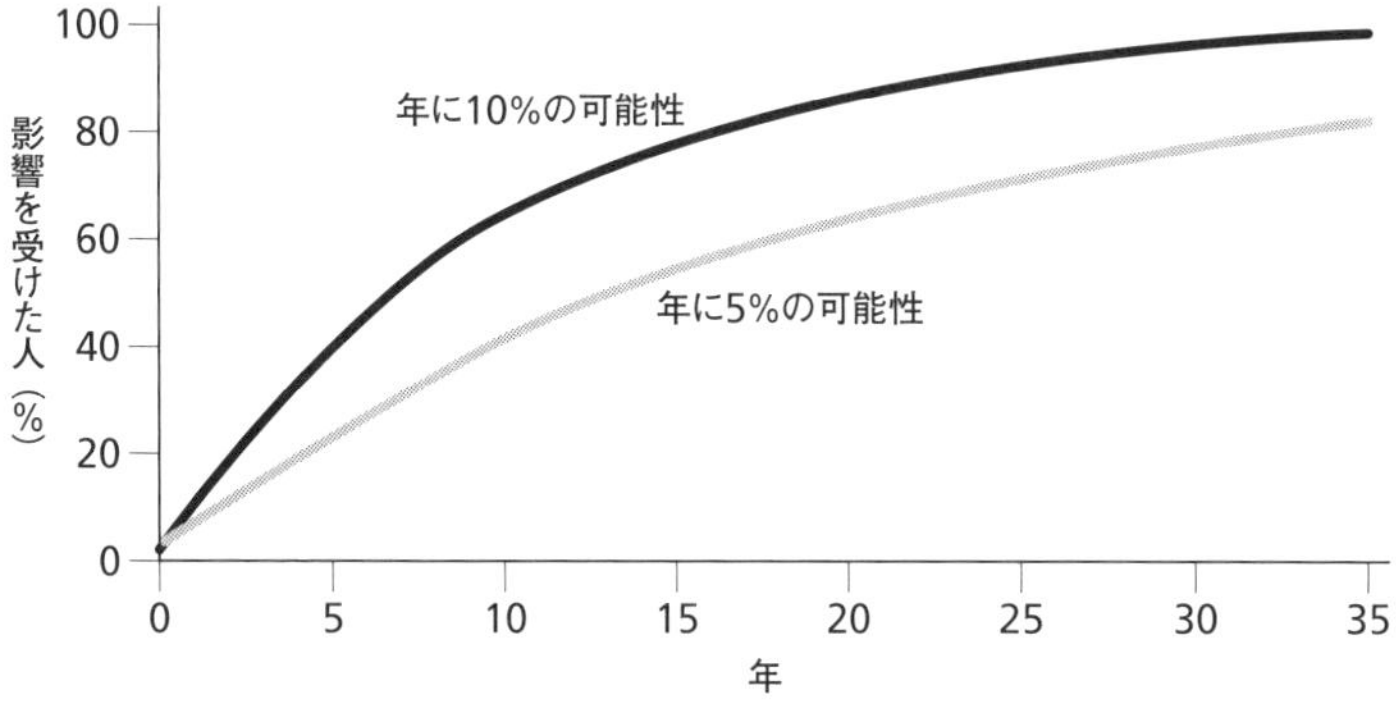

独立の出来事の増加曲線。影響を受ける可能性を全員が毎年5%または10%もっていた場合を例示。

能性がある——そしてその時点以降は影響を受けたままになる——とすると、時とともに上昇するパターンが予想できる。

ただし、曲線はしだいに平らになる。影響を受けていないグループのサイズが時とともに縮小するからだ。毎年、それまで影響を受けていなかった人々の一定割合が影響を受けるわけだが、影響を受けていない人の数は時とともに少なくなる一方なので、影響を受けた人の総数はやがてそれほど増えなくなる。1年間に影響を受ける可能性が低ければ曲線の最初の立ち上がりはもっと遅れるものの、やはり最終的には平らになる。実際には、曲線は必ずしも100%で平らになるとは限らない。影響を受けた人の最終的な人数は、そもそもその出来事に誰が「感受性をもつ」かに左右される。

例として、英国における住宅所有を考えてみよう。1960年生まれの人の場合、20歳で家を所有している人はわずかだが、30歳になるころには過半数が所有

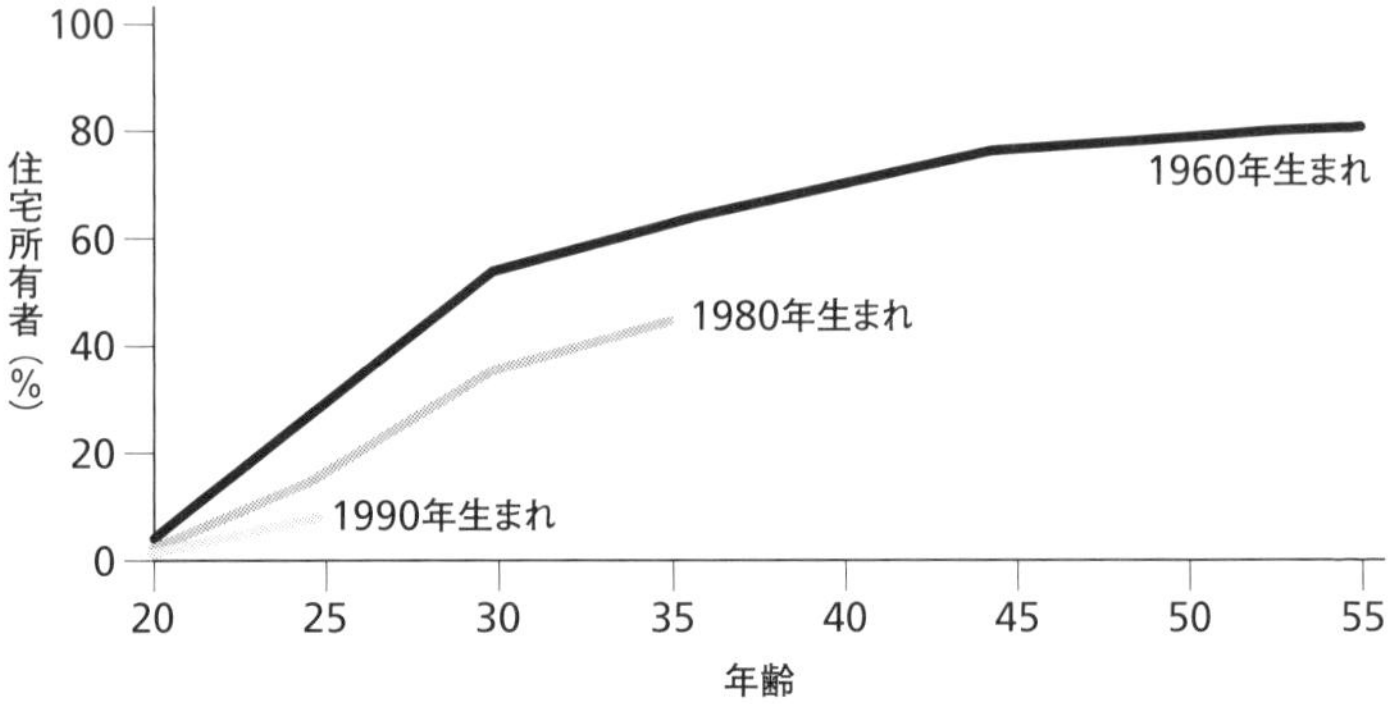

任意の年齢における、誕生年別の住宅所有率。
データ：住宅ローン融資会社協会。[50]

している。これに対して、1980年や1990年生まれの人の場合、20代全体を通じて、1年間に家の所有者となる可能性はずっと低い。家の所有者になる人の割合を年齢に対してプロットすれば、異なる年齢層での持ち家率の増加の様子を見ることができる。

もちろん、住宅購入には相続財産のような因子が影響するので、完全にランダムな出来事とは言えない。しかし総合的なパターンとしては、独立した出来事というロスの概念に一致する。一般に、21歳の誰かが住宅を購入したからといって、それがほかの人の購入にそれほど大きな影響を与えるとは思えない。出来事が互いに独立に起こる割合にかなりの一貫性がある限り、この総合的なパターンが大きく変わることはないのだ。ある年齢で住宅を所有している人の数をプロットしようと、ある時間待ったあとでバスが来る可能性をプロットしようと、同じような曲線が得られるだろう。

独立した出来事は考える出発点にはうってつけだが、

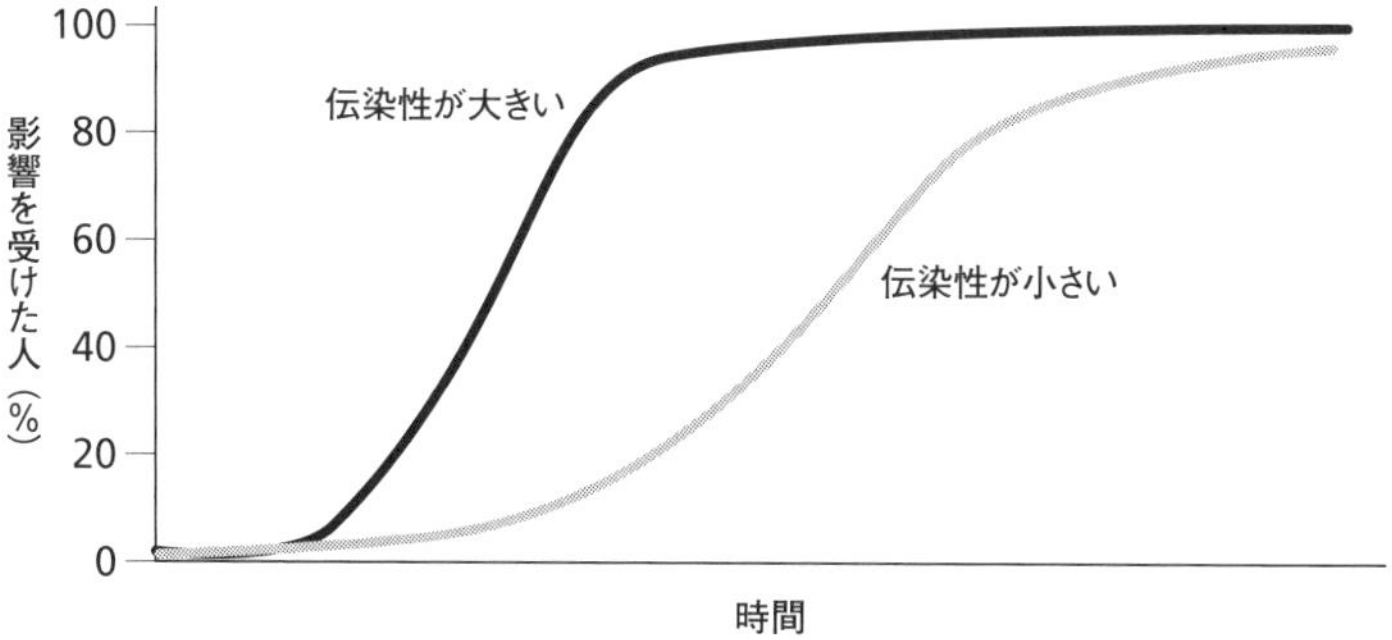

ロスのモデルに基づいて図示した従属的な出来事のＳ字形増加曲線。それぞれ、伝染性が大きな出来事と小さな出来事の増え方を示す。

出来事に伝染性があると、事態はもっと興味深い様相を呈する。ロスはこうしたタイプの出来事を「従属的な出来事」と呼んだ。ある人に何が起こるかが、いまどれくらい多くの人が影響を受けているかに左右されるからだ。単純なタイプの感染爆発がこれにあたる。影響を受けた人が、その状態を別の人に渡し、いったん影響を受けた人はその状態にとどまる。この場合、出来事は徐々に集団全体に浸透する。ロスは、そのような流行は「引き伸ばされたＳ字」の形になるだろうと述べている。最初は影響を受けた人の数が指数関数的に増え、新たな症例数の増加速度が時とともに大きくなるが、やがて増加速度が落ち、横ばいになる。

新製品の普及に必要な４タイプの人間

影響を受けた人がいつまでもそのままの状態を保つという前提は、通常、感染性疾患には当てはまらない。人は回復したり、治療を受けたり、その病気で死んだりするからだ。しかし、別の種類の拡散を表すのには適している。S字曲線はのちに、エベレット・ロジャーズが1962年の著書『イノベーションの普及』（三藤利雄訳、翔泳社）で取り上げてから、社会学の分野でよく知られるようになる。[51]彼は、新しいアイディアや製品が初めて受け入れられるとき、一般にこの形に従うことに注目した。20世紀中ごろのラジオや冷蔵庫といった製品の普及はどれもS字曲線を描き、やがてテレビ、電子レンジ、携帯電話も、同様の経過をたどる。

ロジャーズによれば、新製品の普及には4つのタイプの人間がかかわる。「イノベーター（革新者）」がまず取り上げ、「アーリーアダプター（初期採用者）」がそれに続き、次いで集団の大多数が追随し、最後に「ラガード（遅滞者）」が取り入れる。彼のイノベーション研究の大半はこの記述的手法によるもので、S字曲線から出発して、その妥当な説明を見つけようとした。ロスはこれとは逆向きに作業を行っていた。彼独自の機構的推論を用いて曲線をゼロから導き出し、そうした出来事の拡散は必然的にこのパターンに至ることを示した。なぜ新しいアイディアの採用が徐々に勢いを失うのかについても、ロスのモデルはひとつの説明を提供する。採用する人が増えるにつれ、そのアイディアをまだ知らない人に出会うのはどんどん難しくなる。採用した人の総数は増え続けるものの、どの時点をとってみても、採用する人の数は少なくなる一方となる。したがって、新規の採用者は減り始める。

1960年代に市場調査専門家のフランク・バスが、基本的にロスのモデルの拡大版というべきものを開発した[52]。記述的手法によるロジャーズの解析とは違って、バスは自分のモデルを使って、全体の形だけでなく採用の所要時間も調べた。人がイノベーションを採用するやり方について考察することによって、バスは新しいテクノロジーの取り入れについての予想を立てることができた。ロジャーズの曲線では、イノベーターが行うのは最初の２・５％の採用で、残りの97・５％は誰かほかの人が行う。これらの数値はそれほど確定的なものではない。ロジャーズは記述的手法に頼っており、そうした数値を得るにはＳ字曲線全体の形を知る必要があった。あるアイディアが完全に採用されて初めて、人々を分類することができたのだ。これに対して、バスは採用曲線の初期の形を用いて、イノベーターや、彼が「イミテーター（模倣層）」と呼ぶその他全員の相対的な役割を推測した。１９６６年の研究成果報告書で、彼は当時まだ上昇中だった新しいカラーテレビの売り上げが、１９６８年に頭打ちになるだろうと予想した。「産業界の予想はわたしのよりだいぶ楽観的だった。当然のことながら、わたしの予想は歓迎されなかった」と、のちに述べている[53]。バスの予想は受けがよくなかったものの、結局、はるかに現実に近かった。新規の売り上げは実際に鈍化し、やがて頭打ちとなって、彼のモデルが指摘した通りになったのだ。

曲線が横ばいになるのは確かに興味深い現象だが、採用の初期段階にも目を向けてみよう。エベレット・ロジャーズは１９６０年代初頭にＳ字曲線を発表した際に、集団の20～25％が採用すると、新しいアイディアは「軌道に乗った」と言えると指摘した。「その時点を過ぎると、たとえそうしたくても、新しいアイディアの拡散を止めることは恐らく不可能だろう」と述べている。感染爆発の動態を踏まえれば、その時点をもっと正確に限定できる。特に、新規の採用がいつ、最も急速に伸びているかを割り出せる。その時点を過ぎると、感受性のある人の数の不足によって拡散のスピードが落ち始め、やがて横ばい状態になる。ロスの単純なモデルでは、増加が最速になるのは、アイディアを採用した人が潜在的な信奉者のちょうど21％を超えたときだ。注目すべきことに、これはイノベーションの拡散しやすさの程度にかかわらず、成り立つ(54)。

ロスの機構的な手法は、さまざまなタイプの出来事が現実の世界でどのような姿をとるか見せてくれるという意味でも、有用だ。たとえば、ビデオデッキ所有の曲線と住宅所有の曲線を比べてみよう。結局はどちらも横ばいになるが、従属的出来事であるビデオデッキ所有の曲線のほうは、最初のうち指数関数的に上昇する。従属的出来事の単純なモデルは普通、この種の増加を示すと予想される。新規の採用それぞれがさらに多くの採用を生むからだ。一方、独立した出来事では、そうはならない。これは、指数関数的な増加が常に伝染性のしるしとなるという意味ではない。人があるテクノロジーをますます多く採用するのには別の理由があるとも考えられる。しかし、感染プロセスが異なれば、それが感染爆発の形に影響を及ぼすことは確かだ。

感染爆発の動態については、現実にはとてもありそうもないような形も想定することができ

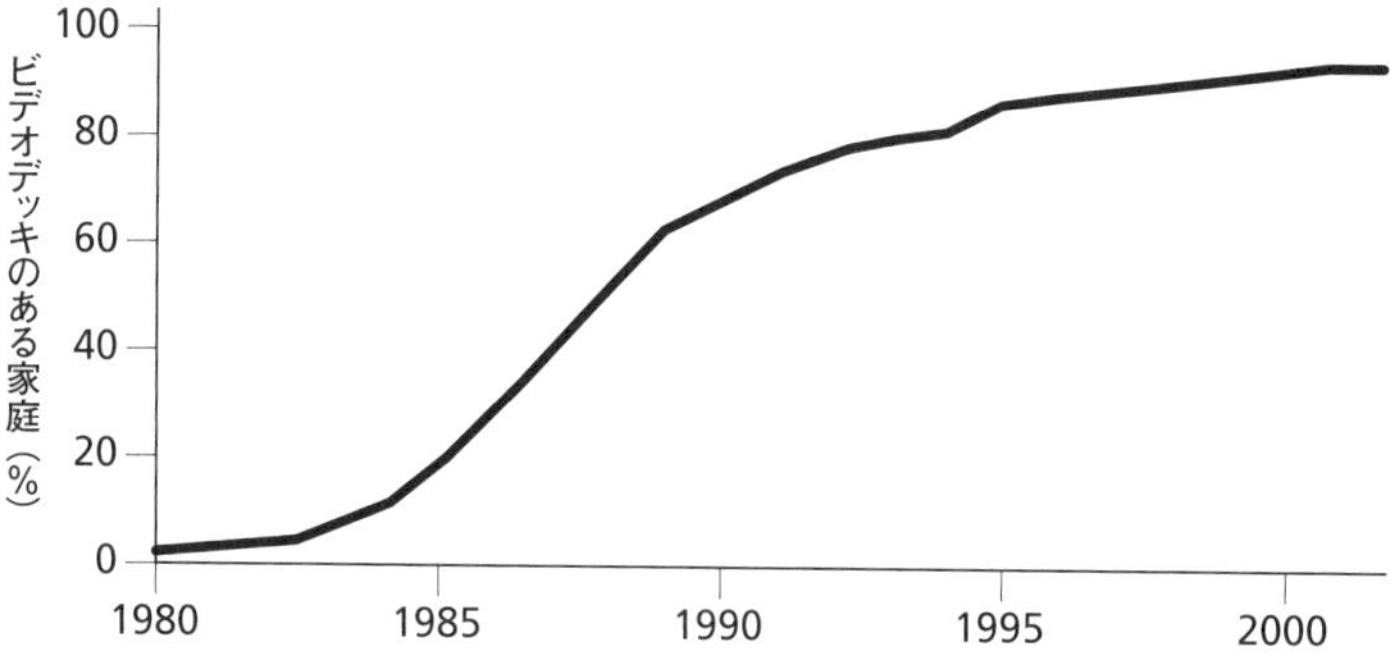

米国でのビデオデッキの普及。
データ：全米家電協会。

る。集団全員が感染するまで指数関数的に増加する伝染病を想像してみよう。そのような形を生むには何が必要だろうか？

大規模な流行では、感受性保持者が残り少なくなっていくので、伝播はやがて下火になる。流行が勢いを増し続けるには、流行の後期に、残っている感受性保持者を感染者が積極的に探し始める必要がある。これは、風邪をひいたあなたが、まだひいていない友人全員を探し出して、感染するまでわざと咳を浴びせるのに等しい。つまり、そのような形の感染爆発を生む一番わかりやすいシナリオは、現実離れしたフィクションとなる。ちょうど、ゾンビの一団が残りわずかな生存者を追い詰めるストーリーのようなものだ。

現実の世界に話を戻すと、宿主に影響を与えて伝播を増大させるような感染症も少しはある。狂犬病に感染した動物はしばしば攻撃性が増し、噛むことでウイルスの拡散を助ける。[55] また、マラリアに罹った人は蚊を引きつ

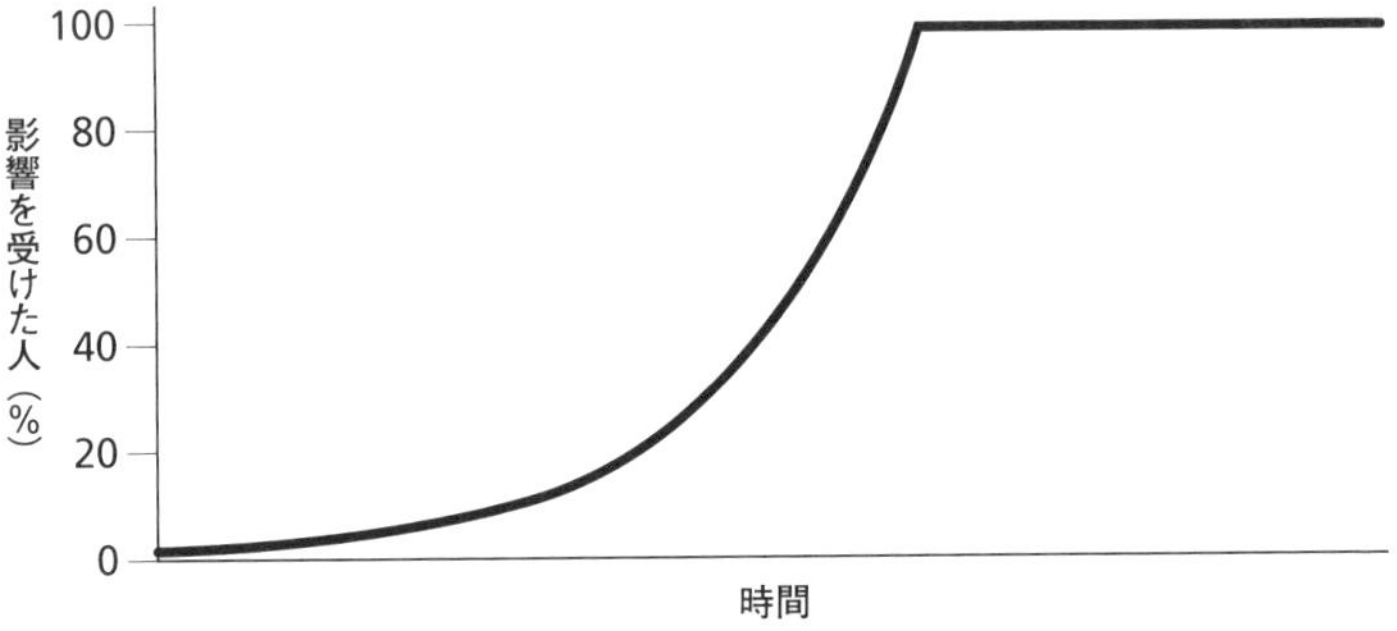

全員が影響を受けるまで指数関数的に増加する感染爆発曲線の例。

けるような匂いを発することがある。[56] しかしそうした効果は一般に、感受性保持者が流行の後期に少なくなるのを埋め合わせるほど大きくはない。そのうえ、感染症の多くは行動に逆の効果をもたらす。無気力や不活発さを引き起こして、伝播の可能性を減らすのだ。[57] イノベーションから感染症まで、感受性保持者が見つかりにくくなるにつれ、流行はほぼ必然的に下火になる。

ロナルド・ロスはあらゆる種類の感染爆発の研究を計画したが、彼のモデルが複雑さを増すにつれ、数学的処理が一筋縄ではいかなくなった。伝播プロセスの概略を述べることはできたものの、それがもたらす動態を分析できなかったのだ。そこで彼は、ロンドンのウエストハム・テクニカル・インスティチュート（イースト・ロンドン大学の前身）の講師だったヒルダ・ハドソンを頼る。[58] 数学者を父にもつハドソンは、10歳のときに初めての研究論文を『ネイチャー』誌に発表していた。[59] のちにケンブリッジ大学で学んだ際には、数学で最高クラスの成績を獲得した女性は学年で彼女１人だった。最終成績は７位の男子学生と同じだったものの、公式の記録には載っていない（１９４８年になるまで、女性にはケンブリッジの学位は与えられなかった）[60]。

ハドソンの専門知識によって「出来事の理論」の拡張が可能となり、さまざまなモデルが生み出すパターンを視覚化することができた。ある出来事は長いあいだくすぶり続け、しだいに全員に影響を与えた。急激に上昇してから降下するものもあった。大きな感染爆発を引き起こしたのち、低い流行レベルに落ち着くものもあった。決まった波となって押し寄せ、季節ごとに上昇しては降下する感染爆発もあれば、散発的に繰り返す感染爆発もあった。ロスとハドソンは、この手法で実生活の大半の状況をカバーできると主張した。「われわれに現在理解できる範囲では、流行の上昇と降下は出来事の一般法則で説明できる」と述べている[61]。

残念ながら、「出来事の理論」に関するハドソンとロスの共同作業から生まれた論文は３つしかない。まず障害となったのは第一次世界大戦だった。１９１６年、ハドソンは英国の戦争遂行努力の一環である飛行機の設計に協力するため、招集される。その仕事で彼女はのちに大英帝国勲章を授与された[62]。戦後、彼らは別の障害に直面する。対象とした読者に論文が無視されたのだ。『保健当局』からはあまりにもわずかな関心しか寄せられず、続けても無駄だと考えるに至った」と、ロスはのちに書いている。

「出来事の理論」に取り組み始めたとき、ロスはそれが最終的に「統計学、人口動態研究、公衆衛生、進化の理論、さらには商業、政策、政治的手腕と関連のある疑問にさえ」対処できるようになるのを望んでいた。(63) この壮大な構想が、やがては、伝染に対する僕たちの考え方を変えることになる。けれども、感染症調査の分野においてさえ、その手法が一般的になったのは数十年後のことだった。生活のほかの領域にも応用されるには、さらに長い年月がかかった。

第２章 金融危機と感染症

「わたしは天体の動きは計算できるが、人々の狂態は計算できない」。南海会社への投資で財産を失ったあと、アイザック・ニュートンはそう語ったと伝えられている。彼は１７１９年末に株を購入し、それが値上がりするのを見て、現金化した。ところが株は値上がりを続け、早まった売りを後悔したニュートンは再び投資する。数カ月後にバブルがはじけると、２万ポンド、いまのお金にして２０００万ポンド近くを失った[1]。

偉大な学者といえども、金融市場が相手だと、成否のほどは千差万別だ。数学者のエドワード・ソープやジェームズ・シモンズのように、投資がうまくいって巨額の利益を得た者もいる。そうかと思えば、お金を吸い取られっぱなしの人たちもいる。ヘッジファンドのロングターム・キャピタル・マネジメント社（ＬＴＣＭ）の場合を考えてみよう。この会社は１９９７年のアジア通貨危機と１９９８年のロシア金融危機のあと、巨額の損失を出した。役員会にはノーベル賞を受賞した経済学者２人を揃え、当初は大きな利益を上げていたことから、ウォールストリートでは羨望の的だった。投資銀行はこの会社にますます巨額の資金を貸し付け、ますます野心的になる取引戦略の追及に加担したあげく、1998年に会社が破綻した際には、1000億ドルを超える債務を抱える羽目になった[2]。

1990年代半ばに銀行家のあいだで「金融危機の伝播」ということばが広まった。経済問題がひとつの国から別の国へと波及するさまを表す。いい例がアジア通貨危機だ[3]。LTCMのようなファンドは直接危機に襲われたわけではなく、その他のマーケットを通じて間接的に衝撃波が伝わった。そして、銀行はLTCMにあまりにも多額の貸し付けを行っていたために、自分たちも危機に直面していることに気づいた。ウォールストリートの大物銀行家たちが1998年9月23日にニューヨーク連邦準備銀行の10階に集まったとき、彼らにそこまで足を運ばせたのは、この伝播への懸念だった。LTCMの災難がその他の機関投資家にまで広がるのを避けるため、36億ドルの緊急援助が合意された。この高くついた教訓は、残念ながら身につかなかった。ちょうど10年後、金融危機の伝播について、同じ銀行が同じ会話を交わした。今回、状況は遥かに悪かった。

間近で見た金融危機前夜

2008年の夏、僕は相関という統計上の概念の売買法について考えながら過ごしていた。大学もちょうどあと1年を残すだけとなり、ロンドンのカナリー・ウォーフにある投資銀行でインターンをしていたのだ。相関の基本的な考え方はいたってシンプルなものだ。ものごとが互いにどれくらい足並みを揃えて動くかを測る。もし、ある株式市場に高度な相関性があるなら、株価は一緒に上がったり下がったりする傾向がある。もし相関性がなければ、ある株が値上がりする一方、別の株は値下がりするかもしれない。株価が将来同じような動きをするだろうと考えるなら、この相関性から利益を得る売買戦略があれば最高だ。僕の仕事はそんな戦略の開発を手伝うことだった。

相関は単に、数学好きなインターンを忙しくさせておくためのニッチなテーマというだけではない。２００８年がなぜ、最大規模の金融危機で幕を閉じることになるかを理解するのに欠かせない概念だと、やがて判明する。社会行動から性感染症まで、もっと広い意味での伝染がどのように広がるのか、説明するのにも役立つ。これから見ていくように、この相関が橋渡しの役目をして、感染爆発分析がやがて現代金融学の核心部分で用いられるようになるのだ。

その夏、僕は毎朝、ドックランズ・ライト・レイルウェイで仕事に通った。僕が降りるカナリー・ウォーフに着く直前に、列車はバンクストリート25番地の超高層ビルのそばを通過する。このビルにはリーマン・ブラザーズが入っていた。僕が２００７年末にインターンシップに応募した当時、リーマンは就職希望者の誰もが切望する会社のひとつだった。巨大投資銀行のエリートグループの一員で、グループにはほかに、ゴールドマン・サックス、ＪＰモルガン、メリルリンチ、といった会社が名を連ねていた。ベアー・スターンズも、２００８年3月に破綻するまではこのエリートクラブの一員だった。

銀行家のあいだではベアーと呼ばれていたベアー・スターンズが経営破綻したのは、住宅ローン市場での投資の失敗が原因だった。すぐに、JPモルガンがその残骸をもとの10分の1以下の価格で買収する。夏には、金融業界の誰もが、次に破綻するのはどこかと考えていた。リストの筆頭はリーマンのようだった。

数学専攻の学生にとって、金融会社でのインターンシップは、ほかのすべてが色あせて見える前途洋々たる道だった。学位課程で一緒だった知り合いの全員が、最終的なキャリアにかかわらず、どこかに申し込みをした。僕が方針転換をして、就職ではなく博士課程を目指す決心をしたのは、インターンシップを始めて1カ月かそこらした頃だった。おもな理由は、その年の早いうちに取った疫学のクラスにあった。疾病の感染爆発が、これほど謎に満ちた予測不能の出来事である必要はないのだという考え方に魅了されたのだ。正しい方法を使えば、ばらばらに分解して、ほんとうは何が起こっていたのかを明らかにできる。そしてうまくいけば、それに対して何か手を打てるのだ。

とはいえ、まずは、カナリー・ウォーフの僕の周囲で何が進行中なのか知りたいと思った。別のキャリアを選ぶ決心をしたものの、銀行業界に何が起こっているのか理解したい気持ちがあったのだ。最近、何列も並ぶトレーディングデスクに社員の姿がないのはなぜなのか？　金融の有名なアイディアが突然、もろくも崩壊しているのはなぜなのか？　そして、事態はどこまで悪くなるのか？

とりわけ目立った「住宅ローン」

僕は配属先の普通株〔株式市場で売買される一般的な株式〕部門で会社の株価を分析していたが、ここ何年か、信用取引による投資に大金が投じられていた。とりわけ目立つ投資がひとつあった。銀行はますます、住宅ローンをはじめとするローンを「債務担保証券」（ＣＤＯ）として1カ所にまとめるようになっていた。こうした商品は投資家に住宅ローン融資会社のリスクの一部を負わせ、その代わりにお金を稼がせる。[4]とても儲かる手法だ。２０１９年に英国の財務大臣に任命されたサジド・ジャヴィドは、２００９年に銀行業界を去る以前、さまざまな金融商品の取引で年に３００万ポンドほど儲けたと言われている。[5]

ＣＤＯは生命保険業界から拝借したアイディアに基づいている。保険会社は、配偶者に先立たれた人の死亡率が高いことに気づいていた。「ブロークンハート・シンドローム（ストレス心筋症）」と呼ばれる現象だ。１９９０年代半ばに、保険会社はこの効果を考慮に入れて保険料を算出する方法を開発した。ほどなくして銀行がこのアイディアを借用して、新しい用途を見つけた。銀行が関心を持ったのは死亡ではなく、誰かが住宅ローンの債務不履行に陥った場合に何が起こるか、だった。ほかの世帯もそれに続くだろうか？　どの分野でもそうだが、金融の世界でも、ほかで開発された数理モデルを借用する例はよくある。「人間は限りある先見性と大きな想像力を持ち合わせている」と数理経済学者のエマニュエル・ダーマンが語っている。「そこで、モデルは必然的に、創り手が夢にも思わなかったようなやり方で使われるようになる」(6)

あいにく、住宅ローンモデルには大きな欠陥がいくつかあった。最大の問題は、このモデルがこれまでの住宅価格の動向をもとにしていることだった。この20年はだいたい値上がりが続いていた。この期間については、住宅ローン市場は特に相関性があるようには見えなかった。つまり、もしフロリダの誰かがローンを払えなくなったとしても、それはカリフォルニアの誰かもそうなることは意味しない。なかには、住宅供給はやがてはじけるバブルだと考えていた人もいたものの、多くは楽観視していた。2005年7月、民放テレビ局のCNBCがベン・バーナンキにインタビューした。ブッシュ大統領の経済諮問委員会の委員長を務め、短期間、米国連邦準備制度理事会の議長となる人物だ。あなたの考える最悪のシナリオはどんなものか？ 国中の住宅価格が下がったら何が起こるか？「それはまず、ありそうもない」とバーナンキは答えた。(7)「いまだかつて、全国規模で住宅価格が下がったことはない」

2007年2月、ベアー・スターンズが破綻する1年前、クレジット専門家のジャネット・タバコリがCDOのような投資商品の隆盛について書いている。彼女が特に懸念をもったのは住宅ローンのあいだの相関を見積もるのに使われたモデルだった。現実とはあまりにもかけ離れた前提を設定することで、それらのモデルは事実上、数理的幻想を創り出しており、ハイリスクのローンを低リスクの投資のように見せていた。[8]「相関性トレーディングが、非常に感染力の強い思考ウイルスのように、金融市場の精神に広がっている」とタバコリは記している。「いまのところ死亡例はほとんどないが、罹患はすでに数例あり、病は急速に広がりつつある」[9]。彼女の懸念を共有する人たちはほかにもいて、もてはやされている相関性メソッドは、住宅ローン商品の分析に用いるにはあまりにも単純化されたものだと見ていた。伝えられるところによると、ある有力なヘッジファンドは会議室のひとつに子供用の「そろばん」を置き、「相関性モデル」と記したラベルをつけていたという[10]。

そうしたモデルには問題があったにもかかわらず、住宅ローン商品の人気は衰えなかった。やがて現実が追いつき、住宅価格が下がり始める。その２００８年の夏のあいだに、僕は多くの人が薄々事態に気づいていたのだと考えるに至った。投資対象の価値は日ごとに下落していたが、それを売りつけるためのうぶな出資者が世のなかにいるかぎり、問題とはならないようだった。まるで、財布の底に大きな穴があると知っているのに、上からもっとたくさん詰め込んでいるので構わないと思っているかのようだった。

戦略としても、それは穴だらけだった。２００８年夏には、財布がどれだけカラになっているかという憶測が溢れていた。街中で、銀行は投入資金を探し求め、中東の裕福な政府系ファンドのご機嫌取りに走った。証券トレーダーが通りかかったインターンをつかまえては、リーマンの株価の最新の下落を指摘していたのを思い出す。かつては高収益を上げていたCDOチームが解雇されて無人になったデスクのそばを、僕は通り過ぎたものだった。同僚のなかには、次は自分かと、警備員が通るたびに落ち着きなく上目遣いに見る者もいた。不安が広がっていた。そして崩壊がやって来た。

群衆の不安と強欲のモデル化

複雑な金融商品の増加――そしてロングターム・キャピタル・マネジメントのようなファンドの破綻――によって、中央銀行は複雑な金融取引網の実態を把握する必要に迫られた。2006年5月、ニューヨーク連邦準備銀行は「システム上のリスク」を話し合うための会議を開く。狙いは金融ネットワークの安定性に影響を及ぼす要因の洗い出しだった[11]。

会議にはいくつかの科学分野からの出席者もいた。生態学者のジョージ・スギハラもその1人で、彼はサンディエゴにあるラボでは魚類個体群の動態を知るためのモデルを使って、海洋生物保護に取り組んでいた。金融の世界とも縁があり、1990年代後半に4年間、ドイツ銀行のための仕事をしたことがあった。その時期、銀行はどこも数量化チームを急速に拡充しており、数理モデルの専門家を求めていた。スギハラの獲得を目指すドイツ銀行は、英国郊外の大邸宅への豪華旅行に彼を招待した。伝えられるところでは、ディナーの席で、銀行幹部が破格の報酬額をナプキンに書いて示した。仰天したスギハラが口もきけずにいると、それを不満のしるしと勘違いした幹部は、ナプキンを引き戻して、さらに大きな数字を書きつけた。またしても反応がなく、書き直し。今度はスギハラもオファーを受けたという[12]。

ドイツ銀行との年月は、双方にとって非常に実り多いものとなった。扱うデータは魚類資源（フィッシュストック）ではなく金融株（フィナンシャルストック）だったものの、予測モデルに関するスギハラの経験は、新たな分野にもうまく移し替えることができた。「要するに、取引をする群衆の不安と強欲をモデル化したわけです」と、のちに彼は『ネイチャー』誌で語っている[13]。

連邦準備銀行での会議には、かつてスギハラの学位取得の指導をしたロバート・メイも加わっていた。生態学者のメイは感染性疾患の分析に幅広い経験があった。メイはたまたま金融調査にかかわることになったにもかかわらず、やがて金融市場における伝染を研究した論文をいくつか発表する。医学誌の『ランセット』に載った２０１３年の論文では、疾病の感染爆発と金融バブルとの明白な類似性に言及した。「金融資産の最近の値上がりとその後の破綻は、麻疹などの感染症の突発的流行における症例数の典型的な上昇および降下と、まさに同じ形をしている」と書いている。彼は次のように指摘する。感染症の流行では、上昇は悪いニュース、降下はいいニュースだ。これに対して、金融商品の価格が上がるのはよく、下がるのは悪いと一般には見られている。しかし、そうした区別は誤りで、価格の上昇は必ずしもよいしるしとはかぎらない。「なぜ上がるのか、納得のいく説明もないのに何かが上がるとき、実はそれは人々の愚かさの例証なのだ」と彼は言う[14]。

歴史上有名なバブルとして、1630年代のオランダを席巻した「チューリップ・バブル」がある。大衆文化の世界では、金銭を巡る狂乱の沙汰を物語る典型的な話として知られている。金持ちも貧乏人もこぞってチューリップにお金を投資し続け、ついには球根に家1軒ほどの値がつくまでになった。ある水夫は球根をタマネギと間違えて食べたかどで牢屋に入れられた。1637年に球根市場が崩壊すると経済が大打撃を受け、運河に身を投げた人々もいたと伝えられている[15]。ところが、キングズ・カレッジ・ロンドンのアン・ゴルガーによれば、実は球根バブルはそれほどひどくはなかった。バブルがはじけて破産したという人の記録を、ひとつも見つけられなかったという。一握りの裕福な人々が高価なチューリップに派手に散財しただけだった。経済への悪影響はなく、誰も身投げなどしなかった[16]。

もっと大きな影響を与えたバブルもある。ふくらみすぎた投資を指すのに「バブル」ということばが初めて使われたのは、「南海泡沫事件（South Sea Bubble）」のときだった[17]。1711年に設立された英国南海会社は、いくつかの商取引とアメリカ大陸での奴隷売買契約を支配していた。1719年、会社は英国政府と有利な融資の取り決めを結ぶ。翌年、会社の株価は急騰し、数週間で4倍にもなるが、その2カ月後に同じくらい急激に下落した[18]。

アイザック・ニュートンは持ち株の大半を1720年の春に売ったが、夏の最高値のあいだ

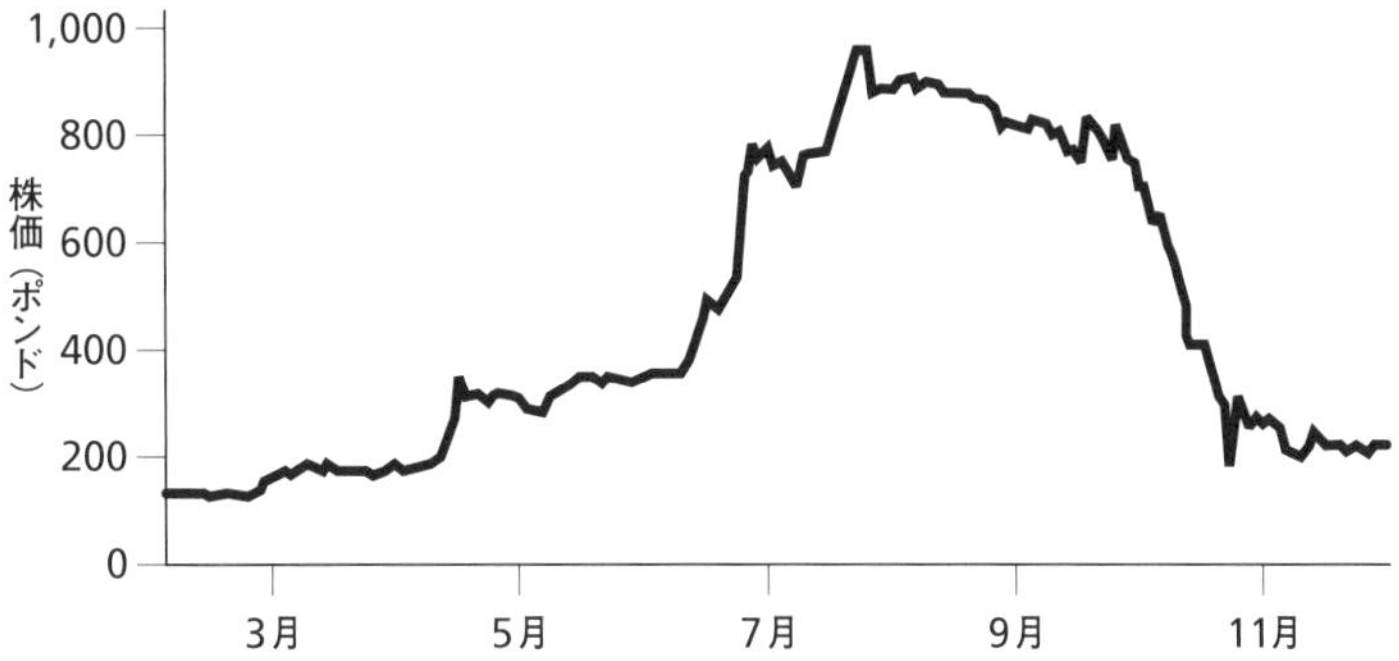

南海会社の1720年の株価。
データ：Frehen et al., 2013。[19]

に再び投資する。数学者のアンドリュー・オドリツコによれば、「ニュートンはバブルの狂乱をちょっぴり味わってみただけではなく、どっぷりはまっていた」。なかには、もっとうまく投資のタイミングを見極めた者もいた。本屋のトーマス・ガイは早い時期に投資し、ピークの前に手を引いて、その利益でロンドンのガイズ病院を設立した。[20]

その後、１８４０年代英国の「鉄道狂時代」から１９９０年代末の米国での「ドットコム・バブル」まで、ほかにも多くのバブルがあった。バブルでは一般に、出資者が殺到して株価が急激に上がり、その後バブルがはじけて破綻する。オドリツコはバブルを、出資者の目を現実からそらす「美しい幻想」と呼ぶ。バブルのあいだ、株価は論理的にはありえないほど上昇する。ときには、単にこれからもっと大勢が参加するだろうという憶測から出資して、自分たちの投資の価値をつり上げる人々もいる。[21]これは要するに「大馬鹿理論」と呼ばれるものだ。

何か高くつくものを買うのは馬鹿げていると知りつつも、世のなかにはもっと馬鹿なやつがいるから、あとでもっと高く売りつけることができるに違いないと考えるのだ[22]。

この理論の極端な例にピラミッド・スキーム（ねずみ講）がある。さまざまな形があるが、基本的な前提は同じだ。出資を募る際に、ほかの人を十分な数だけ勧誘できれば総出資金の一部を得られると約束して、人々をその気にさせる。ねずみ講は決まりきった型に従っているので、分析は比較的簡単だ。あるねずみ講が10人の出資者からスタートし、出資金を取り戻すにはそれぞれがほかの10人を勧誘しなければならないとする。もし全員が別の10人をなんとか引き入れたとすると、新たな出資者は１００人になる。この新たな出資者も別の10人を勧誘しなければならないから、さらに１０００人が加わることになる。次の段階には別の1万人が必要になり、その次は10万人、１００万人と増えていく。勧誘すべき人がもういないという段階に達するのにそう長くはかからない。勧誘が数段階進んだところで、恐らくバブルがはじけるだろう。もし、何人くらいがこのアイディアを信じて出資するかがわかれば、どれくらい速く破綻するか予測できるわけだ。

本質的に持続不可能であることから、ねずみ講は一般に違法とされている。しかし、急速な成長の可能性を秘め、頂上にいる人々にはお金が転がり込むため、詐欺師には人気のある選択肢であり続けている。潜在的な参加者の大きなプールがある場合は、特にそうだ。中国では、いくつかのねずみ講――当局の言う「ビジネスカルト」――が巨大な規模に達し、２０１０年

以降、それぞれ100万人も集めるのに成功したものがいくつかある。(23)

バブルの主要な4段階

決まりきった構造に従うねずみ講と違って、金融バブルはもっと分析が難しい。それでも、経済学者のジャン゠ポール・ロドリクは、バブルを4つの主要な段階に分けることができると指摘している。最初はステルス段階で、投機の専門家が新規なアイディアにお金を投じる。次に来るのは認識段階で、幅広い層の出資者が加わる。この時期に最初の価格低下が起こることもあるが、それはニュートンが南海泡沫事件の早期に行ったように、初期の出資者の一部が現金化するからだ。アイディアの知名度が上がるにつれ、メディアや一般大衆が参入して、価格がどんどん高騰する熱狂段階となる。やがてバブルがピークに達し、降下が始まって、「吹き飛び」段階となる。再度の値上がりを期待する楽天的な出資者によって、2番目の小さなピークが出現する場合もある。これらの段階は、発生、拡大、ピーク、衰退という感染爆発の4つの段階と似ている。(24)

バブルの特徴のひとつは、購買活動の速度が時とともに増加する急速な成長だ。「超指数関数的」成長と呼ばれるほどになることも多く、(25)購買活動が加速するだけでなく、加速そのものが加速する。価格が上がるたびにさらに多くの出資者が加わって、ますます価格を上昇させる

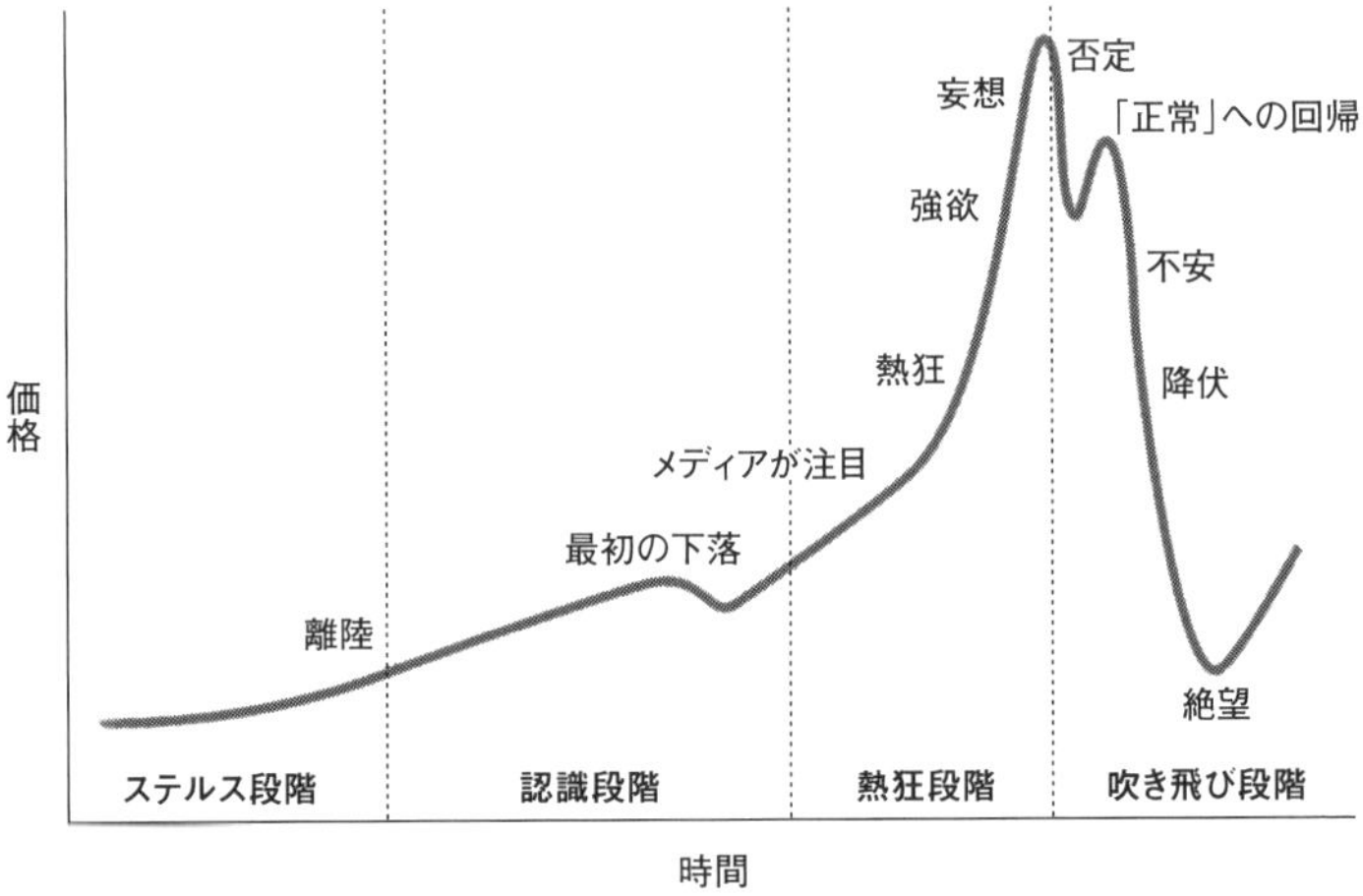

バブルの４つの段階。
ジャン＝ポール・ロドリクによる原図を翻案。

のだ。そして感染症と同様に、上昇が速ければ速いほど、感受性のある人々の集団を速く消費してしまう。

残念ながら、感受性のある人がまだどれくらいいるかを知るのは難しい。これは感染爆発の分析に共通する課題で、自分たちが流行のどのあたりにいるかを最初の成長段階ではじき出すのは困難なのだ。感染症の感染爆発についいては、どれくらい多くが症例として表面化するかに大きく左右される。仮に、大半の症例が報告されないとすると、目に見える症例それぞれにつき、新規の感染者がもっと多く存在することになり、まだ感受性のある人は思ったより少なくなる。逆に、大多数の感染者が報告されているなら、感染のリスクのある人がまだたくさんいることになる。こうした問題を回避するひとつの方法として、集団の血液サンプルの採取と検査がある。もし大半の人がすでに感染して免疫を獲得しているなら、流行が長く続く可能性は低い。もちろん、短期間に多くのサンプルを集めるのは常に可能とはかぎらない。それでも、感染爆発の最大サイズについてなにがしかのことはわかるだろう。

金融バブルの場合は、話はそれほど単純ではない。お金を借りてさらに出資することで、感受性を引き伸ばすことができるからだ。そのため、集団の感受性がどの程度かを推測するのはずっと難しく、バブルのどの段階にあるのか、わかりにくくなる。とはいえ、持続不可能な成長の徴候を見分けられる場合もある。1990年代後半にドットコム・バブルが拡大したとき、価格上昇を正当化する理由としてよく持ち出されたのが、インターネットを通じて送受信される情報量が100日ごとに倍になるという主張だった。したがってインフラ提供企業には数千億ドルの価値があるのだというわけで、出資者はワールドコムのようなインターネットプロバイダーにお金をつぎ込んだ。しかしその主張はたわごとだった。1998年、AT&Tのラボの研究員となっていたアンドリュー・オドリツコは、インターネットの成長がもっとゆっくりしたもので、規模が2倍になるのにおよそ1年かかっていると気づいた[26]。ある報道発表でワールドコムは、ユーザーからの需要が毎週10%の割で伸びていると述べていた。その成長速度を維持すれば、1年かそこらで、世界中の全員が1日24時間、オンライン状態になってしまう[27]。要するに、世界にはそんな成長を維持できるほどの人数はいないのだ。

近年の最大のバブルといえば、間違いなく、ビットコイン・バブルだろう。ビットコインとは、強力に暗号化した共通の公開取引記録を用いてつくられた分散型のデジタル通貨だ。コメディアンのジョン・オリバーによれば「お金に関してあなたが理解できないことすべてを、コンピュータに関してあなたが理解できないことすべてと組み合わせたもの」となる。[28] 1ビットコインの価格は２０１７年12月には2万ドル近くまで上がったが、1年後にはその5分の1以下に下落した。[29] それは一連のミニバブルの最新の例で、ビットコイン価格は２００９年に登場してから数回、上昇と暴落を繰り返している（２０１９年半ばには再び上がり始めている）。

ビットコイン・バブルは、起こるたびに、感受性保持者のより大きなグループを巻き込んでいる。伝染病の流行がしだいに、村から町へ、やがては市へと進んで行くのに似ている。最初は、初期の出資者の小さなグループがかかわる。ビットコインというテクノロジーを理解し、その潜在的価値を信じる人々だ。その後もっと幅広い出資者が加わり、より多くのお金と高価格をもたらす。そしてついにビットコインは大衆市場に登場し、新聞の一面記事になったり、公共交通機関に広告が掲示されたりするようになる。過去のビットコイン・バブルの各ピーク間に一定の間隔があることは、ビットコインというアイディアが、そうした異なるグループ間でそれほど効果的に広がらなかったことを示している。もし感受性のある集団どうしが強く結びついていれば、ほとんどの場合流行はほぼ同時にピークに達し、小規模な流行の連続とはならない。

ジャン＝ポール・ロドリクによれば、バブルの主要な成長段階中に劇的な転換が起こる。利用できるお金の量が増える一方で、平均的な知識ベースは低下するのだ。「定期的な『出資者』が『一攫千金狙い』に変身し、強欲が入り込むにつれ、市場はしだいに熱狂の度を増す」と、彼は指摘している。[30] 経済学者のチャールズ・キンドルバーガーはロバート・アリバーと共同で1978年に『熱狂、恐慌、崩壊――金融恐慌の歴史』（高遠裕子訳、日本経済新聞社）という画期的な本を書いているが、バブルのこの段階における社会的な伝染の役割を次のように強調している。「友人が金持ちになるのを見ることほど、人の安寧と分別を乱すものはない」。[31] ブームにあやかりたいという投資家の願望が強すぎて、バブルに警鐘を鳴らしたつもりが、かえって逆効果になることさえある。１８４０年代の英国鉄道狂時代の最中に、『タイムズ』のような新聞は、鉄道建設への投資があまりにも急速に伸びているため、他の経済分野が危険にさらされる恐れがあると主張した。しかしそれは投資家を勢いづかせただけだった。彼らはそうした記事を、鉄道会社の株価が上がり続ける証拠としか見なかったのだ。[32]

バブルのあとのほうの段階では、不安が熱狂と同じようにして広がる。２００８年の住宅ローンバブルにおける最初の波紋は２００６年４月という早い段階で現れ、このとき米国の住宅価格はピークに達した。[33] それが、住宅ローン投資は思っていたのよりずっとリスクが高いという考えに火をつけた。そうした考えが業界全体に広がり、やがていつの間にか全銀行を破滅に追い込む。リーマン・ブラザーズの破綻は2008年9月15日、僕がカナリー・ウォーフでのインターンシップを終えて1週間後くらいだった。ロングターム・キャピタル・マネジメントのときと違って、救済者は現れなかった。リーマンの破綻は、グローバルな金融システム全体がつぶれかねないという不安の引き金を引く。米国やヨーロッパでは政府と中央銀行が14兆ドル相当以上を提供して、金融業界にてこ入れした。この介入の規模が、過去何十年かで銀行の投資額がいかに膨らんでいたかを如実に物語っている。1880年代から1960年代にかけて、英国の銀行の資産は国の経済のおおむね半分ほどの規模だった。それが2008年には5倍以上になっていた[34]。

当時は知る由もなかったが、僕が金融業界をあとにして疫学の道に進もうとしていたとき、ロンドンの別の場所ではその2つの分野が結びつこうとしていた。スレッドニードル街では、イングランド銀行がリーマン破綻の影響を最小限にとどめようと奮闘していた[35]。金融ネットワークの安定性が過大評価されていたことが、これまで以上に明らかになっていた。堅牢で回復力に富むというおなじみの前提はもう通用しない。伝染は人々が考えていたよりも遥かに大きな問題だったのだ。

金融危機を疫学の知見で解明する

ここで、疾病研究者が登場する。連邦準備銀行での２００６年の会議をきっかけに、ロバート・メイはほかの科学者との意見交換を始めていた。その１人でオックスフォード大学の同僚であるニム・アリナミンパシーは、金融システム全体を研究の対象とするなど、２００７年以前には考えられなかったと回想している。「巨大で複雑な金融システムには自己修正力があると、固く信じられていた。『システムがどう動いているのか、知る必要はない。個々の状況に集中すればいいのだ』という態度だった」[36]。ところが２００８年の出来事で、そうした対処法の欠陥が明らかになる。もっといいやり方があったのでは？

１９９０年代末、メイは英国政府の首席科学官を務めていた関係で、のちにイングランド銀行総裁となるマーヴィン・キングと知り合う。２００８年に金融危機が起こると、メイは伝染という問題をもっと詳しく調べるよう提案する。ある銀行が影響を被ったとき、それは金融システムを通じてどのように伝わるのだろうか？　メイと同僚は問題に取り組むうえで有利な立場にいた。その前の何十年か、麻疹からエイズまで、さまざまな感染症を研究し、疾病コントロールプログラムの指針となる新しい手法を開発していたのだ。そのアイディアがやがて、金融危機の伝播への中央銀行の対処法に革命をもたらす。しかしながら、それらの手法のしくみを理解するには、まずもっと基本的な疑問に目を向ける必要がある。感染――あるいは危機――が広がるかどうか、どうすればわかるのだろう？

ウィリアム・ケルマックとアンダーソン・マッケンドリックが１９２０年代に疫学理論に関する研究を公表したあと、この分野は数学の方向に鋭く舵を切った。感染爆発の分析は続いていたものの、研究はもっと抽象的かつ専門的になる。アルフレッド・ロトカのような研究者が長ったらしくて複雑な論文を発表して、疫学分野を現実の伝染病から遠ざかる方向に動かした。彼らは偶発的な出来事やこみいった伝播プロセス、複数の集団といったものがかかわる仮想の感染爆発を研究する方法を発見した。そうした専門技術の開発をあと押ししたのはコンピュータの出現だった。手作業では分析が困難だったモデルをシミュレーションできるようになったのだ。[37]

その後、進歩は足踏み状態になる。障害となったのは、数学者のノーマン・ベイリーが１９５７年に書いた教科書だ。それまでのテーマを踏襲して、ほぼ理論に終始し、実際のデータはほとんど含んでいなかった。疫学理論のみごとな概説であり、幾人かの若手研究者をこの分野に誘い込むのに役立ったことだろう。しかし、困った点がひとつあった。ベイリーはある肝心な考え方を省略していて、それが感染爆発の分析においては最も重要な概念のひとつだと判明する。[38]

その考え方を最初に提唱したのは、ロンドン大学衛生熱帯医学大学院のロス研究所に籍を置くマラリア研究者のジョージ・マクドナルドだった。彼は１９５０年代初頭にロナルド・ロスの蚊のモデルを改良して、蚊の寿命や摂食率といったものに関する実際のデータを組み込めるようにしていた。実際のシナリオに合うようにモデルを調整することで、マクドナルドは伝播プロセスのどの部分が駆除手段に最も弱いか、見当をつけることができた。ロスが水中の蚊の幼虫をもっぱら問題にしていたのに対して、マクドナルドは、蚊の成虫を狙ったほうが効果的にマラリアを制御できると気づく。成虫が、伝播の連鎖の最も弱い輪だった[39]。

１９５５年、初めて病気の根絶計画を発表することになったＷＨＯは、マクドナルドの分析に触発されてマラリアを選ぶ。根絶とは世界中から感染者をすべてなくすことだが、やがて、達成するのは予想以上に難しいとわかる。一部の蚊は殺虫剤への抵抗性を身につけ、蚊の駆除の効果には地域によって差があった。そこでＷＨＯはのちに対象を天然痘に変更し、１９８０年に根絶に成功する[40]。

再生産数「R」

蚊の成虫を標的にするというのが、マクドナルドの研究の一番重要な部分だったが、ベイリーが自著から省いたのはそのアイディアではない。真に画期的なアイディアはマクドナルドの論文の補遺に含まれていた[41]。あとからの思いつきのような形で、彼は感染症に関する新しい考え方を提案していた。蚊の密度の閾値に注目するのではなく、感染者が１人、集団にやって来たときに何が起こるかを考えてみてはどうかというのだ。その１人から何人の感染者が出るだろう？

20年後、数学者のクラウス・ディーツがついにマクドナルドの補遺のアイディアを取り上げる。そうすることで彼は、数学の小さな分野にすぎなかった疫学の理論を公衆衛生というもっと広い世界に引っ張り出した。ディーツが概要を説明したある数量が、やがて「再生産数（reproduction number）」または略してRとして知られるようになる。Rは典型的な感染者1人から平均何人の新規感染者が生まれると予想されるかを表す。

ケルマックとマッケンドリックが用いた割合や閾値と違って、Rを使えば、より直感的に、そして誰にでもわかるやり方で、伝染について考えることができる。「1人が何人にうつすと予想されるか？」と問えばいいだけなのだ。このあとの章でも見ていくように、これは銃による暴力からオンラインミーム〔ミームは進化生物学者リチャード・ドーキンスによる造語で、人から人へ伝達されていく各種情報のこと。インターネットではいわゆる「画像ネタ」を指す〕まで、さまざまな感染爆発に幅広く使える考え方だ。

Rは、流行が大きくなりそうかどうかを教えてくれるという点で、とりわけ役に立つ。もしRが1より小さいなら、感染者はそれぞれ、平均して1人未満の感染者しか生まない。したがって、患者数はしだいに減っていくと予想できる。ところが、もしRが1より大きければ、感染のレベルは平均して上昇していくと予想され、大規模な流行になる可能性が出てくる。

一部の病気はRが比較的小さい。流行性インフルエンザの場合、Rは一般に1～2前後で、2013～2016年の西アフリカでのエボラ流行の初期段階も同じ程度だ。平均して、エボラ患者は別の2人にウイルスを渡す。もっと広がりやすい感染症もある。２００３年初めにアジアで流行を引き起こしたＳＡＲＳ《サーズ》ウイルスは、Ｒが2~3だった。その近縁種で２０２０年に大きく広がったＣＯＶＩＤ-19ウイルスも、何も対策を講じない場合、Ｒは同じく2~3だった。[42]天然痘は根絶に成功した唯一の人間の感染症だが、全面的に感受性のある集団ではＲが4~6だ。水痘はもう少し伝染性が高く、全員が感受性保持者なら、Ｒは6~8前後となる。それでもこれらの数値は麻疹に比べれば低い。十分に感受性のある集団では、1人の麻疹患者から平均して20人以上の新規患者が生まれる。[43]これはおもに、麻疹ウイルスが信じられないほど長く環境中に残るせいだ。感染している人がくしゃみをすれば、その部屋の空気中には2時間後もまだウイルスが浮遊している。[44]

Ｒは、1人の感染者から何人にうつるかを表すだけでなく、流行がどれくらい急速に拡大するかについての手がかりも与えてくれる。ねずみ講で、一段ごとに人数がどう増えたかを思い出してみよう。Ｒを使えば、同じ理屈を病気の流行にあてはめることができる。もしＲが2なら、最初の感染者は平均2人の感染者を生む。この新たな2人もそれぞれ平均2人を生み、というふうにどんどん2倍になっていけば、感染の第5世代には新しい患者が32人、第10世代には平均１０２４人になると予想される。

感染爆発の初期には指数関数的な増加が見られることが多いので、Ｒがわずかに変わっただけでも、数世代後の予想患者数には大きな違いが出る。Ｒが2なら感染爆発の第5世代には新

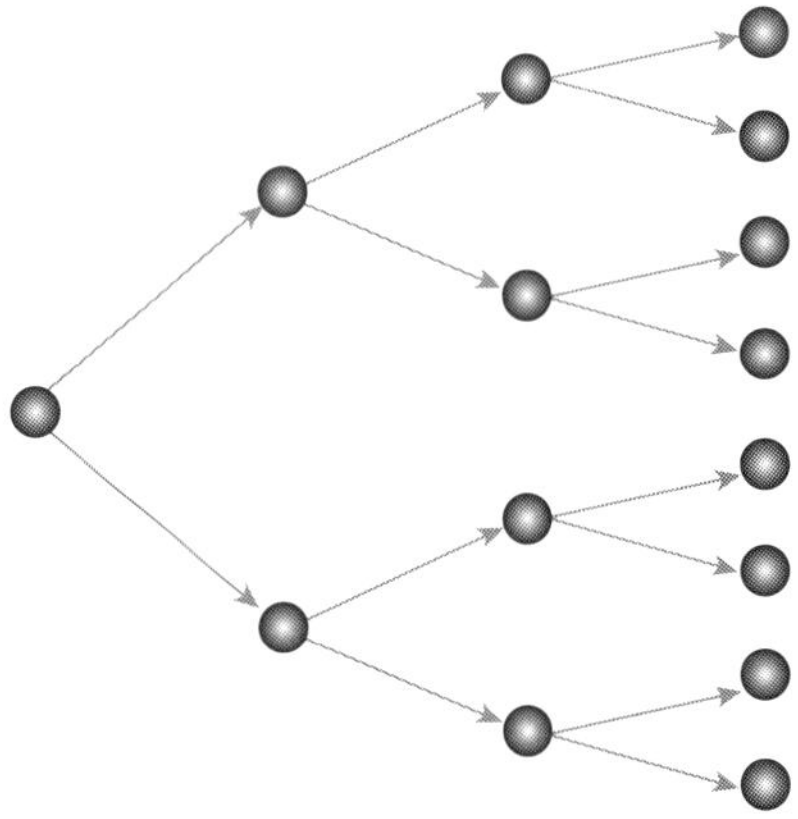

患者それぞれが別の２人に感染させる感染爆発の例。円形は患者、矢印は伝播経路を示す。

規感染者が32人になると述べたばかりだが、もし2でなくて3なら、同じ時点で２４３人になる。
　Rがこれほどよく知られるようになった理由のひとつは、実際のデータから推測できる数値だからだ。エイズからエボラまで、Rを使えばさまざまな病気の伝播を数値化して比較できる。Rを有名にした功績の多くは、ロバート・メイとその長年にわたる共同研究者のロイ・アンダーソンのものだ。１９７０年代末には、ふたりは伝染病調査の手法を新しい分野に広げる手助けをしていた。ともに生態学のバックグラウンドがあったため、先行した数学者たちより実際的なものの見方ができたのだ。彼らはデータと、モデルをどうすれば実際の状況に当てはめられるかに興味をもっていた。１９８０年、メイはロス研究所のポール・ファインとジャクリーヌ・クラークソンによる、再生産数Rを使って麻疹の流行を分析した論文の草

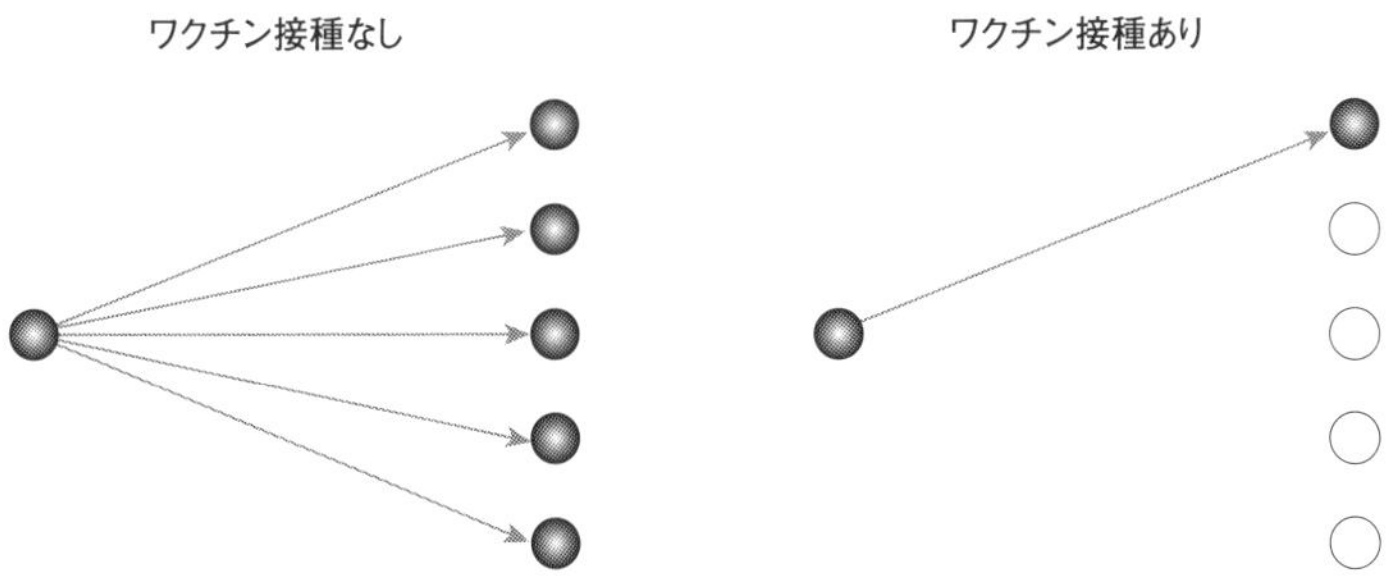

十分に感受性のある集団でのＲが５のとき、80％にワクチン接種した場合としない場合との伝播の比較。

稿を読む[45]。そのアイディアの将来性に気づいたメイとアンダーソンはすぐにそれをほかの問題に応用し、ほかの研究者にもそうするよう勧めた。

まもなく、再生産数には集団によって大幅な差のあることが明らかになった。たとえば、麻疹のような病気は、限定的な免疫しかない共同体では多くの人に広がることができるが、ワクチン接種率の高い国ではめったに感染爆発は見られない。全員に感染の危険のある集団では、麻疹のＲは20という大きな数値になりうるが、ワクチン接種率の高い集団では、感染者それぞれから生じる2次感染者は平均して1人未満だ。つまり、そうした地域ではＲが1より小さい。

したがって、感染症を制御するには何人にワクチン接種する必要があるか、再生産数を使って算出できる。ある感染症のＲが、たとえば天然痘のように、十分に感受性のある集団では5だとしよう。そこで、5人につき4人の割でワクチンを接種したとする。ワクチンを接種する前は、典型的な感染者は別の5人に感染させると予想される。もしワクチンが1

00％有効なら、平均してその5人のうち4人には免疫ができているので、感染者それぞれから新たに生まれる患者は1人だけになる。

もし、ワクチン接種を集団の5分の4より多い人数に行えば、2次感染者の数は平均して1人未満になる。したがって感染者数は時とともに減少し、病気を抑え込める。同じ理屈を使って、その他の感染症についてもワクチン接種すべき割合を算出できる。もし、十分に感受性のある集団でのRが10なら、少なくとも10人に9人の割でワクチン接種する必要がある。麻疹のようにRが20なら、感染爆発を止めるには、20人のうち19人、つまり集団の95％にワクチンを接種しなければならない。このパーセンテージは「集団免疫閾値」と呼ばれる。こうした考え方はもともと、ケルマックとマッケンドリックの研究がもたらしたものだ。十分な数の人に免疫があれば、感染爆発は起こらない。

Rの4要因

集団の感受性を減らすことが、おそらく再生産数を引き下げる一番明確な方法だが、唯一の方法というわけではない。Rの値には4つの要因が影響を与える。それらの実態を明らかにすることが、伝染のしくみを理解する鍵だ。

1987年4月19日、ダイアナ妃がロンドンのミドルセックス病院の新しい病棟の開所式に出席した。彼女はそこで随行メディアや病院職員さえもが驚くようなことをした。ある患者と握手したのだが、その病棟はエイズ患者を専門に治療する英国初の施設だったのだ。ダイアナ妃の握手には大きな意味があった。患者に触れただけで感染することはないと科学的に証明されていたにもかかわらず、一般には、やはりうつるのではないかと考えられていたからだ[46]。

１９８０年代にＨＩＶ（ヒト免疫不全ウイルス）によるエイズが出現し、流行がどの程度広がっているのかを早急に明らかにする必要が出てきた。この病気のどの特徴が、伝播を促進しているのか？　ダイアナ妃のミドルセックス訪問の前月、ロバート・メイとロイ・アンダーソンがエイズの再生産数を解析した論文を発表していた[47]。彼らは、Ｒがいくつかの要素の影響を受けることに注目した。まず、患者がどれくらい長く感染力を保持しているかに左右される。その期間が短ければ、誰かほかの人にうつす時間はそれだけ少なくなる。感染力保持期間の長さだけでなく、感染力のある時期にどれくらい多くの人と関係をもつかにも、左右される。もし多くの接触があれば、感染が広がる機会も多くなる。最後に、接触相手に感受性があったとした場合、そうした接触の際にうつる確率がどれくらいあるかにも左右される。

というわけで、Ｒは、感染力の「持続時間（Duration）」、感染力のある時期に感染を広げる「機会（Opportunities）」、その機会が「伝播に至る確率（Transmission probability）」、集団の平均「感受性（Susceptibility）」という４つの要因に左右される。頭文字を取って「ＤＯＴＳ」と呼ぶことにする。これらを合わせると、再生産数が得られる。

R＝Duration×Opportunities×Transmission probability×Susceptibility

再生産数をこれらのDOTS成分に分解すれば、伝播のさまざまな側面の寄与率に互換性があることがわかり、伝染病を制御する最良の方法を考えるのに役立つ。再生産数を左右する側面のなかには、他より変えやすいものがあるからだ。たとえば、性的な節制が広く実践されれば、HIV伝播の「機会」が減るだろうが、大半の人にとってその選択肢は魅力的でもなければ実際的でもない。そこで保健当局はコンドームを使わせることに力を入れている。それによって、性交中の「伝播の確率」が減る。最近ではいわゆる曝露前予防投与（PrEP）も大きな成果をあげている。HIV陰性の人が予防的に抗HIV薬を摂取することで、感染に対する「感受性」を引き下げる方法だ。[48]

問題となる伝播機会のタイプは感染症によって異なる。HIVや淋病はほとんどが性的な接触を通じて広がるが、COVID-19や天然痘は対面での会話中に伝播が起こりうる。しかし総合的に見れば、同じ考え方が適用できる。たとえばCOVID-19の場合、症状が現れた時点で自己隔離すれば、「持続時間」を確実に減らせる。集まる人数を制限すれば「機会」が減るし、マスクをしたり身体的に距離をとったりすれば「伝播の確率」が小さくなる。そして感染――または可能ならばワクチン接種――によって免疫ができれば、「感受性」が低下する。

ＤＯＴＳにおける互換性とは、たとえば誰かの感染期間が2倍なら、伝播という意味では、接触回数が2倍なのと等しいということだ。過去には、天然痘とＨＩＶは時折、ともにＲが5前後だった[49]。ところが、天然痘のほうが一般に感染期間は短いので、Ｒが同じだということは、感染を広げる1日あたりの機会がＨＩＶより多いか、それぞれの機会中の伝播確率が高いことを意味する。

再生産数は現代の感染爆発調査に欠かせないものとなっているわけだが、伝染にはほかにも考慮すべき特性がある。Ｒは伝播の平均的なレベルを見るものなので、感染爆発中に何か普通でない出来事があった場合には把握しきれない。1972年3月、セルビアの一教師が異様に混在する症状を訴えてベオグラードの主要病院にやって来たときに起こったのは、まさにそうした普通でない出来事だった。教師は発疹の治療のために地元の病院でペニシリンの投与を受けていたが、その後、ひどい出血を起こしていた。ベオグラードでは病院の学生やスタッフが何十人も、ペニシリンへの奇妙な反応と思われるものを見に集まった。しかしそれはアレルギー反応ではなかった。スタッフたちは、その男性の兄弟も具合が悪くなったあとでようやく、ほんとうは何の病気だったのか、わが身を何に曝してしまったのか、気づいた。男性は天然痘に感染していたのだ。ベオグラードでの感染が終息するまでにさらに38人が感染し、感染源をたどるとすべてその男性に行き着いた[50]。

天然痘が世界レベルで根絶されるのは1980年になってからだが、ヨーロッパではすでに姿を消していて、セルビアでも1930年以降、患者の報告はなかった。その教師は、イラクから戻ったばかりの地元の聖職者から天然痘をうつされたらしい。ヨーロッパでは1960年代と1970年代に幾度か突発的な再燃が起こっているが、ほとんどは旅行者がらみだった。1961年にはパキスタンのカラチからイングランドのブラッドフォードに戻った少女が天然痘ウイルスを持ち込み、それと知らずに10人に感染させている。1969年にドイツのメシェデで起こった感染爆発も、やはりカラチへの旅行者が原因だった。カラチから帰国したドイツ人電気技師が17人を感染させたのだ。[51] とはいえ、こうした例は典型的な出来事というわけではない。ヨーロッパへの帰国者のほとんどは、誰にも感染させていないからだ。

スーパースプレッディングかどうか

感受性のある集団では、天然痘の再生産数は4〜6だ。これは予想される2次感染者数を表す数字だが、あくまでも平均的な値にすぎない。現実には、個人によってさまざまなのだ。再生産数は伝播全体を要約してくれるという点では有用だが、その伝播のうちどれくらいが、疫学者の言う「スーパースプレッディング」事例によるものかは教えてくれない。

よくある誤解に、疾病の感染爆発ではそれぞれの患者が同じような数の人々に感染させて、世代を経るごとに流行が着実に拡大していくというのがある。感染が人から人に広がり、患者が鎖のようにつながる場合、「propagated transmission（増殖性伝播）」と呼ばれる。ただし、増殖性の感染爆発だからといって、必ずしも、再生産数の示す規則正しいパターン通りに、世代ごとに正確に同じ割合で増えていくとは限らない。１９９７年、疫学者のあるグループが、エイズやマラリアのような病気の場合、20％の患者が80％前後の伝播を引き起こしていることに気づいて、疾病の伝播に関する「20－80の法則」なるものを提案した。[52]しかし生物学の法則のほとんどがそうであるように、この法則にもいくつか例外があった。彼らがおもに研究対象としていたのは、性感染症（ＳＴＩ）と蚊が媒介する感染症だった。その他の感染爆発はいつもこのパターンにしたがうとは限らない。２００３年のＳＡＲＳの流行――大規模感染が数回起こった――のあと、スーパースプレッディングという概念が新たに関心を集めた。ＳＡＲＳの場合は特にこれが大きな影響を及ぼしたようで、20％の患者が90％近くの伝播を引き起こしている。２０２０年の早い段階で、僕たちのグループおよび他の研究者らが、ＣＯＶＩＤ－19についても似たようなものだろうと推測した。[53]これに対して、ペストのような病気ではスーパースプレッディング事例は少なく、トップの20％が引き起こす伝播は50％にすぎない。[54]

そのほか、感染爆発がそもそも増殖性ではないような場合もある。そうした例は、全患者が同じ発生源から生ずる「common source transmission（共通源伝播）」によるものと考えられる。その一例が食中毒で、感染爆発のもとをたどると特定の食べ物や人に行き着くことが多い。有名なケースとして、本人は無症状のままチフスの感染を広げていた「チフスのメアリー」こと

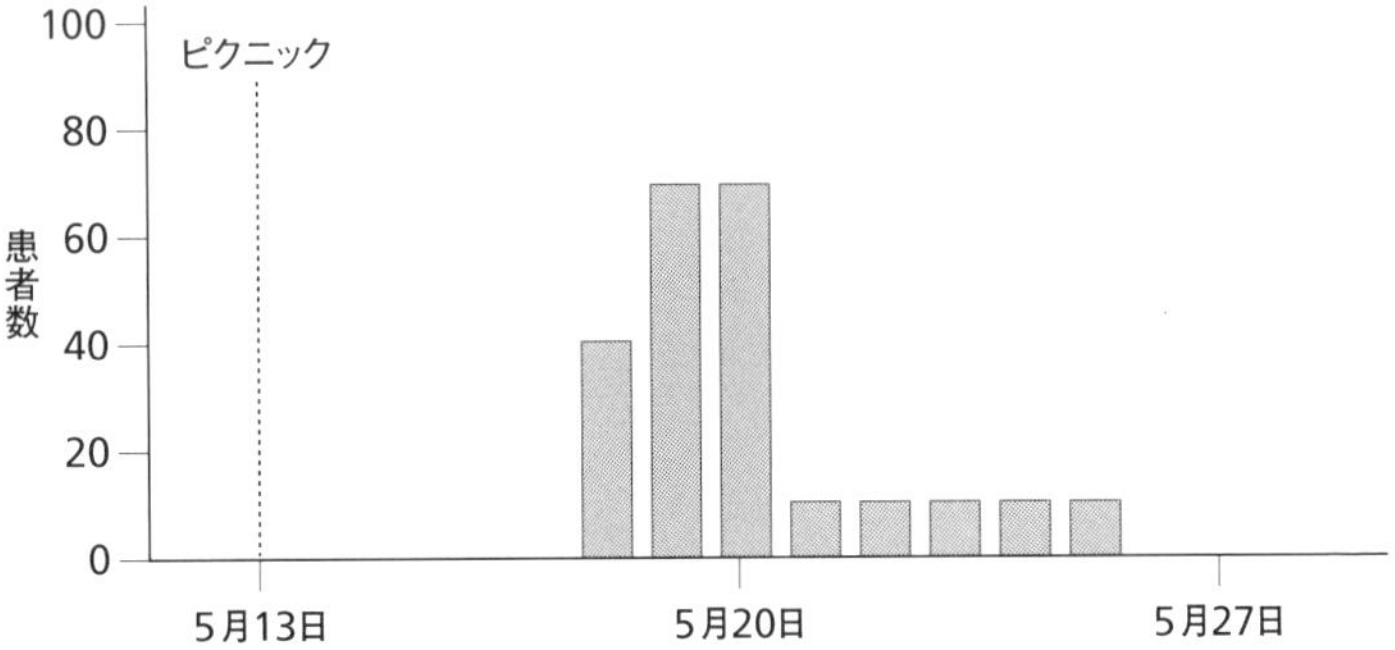

1916年、カリフォルニアにおけるピクニック後のチフスの集団感染。(56)

メアリー・マロンのケースがある。20世紀初頭、マロンは料理人としてニューヨーク市周辺の数軒の家に雇われており、チフスの複数回の流行と数人の死者をもたらした(55)。

共通源伝播の際には、患者は短期間のうちに発生することが多い。1916年5月、カリフォルニアで学校のピクニックの数日後にチフスの流行が起こった。マロンのように、ピクニックのアイスクリームを作った料理人が知らないうちに感染源となっていたのだ。

というわけで、病気の伝播の様相はひとつの連続体として考えることができる。片方の端には、1人の人間——たとえばメアリー・マロン——がすべての症例の発生源となる状況がある。これはスーパースプレッディングの最も極端な例で、1つの感染源が伝播の100%をもたらす。もう一方の端にあるのが、各患者が正確に同じ数の2次感染者をもたらす規則的な流行だ。ほとんどの場合、感染爆発はこの2つの両極端のあいだのどこかに位置する。

感染爆発中にスーパースプレッディング事例が疑われる

場合、特に重要な意味をもつ集団が存在する可能性がある。ＨＩＶ伝播の80％が20％の患者から来ているとわかったとき、その「中核となるグループ」への集中的な対策が提案された。ただし、そうした対処法が効果を上げるには、個人がネットワーク内でどうつながっているか、そしてなぜ、一部の人はほかよりリスクが高いのかを考えてみる必要がある。

ネットワークの構造を分析する

史上最も多産な数学者と言えるポール・エルデシュは、学術機関に身をおかない放浪者だった。クレジットカードも小切手帳ももたず、中身の半分詰まったスーツケース２つで暮らしながら、世界中を旅して生涯を過ごした。「物をもつのはわずらわしい」と言ったが、決して世捨て人ではなく、旅を利用して、共同研究の広大なネットワークを構築した。コーヒーとアンフェタミン（覚醒剤）で元気いっぱいの状態で仲間の家に現れては、「僕の脳は準備オーケーだ」と宣言するのだった。１９６６年に亡くなるまでに、８０００人を超える共著者とともに、およそ１５００の論文を発表した[57]。

エルデシュは、ネットワークをつくるだけでなく研究することにも関心をもち、アルフレッド・レーニイとともに、個々の「結び目」がランダムにつながったネットワークの分析に先鞭をつけた。彼らが特に興味をもったのは、そうしたネットワークが最後には完全に結びつく可能性――どの2つの結び目のあいだにも何らかのルートができて、いくつかの部分に分断された状態ではなくなる可能性だった。そうした結びつきは感染爆発にとって大きな意味をもつ。性的なパートナー関係を表すネットワークを考えてみよう。もしそれが完全につながっていれば、1人の感染者が理論上はほかの全員に性感染症を広げることが可能だ。しかしネットワークが多くの部分に分断されていれば、ある部分にいる感染者が別の部分にいる誰かに感染させることはできない。

ネットワークを横断する経路が2つまたはいくつかある場合も、違いが生じる。もしネットワーク内に閉じたループ状の部分があれば、性感染症の伝播が増加しうる。[58] ループがある場合、感染は2つのルートでネットワーク中に広がることができるからだ。たとえつながりの1つが壊れても、別のルートが使える。したがって、性感染症については、ネットワーク内にループがいくつかあると、より広がりやすい。

エルデシュ＝レーニイのランダムなネットワークは数学的な視点からは使い勝手がいいものの、現実の世界の様相は、それとは人幅に異なる。友人同士は固まって群れをつくる。研究者は同じ共著者のグループと共同研究をする。人が一度にもつ性的パートナーはたいてい1人だけだ。また、そうした固まりを超えるつながりもある。1994年、疫学者のミリアム・クレッチマーとマルティナ・モリスが、もし人が同時に複数の性的パートナーをもったとしたら、性感染症はどう広がるかをモデル化した。驚くにはあたらないだろうが、そうしたパートナー

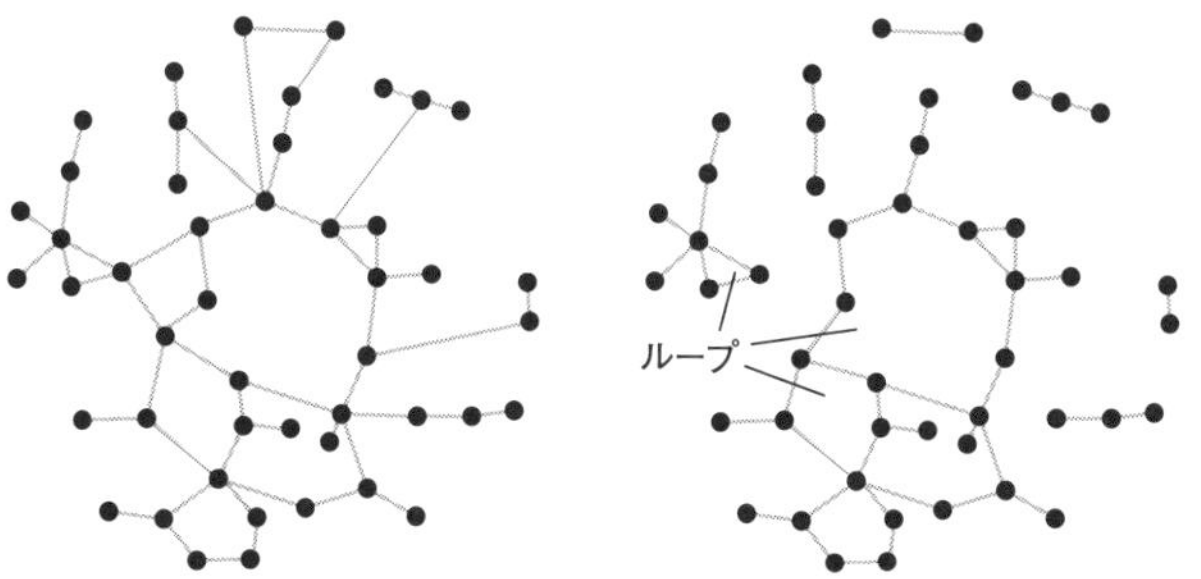

エルデシュ－レーニイの完全につながったネットワークと分断されたネットワーク。

関係があると、感染爆発が遥かに速く進行するとわかった。ネットワークのかけ離れた部分のあいだにつながりができるからだ。

エルデシュ－レーニイのモデルでは、実際のネットワーク内に時折できる長距離のつながりを捉えることはできたが、群れをつくるような交流は再現できなかった。この問題は、１９９８年に数学者のダンカン・ワッツとスティーヴン・ストロガッツが「スモールワールド」ネットワークという概念を提唱したことで、解消された。そのネットワークでのつながりは大半が局所的なリンクだとはいえ、長距離のリンクもいくつかある。彼らはそうしたネットワークが、電力供給網、イモムシの脳のニューロン、映画の共演スター、さらにはエルデシュの学術的な共同作業といったあらゆる種類の場所に出現することに気づいた。[59] この注目に値する事実については、その後も発見が相次いだ。

スモールワールドというアイディアで、局所的固まりと長距離リンクとの併存という問題には対処できたが、物理学者のアルバート＝ラズロ・バラバシとレカ・アルバートは、現実のネットワークにはほかにも例外的なものがあることに気づいた。映画の共演からワールドワイドウェブまで、ネットワークの結び目のなかには飛びぬけて多くの結合をもつものがある。エルデシュ＝レーニイのモデルやスモールワールド・ネットワークでよく見られる数より、遥かに多数の結合だ。1999年、彼らは結合のこの極端なばらつきを説明する単純なしくみを提案した。ネットワークに新たに参加する結び目は、すでに人気のある結び目に優先的に結合する。[60] つまり、「金持ちはますます金持ちになる」というわけだ。

翌年、ストックホルム大学のチームが、スウェーデンにおける性的パートナーの数もこの法則にしたがうように見えることを明らかにした。大多数の人は前の年にせいぜい1人と寝ただけだったが、なかには何十人もパートナーがいたと報告した人もいたのだ。この研究以降、ブルキナファソから英国に至る多くの国で、同じような性的行動のパターンが確認されている。[61]

パートナーの数にこれほど極端な幅があることは、感染爆発にどのような影響を及ぼすだろうか？　1970年代に、数学者のジェームズ・ヨークと同僚らが、米国で淋病の流行が続いていることに疑問をもった。不可能に思えたのだ。淋病が広がり続けるには、再生産数が1を超えていなくてはならない。それは、感染した人には平均して、最近少なくとも2人の性的パートナーがいたことを意味する。1人は当人に感染させた人で、もう1人は当人が感染させた人だ。けれども淋病患者を調べたところ、最近のパートナー数は平均して1・5人であるとわかった。[62] たとえ、性行為中の伝播の確率が非常に高かったとしても、これでは淋病の流行が存続しつづけるだけの遭遇が起こりえない。いったい、どうなっているのだろう？

パートナーの平均数だけに注目すると、誰もかれもが同じようなセックスライフを送っているわけではないという事実を無視することになる。このばらつきが重要なのだ。多くのパートナーのいる人は、うつされる機会もうつす機会も多いと予想される。そういう人たちがそうした両方の面で伝播に貢献しているという事実を考慮に入れる必要がある。ヨークらは、人々のパートナーの数が平均して少ないにもかかわらず淋病の流行があるのは、それで説明がつくかもしれないと指摘した。接触機会のたっぷりある人が拡散に異常に多く寄与して、再生産数を1より上に押し上げているのだ。アンダーソンとメイがのちに、人々がもつパートナー数のばらつきが大きいほど、再生産数が大きくなることを明らかにした。

ハイリスクの人を特定し、そのリスクを下げる方法を見つければ、流行を初期段階で止めるのに役立つ。1980年代後半にアンダーソンとメイは、性感染症はそうしたハイリスクグループによって最初は速く広がるが、感染爆発全体としては、誰もがランダムに混じり合う場合に予想される規模より、小さくなるだろうと指摘した。[63]

伝染をDOTS――持続時間、機会、伝播確率、感受性――という基本的な要素に分解し、ネットワーク構造が伝染にどう影響するかについて考えることで、新しい性感染症がもたらすリスクの推測もできる。2008年、あるアメリカ人科学者が、セネガルで1カ月働いたあとコロラドの自宅に戻った。その1週間後、頭痛と極度の疲労感に襲われ、胴体に発疹が現れる。まもなく、セネガルには行っていない妻にも同じ症状が出た。検査してみると、2人ともジカウイルスに感染していた。それまで、ジカ熱の調査は蚊からの伝播に焦点を合わせていたが、コロラドのケースはこのウイルスが別のルートも使えることを示唆していた。性行為でも感染するのだ。(64) 2015年から2016年にかけてジカ熱が世界中に広がるにつれ、性的接触による感染の報告が増え、新しいタイプの感染爆発に関する憶測が盛んになる。2016年には『ニューヨーク・タイムズ』紙に、「ジカはミレニアルのS.T.Dか?」と題する記事が載った。(65)

僕たちの調査グループではDOTS分析をもとに、性的接触によるジカ熱の伝播の再生産数は1未満だろうと推測した。このウイルスはたぶん性感染症としての流行は引き起こさないだろう。性的な接触が多い集団内で小さな流行を起こす可能性はあるものの、蚊のいない地域で大きなリスクをもたらすとは考えにくい。(66) あいにく、その他の性感染症では、そうはいかない。

「エイズのコロンブス」の真偽

ブロンドでチャーミングなガエタン・デュガには、性的な出会いの機会がたっぷりあった。カナダ人フライトアテンダントだった彼は1984年3月、31歳の誕生日の数週間後にエイズで亡くなるが、一時は年に200人以上の男性と寝ていた。3年後、ジャーナリストのランディ・シルツが、ベストセラーとなった自著の『そしてエイズは蔓延した』（曽田能宗訳、草思社）でデュガを取り上げた。シルツは、デュガがエイズの初期の拡散に中心的な役割を演じたと指摘した。彼がデュガにつけた「ペイシェント・ゼロ（患者第1号）」というあだ名は、いまも感染爆発の最初の症例を指すのに使われている。シルツの著書によって、エイズを北米に持ち込んだのはデュガだという説が広まった。『ニューヨーク・ポスト』紙はデュガを「我々にエイズをもたらした男」と呼び、『ナショナル・レビュー』誌は「エイズのコロンブス」と呼んだ。

デュガを患者第一号とする説は確かに人目を引き、その後何十年にもわたって繰り返し登場した。しかし実はフィクションであることが判明する。2016年、ある研究チームが、1970年代にエイズと診断された男性やデュガ自身も含め、幅広い患者から採取したエイズウイルスの解析結果を発表した。エイズウイルスの遺伝的多様性とその進化速度をもとにした推測によると、このウイルスは1970年または1971年に北米にやって来ていたらしい。しかし、デュガが米国にエイズウイルスをもたらしたという証拠はひとつも見つからなかった。彼は幅広い流行における一症例に過ぎなかったのだ[67]。

では、ペイシェント・ゼロというあだ名はどこから来たのだろう？　もともとの感染爆発調査では、デュガは「Patient 0（ゼロ）」ではなく「Patient O（オー）」と表示されていた。「O」は「Outside California（カリフォルニア外）」の略だった。1984年、疾病対策予防センター（CDC）とつながりのある研究者のウィリアム・ダロウが、ロサンゼルスの同性愛男性のあいだに固まって見られる死亡例の調査を依頼された[68]。CDCは一般に、報告された順に各症例に番号を振っているが、ロサンゼルスでの分析のために番号がつけなおされた。ロサンゼルスのクラスターと結びつけられる前は、デュガは単に「Patient 057」だった。

症例のつながりを調査員たちがたどっていくなかで、同性愛男性の死亡は未知の性感染症によるのではないかという説が浮上した。デュガはニューヨークとロサンゼルスの複数の患者とつながりがあり、ネットワーク内で非常に目立つ存在だった。これはひとつには、デュガが調査員の役に立とうとして、過去3年間のパートナー72人の名前を挙げたからだ。ダロウは、常にそれが調査の目的だったと指摘している。誰が流行を引き起こしたかではなく、患者がどうつながっているかを理解することが狙いだった。「わたしは一度も、彼が米国での最初の症例だとは言っていない」と、のちに彼は述べている。

感染爆発の調査をする場合、僕たちは知りたいことと測れることとのギャップに直面する。理想を言えば、人々がつながっている方法すべてについて、そしてそうしたリンクを通じて感染がどう広がったかについてのデータを入手できるのが望ましい。ところが実際には、評価に使えるものはそれとはかけ離れている。感染爆発の典型的な調査では、感染した人々のあいだのリンクの一部しか再現されない。どの症例やリンクが報告されるかによって、再現されたネットワークが実際の伝播ルートと必ずしも同じになるとは限らないのだ。実際よりも目立ってしまう人がいる一方で、見過ごされる伝播イベントもある。

著書のための下準備中にＣＤＣの一覧図を偶然見つけたとき、ランディ・シルツはデュガに注意を引きつけられた。「その図の中ほどに円形があって、隣に0と書いてあった。わたしはいつも、それをペイシェント・オーと考えていた」と、のちにシルツは回想している。「ＣＤＣに行ったとき、彼らがペイシェント・ゼロについて話し始めた。それで、おお、これは受けるぞと思った」[69]

はっきりした敵役がいたほうが、物語は語りやすい。歴史家のフィル・ティーマイヤーによれば、編集者のマイケル・デネニーが、本とその宣伝記事のなかでデュガを悪役に仕立てようと提案したのだという。「ランディはそのアイディアを嫌っていた。説き伏せるのに1週間もかかったよ」と、デネニーはティーマイヤーに語っている。そうした決定――デネニー自身、後悔しているとのちに語った――がなされたのは、そうでもしなければ、メディアがエイズにほとんど関心を示さないように思われたからだった。「彼らはレーガン政権や医学界の体制派を非難するような本の書評は載せようとしなかった」[70]

困難なスーパースプレッダーの特定

スーパースプレッディング事例がかかわっている感染爆発について論じる場合、その中心にいるように見える人物だけが注目の的になる傾向がある。「スーパースプレッダー」はいったい誰なのか？　ほかの人たちとどこが違うのか？　しかしながら、そうした注目が見当違いの場合もありうる。天然痘に罹って病院にやって来たベオグラードの教師の場合を考えてみよう。彼にも彼の行動にも、本質的に異常な点は何もなかった。彼はたまたま出会った人からその病気をうつされ、適切な場所――病院――で治療を受けようとした。感染爆発が起こったのは、最初は病院の誰もが、天然痘が原因かもしれないと考えなかったからだ。多くの感染爆発について、同じことが言える。特定の個人がどんな役割を演じるか、前もって予測するのは難しい場合が多い。

たとえ、疾病伝播のリスクを生むような状況を明らかにできたとしても、それが僕たちの期待通りの結果をもたらすとは限らない。2014年10月21日、西アフリカでのエボラの流行の最盛期に、マリのカエス市の病院に2歳の女の子がやって来た。医療従事者だった父親が死んだあと、祖母や叔父や姉妹と一緒に、隣国のギニアから1200キロも旅して来たのだ。カエスの病院での検査でエボラに感染しているとわかり、翌日、亡くなる。この女の子がマリでの初めての症例で、保健当局は彼女と接触したかもしれない人を探し始めた。旅のあいだに女の子は少なくとも1台のバスと3台のタクシーに乗っている。何百人とは言わないまでも、何十人かとは接触した可能性がある。病院に来たときにはすでに症状が出ていたから、エボラの伝播の特性からすると、途中でウイルスをうつしたことは十分にありうる。調査員たちは最終的に接触者100人以上をなんとか突きとめ、予防策として隔離した。ところが、その中からエボラ患者は出なかった。長距離の移動だったにもかかわらず、女の子は誰にも感染させていなかったのだ。[71]

２０１４〜２０１５年のあいだに実際にエボラのスーパースプレッディング事例が起こったとき、僕たちのチームは際立った特徴に気づいた。残念ながら、それはとりたてて有用な特徴とは言えなかった。スーパースプレッディング事例にかかわっている可能性が高い患者は、伝播の既存の連鎖とつなげることができない人々だった。つまり、流行の原動力となっている人々はたいていが、保健当局が把握していない人々だったのだ。そうした人たちは新たな感染爆発を引き起こすまで存在が察知されず、スーパースプレッディング事例を予測することをほぼ不可能にしている。[72]

辛抱強い努力の結果、感染経路のいくつかをうまくたどれて、誰が誰に感染させたかを再現できることもある。あるいは、一部の人たちはなぜ多くの人にうつすのか、あれこれ考えて、物語をつくり上げたいという誘惑にかられることもある。しかしながら、ある感染症でスーパースプレッディングが起こりうるからといって、同じような人が常にスーパースプレッダーとなるとは限らない。２人の人物がほぼ同じ行動をしていても、たまたま片方は感染を広げ、もう片方は広げないかもしれない。歴史が書かれるとき、片方は責められ、片方はおとがめなしとなる。哲学者はこれを「運に左右される倫理性」と呼ぶ。同じ行動でも、不運な結末をもたらした場合は、何の影響ももたらさなかった場合より、悪く見られがちなのだ。[73]

ときには、感染爆発に巻き込まれた人たちがまったく違う行動を見せることもあるが、それは僕たちの予想に沿うような行動とは限らない。マルコム・グラッドウェルが著書の『ティッピング・ポイント――いかにして「小さな変化」が「大きな変化」を生み出すか』（高橋啓訳、飛鳥新社）で、1981年のコロラド州コロラドスプリングスでの淋病の流行を取り上げている。感染爆発調査の一環として、疫学者のジョン・ポタラと同僚らは769人の患者に聞き取り調査を行い、最近誰と性的な接触をしたか訊ねた。患者のうち168人については、それぞれが、少なくとも2人の感染者と接触していたことがわかった。この結果からは、この人たちが感染爆発において特に重要であるような印象を受ける。「この168人はどういう人たちなのか？」とグラッドウェルは問いかける。「彼らはあなたやわたしとは違う。毎晩のように出歩く人たち、平均より遥かに多くの性的パートナーをもつ人たち、生活や行動が普通の範囲から大きくはみ出ている人たちなのだ」

その人たちは本当にそれほど性的に放縦で異常なのだろうか？　僕に言わせれば、特にそうとは言えない。調査班によれば、こうした患者は平均してほかの感染者2・3人との性的接触を報告している。つまり、彼らは誰か1人から感染して、たいていは別の1人ないし2人に感染させているわけだ。この患者たちには、アフリカ系またはヒスパニック系で、若く、軍関係者であるという傾向が見られた。ほぼ半数が、それぞれの性的パートナーと2カ月以上のつき合いがあった。[74] 1970年代にポタラは、コロラドスプリングスでの淋病の流行を性的な放縦さで説明するのは間違いであると気づいていた。「特に印象的だったのは、淋病検査の結果が、地元の上流中産階級の性的に大胆な白人の女子カレッジ生と、性体験が少なく教育程度も低い同年齢の黒人女性とで、大きく違っていたことだ。前者は後者と違って、淋病と診断されることはめったになかった」と彼は書いている。[75] コロラドスプリングスのデータを詳しく調べると、伝播は異常に活発な性行動というより、特定の社会集団では治療を受けるのが遅れるという事実による可能性が高いように思われた。

感染症による分断を避けるために

リスクの高い人々を特殊だとか自分たちとは違うというふうに見るのは、「彼ら対我々」という態度を助長し、差別と汚名をもたらす。そして、伝染病の制御を困難にする。エイズからエボラまで、非難――そして非難されることへの恐怖――のせいで、多くの感染爆発が隠されてきた。疑心暗鬼から、患者とその家族が地域社会からつまはじきにされることも多い。[76] そのため、病気になっても報告したがらなくなり、一番支援を必要としている人に手が届かなくなって、それが伝播をますます増幅させる。

２０２０年2月初め、シンガポールに旅行した英国人男性がＣＯＶＩＤ－19の「スーパースプレッダー」というあだ名で呼ばれることになった。英国に帰国する前に、フランスにあるスキーロッジで数人に感染させていたとわかったのだ。その2、3週間後、英国内で感染した初めての症例が報告されると、メディアは再び、責めるべき個人を探すという考えに取りつかれた。3月1日付の『サンデー・タイムズ』には、「コロナウイルス：ペイシェント・ゼロを探す～英国にウイルスを広げたのは誰か」という大見出しが掲載された[77]。そんな見出しを見たら誰でも、ウイルスを広げた犯人にされるのはごめんだと思うだろう。結果的に、イタリア北部へのスキー旅行から帰国後に咳が出るようになった人のうちどれほど多くが、検査を避けることになったのだろう？

残念なことに、犯人探しめいた心理は新聞の見出しにとどまらなかった。「武漢コロナウイルス」とか「中国ウイルス」といった報道のあと、人種的な偏見による襲撃がロンドンからロサンゼルスまで、各地で報告された。その後、米国の政治家やテレビ番組の司会者といった名の売れた人々が、「中国インフルエンザ」という呼び名は正当だと発言している。もし中国が流行の程度をもっと早く報告していれば、米国も適切な備えができたはずだというのだ。とはいえ、3月初め――WHOが国際的に懸念される公衆衛生上の緊急事態を宣言してから5週間後――の時点で、時事ニュース雑誌の『ザ・アトランティック』が確認できた米国での検査件数はわずか1895件だった（ちなみに、同時期の英国では2万人が検査を受けていた[78]）。エイズ流行の初期段階でもそうだったが、一部の政治家やメディアは、足元の問題に立ち向かうより、危機を特定のグループのせいにすることを選んだのだ。

感染爆発の責めを特定のグループに負わせるのは、新規な現象ではない。16世紀、英国人は梅毒がフランスから来たと信じていたため、「フランス病」と呼んだ。フランス人は、ナポリから来たと信じていたので「ナポリ病」と呼んだ。同じように、ロシアでは「ポーランド病」、ポーランドでは「トルコ病」、そしてトルコでは「キリスト教徒の病気」と呼ばれた(79)。

そうしたレッテルは長いあいだ残る。世界全体で数千万人が亡くなった１９１８年のインフルエンザパンデミックは、いまだに「スペイン風邪」と呼ばれている。感染爆発中にそう呼ばれるようになったのだが、それは、ヨーロッパで最も感染者が多いのはスペインだとメディアが報じたからだ。しかし、そうした報道は、考えられていたような客観的事実などではなかった。当時スペインではニュース記事の戦時検閲は行われていなかったが、ドイツ、イングランド、フランスでは、士気の低下を恐れて疾病のニュースを握り潰していた。これらの国の報道管制のせいで、スペインの患者数が桁違いに多いように見えたのだ（スペインはスペインで、メディアがフランスに責めを負わせようとした(80)）。

特定の国を名指しするような呼び方を避けたいなら、代わりの名称を提案すればいい。２００３年３月のある土曜の朝、アジアで新しく見つかった感染症について話し合うため、ジュネーブのＷＨＯ本部に専門家が集まった(81)。すでに香港、中国、ベトナムで患者が報告されていたが、その朝、フランクフルトでも患者が出ていた。ＷＨＯは世界的危機を宣言しようとしていたのだが、それにはまず呼び名が必要だった。覚えやすいものがいいが、患者の出た国に汚名を着せるようなものであってはならない。最終的に「重症急性呼吸器症候群（Severe Acute Respiratory Syndrome）」、略してＳＡＲＳ《サーズ》に落ち着いた。

感染症と金融危機の類似

ＳＡＲＳの流行は結局、複数の大陸で８０００人以上の感染者と数百人の死者をもたらした。２００３年６月には抑え込まれていたものの、世界全体で推定４００億ドルものコストがかかった[82]。患者の治療に要した直接の費用だけでなく、職場の閉鎖、空室だらけのホテル、取引のキャンセルなどによる経済的な打撃も含まれる。

いまはイングランド銀行の首席エコノミストを務めるアンディ・ホールデンによれば、ＳＡＲＳの幅広い影響は２００８年の金融危機の際の予期せぬ結果と似ていた。２００９年のスピーチで、彼は次のように語っている。「類似点は明らかだ。外部から突然の出来事が襲う。システムは恐怖に支配され、やがて停止する。その結果もたらされる巻き添え被害は、広くそして深くまで及ぶ[83]」

ホールデンは、感染爆発に対する典型的な反応には二通りあると言う。逃げるか、隠れるかだ。感染性疾患の場合、逃げるというのは、感染を避けたい一心で流行地域から離れようとすることを意味する。旅行制限などの規制措置のせいで、ＳＡＲＳの流行中には一般にこの選択肢はなかった。[84] もし、感染した人々が保健当局によって特定・隔離されることなく旅行していたとしたら、さらに多くの地域にウイルスが広がっていたかもしれない。逃げるという反応は金融危機でも起こる。暴落に直面すると、投資家は損を承知で資産を売却し、さらに株価の値下がりを招くことがある。

でなければ、感染爆発に際して「隠れる」ことを選び、感染者との接触をもたらしかねない状況を避ける。それが疾病の流行なら、もっと頻繁に手を洗ったり、人とのつき合いを減らしたりする。金融危機なら、銀行はほかの機関に融資するリスクを避けて資金をため込もうとする。ただし、ホールデンの指摘によれば、同じ隠れるという反応にしても、疾病の流行と金融危機とでは決定的に違うところがある。隠れるという行動は、たとえそのためのコストはかかったとしても、一般に疾病の伝播を減らすのに役立つ。これに対して、銀行が資金をため込むと、ちょうど２００８年の金融危機の前に経済に打撃を与えた「credit crunch（貸し渋り）」のように、問題がますます大きくなる。

「貸し渋り」という概念は２００７〜２００８年にかけてニュースの目玉となったが、経済学者がこの言葉をつくったのは１９６６年のことだった。その夏、米国の銀行は貸し付けを突然停止した。その前の何年かにわたってローンへの需要が高まっていて、銀行はその増加に追いつくためにどんどんクレジット枠を拡大していた。そしてついに、続けられるだけのお金を貯蓄口座に集められないところまで来たため、貸し付けを停止した。借り手にもっと高い利率を要求したわけではない。貸し付けが完全に止まったのだ。銀行は前にもローンの供給量を減らしていた――米国では1950年代に数回、「credit squeeze（金融引き締め）」があった――が、1966年の突然の停止に対して「引き締め」は穏やかすぎると考えた人たちもいた。『crunch』は違う」と経済学者のシドニー・ホーマーは当時書いている。「バリバリと噛み砕くという意味であり、骨さえ砕いてしまうのだ[85]」

アンディ・ホールデンが金融システムにおける伝染について考えたのは、2008年の金融危機のときが初めてではなかった[86]。「2004～2005年ごろ、そうしたたぐいの感染がもたらす『スーパーシステミックリスク』に襲われる時代に入ったことについてのメモを書いた覚えがある」。そのメモの指摘によれば、金融ネットワークはある状況においては安定しているが、状況が違えば非常にもろい。これは生態学では確立された考え方だ。ネットワークという構造は小さな衝撃に対しては立ち直りが早いが、強いストレス下に置かれた場合には、その同じ構造のせいで、完全な崩壊を起こしやすくもなる。職場のチームを考えてみよう。もし大多数の人が好成績を上げていれば、劣ったメンバーがミスをしても大事には至らない。業績のいいメンバーとつながっているからだ。ところが、チームのほとんどが悪戦苦闘していると、そのつながりのせいで、強いメンバーも引きずりおろされる。「要するに、こうした統合は小さな危機の確率を実際に減らすのだが、大きな危機に見舞われる確率は上げる」とホールデンは語っている。

未来を予知するかのような考えだが、これはそれほど広まらなかった。「あいにくなことに、あのメモは、実際に大きなのがやってくるまではまったく注目されなかった」と彼は言う。なぜ、注目されなかったのだろう？「当時、そんなシステミックリスクの例を挙げるのはむずかしかった。あの頃は、波ひとつない大海原が広がっているように見えたのだ」。2008年秋にそれが一変する。リーマン・ブラザーズが破綻したあと、銀行業界の人々はこぞって、伝染病という観点から考え始めた。ホールデンによれば、それが唯一、何が起こったかを説明する方法だった。「伝染について語ることなく、なぜリーマンが金融システムを崩壊に至らしめたのかについての物語を語ることはできなかった」

金融危機を引き起こしたネットワークとは？

もし、伝染を増幅させるようなネットワーク特性のリストをつくるとしたら、2008年以前の銀行システムにはそのほとんどが揃っていたとわかるはずだ。まず、銀行間のリンクの分布を取り上げてみよう。結合が均等に分散されているのではなく、ひと握りの銀行がネットワークを支配し、スーパースプレッディングが起こる可能性を大幅に引き上げていた。2006年、ニューヨーク連邦準備銀行と提携していた調査員たちが、米国の連邦電信決済ネットワークの構造を分析した。米国の何千という銀行間で典型的な一日に処理される1兆3000億ドルの決済を調べたところ、その75%がわずか66の銀行間で行われていた[87]。

問題はリンクの偏りだけではなかった。そうした大銀行がネットワークにどう収まっているかも、問題だった。1989年、疫学者のスネトラ・グプタが主導した研究で、感染症の動態は、ネットワークが数学者の言う「同類結合」なのか、それとも「異類結合」なのかに左右されうることが明らかになった。「同類結合」のネットワークでは、高度に結合している個人はたいてい、ほかの高度に結合している個人とつながっている。この場合、こうした集合体にハイリスクな個人がいると、その内部では感染が急速に広がるが、ネットワークのそれほど結合の多くない部分には、なかなか到達しない。それに引き換え、「異類結合」のネットワークではたいてい、ハイリスクの人がローリスクの人とリンクしている。すると感染の広がりは初めのうちゆっくりだが、全体として、より大きな流行になる[88]。

銀行のネットワークはもちろん、「異類結合」のほうだった。したがって、リーマン・ブラザーズのような主要銀行が伝染を大きく広げることになったのだ。破綻したとき、リーマンの取引相手は100万を超えていた[89]。ホールデンによれば、「リーマンはこのデリバティブ〔金融派生商品：株式、債券、為替などの原資産から派生して誕生した金融商品〕とキャッシュの複雑な網の目に絡めとられ、誰が誰に何の支払い義務があるのか、誰にも見当がつかないありさまだった」。ネットワーク全体では数多くの隠れたループがあって、リーマンからほかの会社や市場への複数の伝播ルートができていたことも、不利に働いた。そのうえ、そうしたルートは非常に短い場合があった。1990年

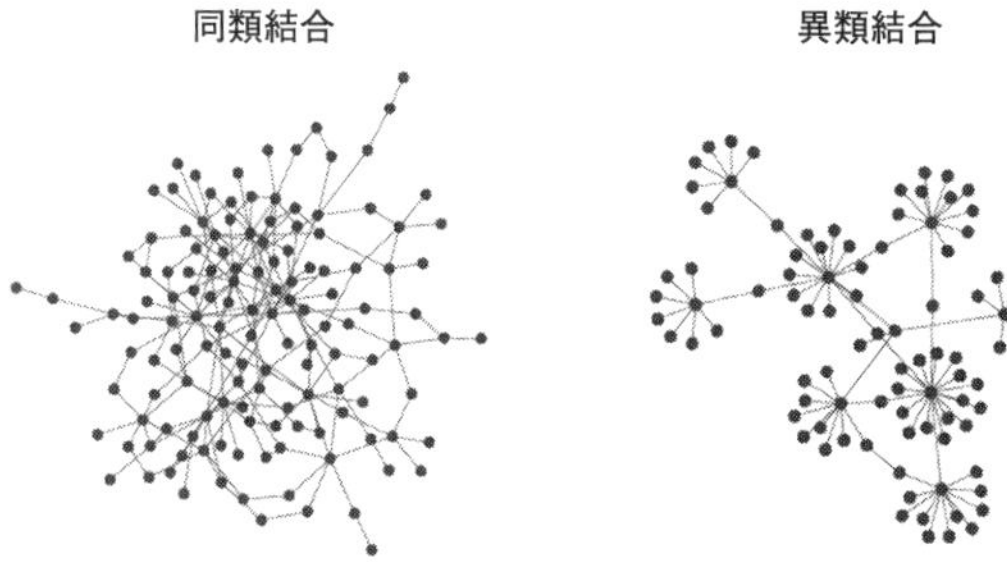

「同類結合」と「異類結合」のネットワークの図解。
Hao et al., 2011より転載。

代および2000年代に、国際金融ネットワークはますます小さな世界になっていたのだ。2008年にはどの国も、他国の危機がわずか1ステップか2ステップでわが身に及ぶようになっていた[90]。

2009年2月、投資家のウォーレン・バフェットは株主への年次書簡で、大手銀行間の「恐るべき相互依存網」について警告を発した[91]。「トラブルを避けようとするネットワーク参加者は、性病を避けようとする者と同じ問題に直面する。誰と寝るかだけではなく、その誰かが誰と寝ているか、が問題なのだ」と、彼は書いている。ネットワーク構造は、いちおうは用心している機関さえリスクに曝すだけでなく、悪しき振る舞いを誘発する恐れもあると、バフェットは指摘した。もし政府が危機の際に介入して助ける必要が出てくれば、そのリストの先頭に来るのは、ほかの多くの会社を感染させる恐れのある会社だろう。「たとえ話を続けるなら、だれかれ構わず寝るのは、大規模なデリバティブディーラーにとって実は有用かもしれない。まずい事態になっても、政府の援助を必ず当てにできるからだ」
金融ネットワーク自体に明らかな脆弱性があることはさておき、中央銀行や規制当局は、2008年の金融危機の際に何が起こったのかを理解する必要に迫られた。ほかには何が、危機の伝播を推し進めたのだろう？　イングランド銀行は危機の前にすでに金融危機の伝播モデルの開発に取り組んでいたが、2008年の危機によって、その開発の緊急性が改めて明らかになった。「危機が勃発したとき、我々はそうしたモデルを実地に使い始めた」とホールデンは言う。「何が起こっているのかを理解するためだけではない。再び起こるのを防ぐにはどうしたらいいかを知るためだ。そのほうがもっと重要だった」

ある銀行が別の銀行に融資をすると、両者のあいだには実体のあるリンクが生じる。もし借り手が破産すれば、貸し手は融資したお金を失う。理論上は、このネットワークをたどって、ちょうど性感染症の場合のように、感染爆発のリスクを把握できるはずだ。ところが、そう簡単にはいかない。ニム・アリナミンパシーの指摘によれば、融資のネットワークは2008年危機をもたらしたいくつかの要因のひとつに過ぎない。「HIVの場合と似ている。HIVは性的な接触でうつるだけでなく、注射針の共有や輸血でもうつる。複数の感染ルートがあるのだ」と彼は言う。金融の場合も、いくつかの感染源が考えられる。「融資関係だけでなく、共有資産など、その他のつながりからも感染が起こる」

金融業界では昔から、銀行は多様化によって総合的なリスクの低下を図れると考えられてきた。幅広く投資することで、個々のリスクが相殺し合い、銀行の安定性が向上するというのだ。２００８年に至るまでのあいだに、大半の銀行がこの投資方針を採用していた。しかもやり方まで同じで、同じタイプの資産や投資アイディアを追い求めた。個々の銀行は確かに投資先を多様化していたものの、銀行全体として見れば、多様性などほとんどなかった。

なぜ、同じような行動をしたのだろうか？　１９２９年のウォール街大暴落に端を発する大恐慌のさなかに経済学者のジョン・メイナード・ケインズは、仲間と同じ行動を促す強い誘因があることに気づいて、次のように書いた。「なんということか、健全な銀行家とは危険を見通して避ける者ではなく、破産するなら仲間とともに従来型の破産をする者のことなのだ。そうすれば誰にも、１００％お前が悪いのだと言われずに済む[92]」。そうした誘因は別の働きもする。２００８年以前、多くの会社がＣＤＯのような最新流行の金融商品に投資し始めたが、それは自分たちの専門からかけ離れた領域だった。ジャネット・タバコリは、銀行は嬉々としてそうしたものに耽り、バブルをいっそう膨らませたと指摘している。「ポーカーでよく言われるように、そのテーブルのカモが誰か、見当がつかないなら、それはあなたなのだ[93]」

多くの銀行が同じ資産に投資すると、銀行間には伝播の潜在的なルートが生まれる。もし金融危機が起こってひとつの銀行が資産を売却し始めた場合、その投資先を共有する他のすべての銀行が影響を受ける。したがって、大手銀行が投資先を多様化させればさせるほど、感染が共有される機会が増える。いくつかの研究で、金融危機の最中には多様化がネットワーク全体を不安定化させることがわかっている[94]。

ロバート・メイとアンディ・ホールデンは、歴史的に見て、大手銀行の保有する金融資本が小規模な銀行より少ないことに気づいた。よくある説明は、大手銀行は多様な投資先を数多くもっているのでリスクが低い。だから予期せぬ損失に対する大きな緩衝材は必要ないというものだった。2008年の危機で、その考えが誤りであることが暴露された。大きな銀行のほうが破綻しにくいということはなかったのだ。そのうえ、金融ネットワークの安定性にとって、大銀行はその規模に不釣り合いなほど大きな存在だった。「崖のへりに近いか遠いかは問題ではない。どれだけ落ちるかが重要なのだ」と、メイとホールデンは2011年に書いている[95]。

リーマンが破綻した2日後、『フィナンシャル・タイムズ』紙記者のジョン・オーサーズは昼休みにシティバンクのマンハッタン支店を訪れた。口座から現金を少々動かしたいと思ったのだ。彼の預金の一部は政府の預金保険でカバーされていたが、それには限度がある。もしシティバンクも破綻すれば、保険でカバーされていない分は失うことになる。そう考えたのは彼ひとりではなかった。「シティに行ってみると長蛇の列で、しかもウォール街で働く身なりのいい連中ばかりだった」と、彼はのちに書いている。[96]「彼らも僕と同じことをしようとしていたのだ」。妻と子供たちの名義で別の口座を開き、リスクを減らすことができたが、行員がその午前中ずっと、同じような手続きに忙殺されていたことを知って、オーサーズは愕然とした。「息が止まるほどの衝撃だった。ニューヨークの金融街で取りつけ騒ぎが起きていたのだ。パニックになっている人々は、事情を一番よくわかっているはずのウォール街の人たちだった」。これを記事にすべきだろうか？　危機の深刻さを考えると、状況をいっそう悪化させるだけだとオーサーズは判断した。「そんな記事が『フィナンシャル・タイムズ』紙の一面に載れば、システムは収拾のつかない事態に陥るかもしれない」。他の新聞の記者たちも同じ結論に達し、そのニュースは報道されなかった。

金融危機の伝播を防ぐために何ができるか

金融危機の伝播と生物学的な伝染の類似性は、分析の出発点としては役立つが、それでは対処しきれない状況がひとつある。疾病の感染爆発の際には、感染するには病原体に曝される必要がある。金融危機も、銀行間の融資や同じ資産への投資のような実体のある曝露を通じて広がる。ただし金融の場合、感染には必ずしも直接の曝露を必要としない。「我々がこれまでに扱ったネットワークと異なる点がひとつある。見たところ健全な機関でも、人々の考え方ひとつで、破綻に追い込まれることがあるのだ」と、ニム・アリナミンパシーは言う。もし、ある銀行がつぶれると信じれば、大衆は預金をいっぺんに下ろそうとするかもしれない。そうなれば、健全な銀行でも破綻してしまうだろう。同じように、銀行が金融システムに対する信頼を失えば――2007~2008年に起こったように――、お金を融資するよりため込むようになる。こうして噂や憶測がトレーダーのあいだを駆け巡り、危機を乗り切れたはずの銀行さえ、破綻させてしまう。

2011年、アリナミンパシーとロバート・メイはイングランド銀行のスージット・カーパディアと共同で、不良債権や共有投資を通じた直接伝播だけでなく、恐怖やパニックによる間接的な効果についても調査した。その結果、もし銀行がシステムへの信頼を失ってお金をため込み始めれば、危機をさらに悪化させることがわかった。乗り切れるだけの資本をもっていた銀行さえ、破綻に追い込まれた。大手銀行が関係していると、被害はさらに大きくなった。大きな銀行は金融ネットワークの中心に位置している傾向があったからだ(97)。ここから、規制当局は単に銀行の規模だけでなく、どの銀行がシステムの中心にいるのかにも目を向けるべきであることがわかる。「破綻しては困るほど大きいかどうか」だけでなく、「破綻しては困るほど中心にいるかどうか」も、重要なのだ。

流行理論に基づくこうした洞察がいまでは実際に応用されているが、これはホールデンが金融危機の伝播についての考え方における「哲学的転換」と表現したものだ。大きな変化として、ネットワークにとって重要な位置にいる銀行に保有資産を増やさせ、感染に対する感受性を引き下げさせている。また、そもそも感染を伝播させるネットワークの問題もある。当局はそれらも規制の対象にできるだろうか？「最大の難所は、『ネットワークの構造自体を変える行動を起こすべきか？』と、当局が考え始めるときだ」とホールデンは言う。「銀行にしてみれば、自分達のビジネスモデルへのさらに立ち入った介入になるため、大騒ぎになる」

２０１１年、ジョン・ヴィッカーズの率いる委員会が、英国の主要な銀行はリスクの高い取引活動の周囲に「リングフェンス（囲い）」を設け、小売部門〔個人や中小企業などを対象に小口の預金や貸し付けを扱う部門〕と分離するよう、勧告した[98]。そうすれば、不良債権による影響が、市民の貯蓄口座といった目抜き通りの店舗でのサービス部門に及ぶのを防げるだろう。「リングフェンスは英国の銀行の小売業務を外部からの衝撃から護るのに役立つ。金融システムの相互接続のルート、つまり伝播のルートが、より安全になるだろう」と委員会は提言した。やがて英国政府は勧告を実行に移し、銀行に活動の分割を強制した。あまりにも受け入れにくい政策だったため、ほかの国では採用されなかった。ヨーロッパの別のところでも提案されたが、実施には至らなかったのだ[99]。

ほかにも、伝播を減らすための戦略はある。銀行が金融派生商品を売買する際には、中央証券取引所を介してではなく、別の銀行と「店頭で」直接取引する場合も多い。そうした取引活動が２００８年には６００兆ドル近くに達した[100]。ところが２００９年以降は、大きな取引契約はもう、大銀行間で直接取引されることはない。いまは独立に運用される中心拠点（証券取引所）を通じて取引しなければならず、それがネットワーク構造の簡素化という効果をもたらしている。

もちろん、その拠点が感染するようなことになれば、巨大なスーパースプレッダーになりうる。「リスクが集中しているため、もし大規模な衝撃があれば、事態はいっそう悪くなる。リスクに対する緩衝材として働くべきなのに、極端なケースではリスク増幅器となってしまう」と、キャスビジネススクールの経済学者であるバーバラ・カーズは言う。[101] そのような事態になるのを防ぐため、取引拠点は、そこを利用する銀行の拠出金でまかなわれる緊急資本にアクセスできるようになっている。こうした相互方式は、各銀行が独立して業務を行うスタイルを好む投資家の非難を浴びている。[102] しかし、取引拠点を利用すれば、外から見えにくいループのもつれがネットワークから取り除かれ、感染機会が減るだけでなく、誰がリスクに曝されているかも、より明確になる。

金融危機の伝播についての理解が進んだとはいえ、まだまだすべきことが残っている。「1970年代や1980年代に行われた感染性疾患のモデル化のようなものだ」とアリナミンパシーは言う。「偉大な理論がどっさりあって、データがやや後れを取っていた」。大きな障害のひとつは取引情報へのアクセスだ。銀行がビジネス活動の秘密を守ろうとするのは自然なことで、そのため、銀行同士がどうつながっているかを、特に世界レベルで調査員が正確に把握するのは難しい。すると感染の可能性を見積もりにくくなる。ネットワークの研究者によれば、金融危機の確率を分析する際には、融資ネットワークに関する知識に少しでも誤りがあれば、システム全体のリスクの推定において大きな誤りを犯しかねない[103]。

とはいえ、問題は取引データだけではない。ネットワークの構造を研究するだけでなく、ニュートンが言う「人々の狂態」について、僕たちはもっと考えてみる必要がある。信念や行動がどのように生まれるのか、そしてどのように広がるのか、考えてみなければならない。それは、病原体はもちろん、人々についても考えることを意味する。新規なものごとから感染症まで、感染はしばしば社会的なプロセスなのだ。

第3章
アイディアの感染

それは単純な賭けだった。もしダーツで負ければ、ジョン・エリスは「ペンギン」という言葉を自分の次の科学論文に入れなければならない。時は1977年、エリスと同僚たちはジュネーブ郊外にある欧州原子核研究機構（CERN）素粒子物理学研究所近くのパブにいた。エリスの対戦相手は訪問学生のメリッサ・フランクリンだったが、彼女はゲームの終了前に帰らなければならなかった。そこで別の研究員があとを引き継ぎ、勝利を収めた。「それでも僕は約束を守る義務があると感じた」と、のちにエリスは語っている。(1)

問題は、どうやって物理学の論文に「ペンギン」を忍び込ませるか。当時エリスは、特定のタイプの亜原子粒子――いわゆる「ボトムクォーク」――の挙動を記述する箇所を執筆しており、物理学でよく行われるように矢印とループを用いて、粒子がある状態から別の状態に遷移する様子をスケッチした。1948年にリチャード・ファインマンによって導入されたこの「ファインマンダイアグラム」は物理学者のあいだではおなじみのツールとなっていたのだが、そのスケッチが、エリスの必要としていたインスピレーションを与えてくれた。「ある晩、C

ERNでの仕事を終えてアパートへ帰る途中に、メランに住んでいる友人たちを訪ねて違法な薬物を少々吸った」とエリスは回想する。「その後アパートに帰って論文の執筆を続けていると、突然、有名なダイアグラムがペンギンのように見えることに気づいた」

エリスの思いつきは受けた。論文が発表されて以来、彼の「ペンギンダイアグラム」は他の物理学者によって何千回も引用された。それでも、ペンギンたちの拡散はそのスケッチのもととなった図の普及ぶりに比べれば、足元にも及ばない。ファインマンダイアグラムは1948年の登場後急速に広まり、物理学を一変させた。そのアイディアが一気に広がった理由のひとつは、ニュージャージー州プリンストンの高等研究所にあった。所長は米国の原子爆弾開発計画を率いた経歴をもつJ・ロバート・オッペンハイマーで、研究所を「知的なホテル」と呼び、若手研究者を2年の採用期限つきで次々に雇い入れた[2]。アイディアのグローバルな流れを促進したいというオッペンハイマーの望みに応えて、若者が世界中からやって来た。「情報を送り出すには、人という入れものに包み込んでやるのが一番いい」とオッペンハイマーは語っている。

概念は感染するのか？

科学的な概念の拡散という現象に触発されて、アイディアの伝播を探求する初期の研究のいくつかが始まった。1960年代初頭には米国の数学者であるウィリアム・ゴフマンが、科学者間の情報伝達の様子は伝染病とよく似ていると指摘した。(3) マラリアのような病気が蚊を介して人から人へ伝わるように、科学的な探求は科学者から科学者へ、学術論文を介して伝わることが多い。ダーウィンの進化論からニュートンの運動の法則やフロイトの精神分析運動まで、新しい概念が、それらに接触した「感受性のある」科学者に広がった。

とはいえ、全員がファインマンダイアグラムに感受性があったわけではない。懐疑派の1人にモスクワ物理問題研究所のレフ・ランダウがいた。高名な物理学者のランダウは、相手をどれだけ尊重するかに関して明確な考えをもち、仲間の研究者をランク付けしたリストを所持していたことが知られている。ランダウが用いていたのは0から5までの逆転スケールで、0が最も偉大な物理学者——リストではニュートンのみ——を示し、5が「平凡」を意味する。自分自身は2・5としたが、1962年にノーベル賞を受賞したあと2に昇格させている。(4)

ランダウはファインマンを1にランク付けしたものの、ダイアグラムには感銘を受けず、もっと重要な問題から気を散らすものとみなした。ランダウは毎週、モスクワの研究所で人気のあるセミナーを主催していた。演者がファインマンダイアグラムを提示しようとしたことが2度あったが、いずれの場合も、話の途中で演壇から下ろされた。博士課程の学生がファインマンの先例にしたがうつもりだと言ったときには、「流行を追いかけている」として非難した。ランダウ自身、最終的には1954年の論文でダイアグラムを使っているが、厄介な分析は学

生2人に委託した。「自分で計算を実行できなった初めての論文だ」と、同僚に認めている。(5)

ランダウのような人たちはファインマンダイアグラムの拡散にどのような効果を及ぼしたのだろうか？　2005年、物理学者のルイ・ベタンクールならびに歴史家のデイヴィッド・カイザーと同僚たちが、それを突きとめることにした。(6) カイザーは以前、ファインマンが持論を発表したあとの数年間に世界中で発刊された学術誌を集めていた。そこで全雑誌にくまなく目を通してファインマンダイアグラムへの言及を探し、何人の執筆者がそのアイディアを採用しているかを、時系列に沿って集計した。集計データをグラフにしてみると、ダイアグラムを採用した著者の人数はおなじみのS字形採用曲線を描き、指数関数的に上昇したのち、平坦になった。

次のステップはアイディアの感染力の定量化だ。アイディアが生まれたのは米国だったにもかかわらず、すばやく広がって日本に達した。ソ連ではもっと反応が鈍く、日米2カ国よりも取り入れるのがゆっくりだった。これは歴史的な背景で説明がつく。日本の大学は戦後急速に拡充され、素粒子物理学の強力なコミュニティができていた。それに対してソ連では、冷戦の開始にランダウのような研究者たちの懐疑主義も加わって、ダイアグラムの普及が抑え込まれた。

入手できたデータをもとに、ベタンクールたちはファインマンダイアグラムの再生産数R、すなわち、アイディアを採用した物理学者一人ひとりが最終的に何人にそれを伝えたかも推測できた。結果は大きな数になり、アイディアとしては極めて感染力が強いことがわかった。米国内でのRは当初15前後で、日本では75にもなった可能性がある。あるアイディアの再生産数を算出しようとした試みはこれが初めてで、アイディアの感染性というそれまでは漠然としていた概念に明確な数値を与えた。

ここから、なぜそのアイディアはそれほど人の心を捉えたのかという疑問が生まれた。ひょっとすると、物理学者がこの期間に頻繁に交流していたからだろうか？ 必ずしもそうとは言えない。Rの数値が高かったのはむしろ、いったん採用した人々が長いあいだそのアイディアを拡散し続けたせいであるように思われた。「ファインマンダイアグラムの拡散は、非常にゆっくり広がる疾病に似ている」と研究者らは記している。採用が広がったのは、「おもにアイディアの寿命が極めて長かったせいで、異常に高い接触率のせいではなかった」

引用ネットワークの追跡によって明らかになるのは、新しいアイディアの拡散の経緯だけではない。そのアイディアがどのように現れたのかも、知ることができる。もし注目を浴びている科学者がある分野を支配していれば、競合するアイディアの普及は妨げられる。その結果、新しい理論は、優勢な科学者がその座を譲ってはじめて、勢いを増す。物理学者のマックス・プランクはかつて、「科学は葬式のたびに進歩する」と言ったという。マサチューセッツ工科大学の研究者らがこの有名なコメントを検証しようと、エリート科学者が若くして亡くなったあとに何が起こるかを分析した。[7] すると、その競争相手のグループがより多くの論文を発表するようになり、引用も増えたのに対して、「スター」科学者の共同研究者たちは目立たなくなる傾向があったという。

科学論文を発表するのは科学者だけではない。ピクサーの共同創始者であるエドウィン・キャットマルによれば、論文の発表は社外の専門家とのつながりを築くのに役立つ。(8)「発表すればアイディアを手放すことになるかもしれないが、それによって学界とのつながりを保ち続けることができる。どんなアイディアを漏らす羽目になるにしろ、このつながりのほうが、はるかに価値がある」と彼は書いている。ピクサーは、ネットワーク内の異なる部分のあいだの「スモールワールド」的出会いを奨励していることで有名だ。社屋のデザインにさえ、それが反映されており、広々した中央吹き抜けには、郵便受けやカフェテリアなど、ランダムな交流の核となりそうな場所が設けてある。キャットマルの言葉を借りれば、「たいていのビルは何らかの機能を果たすことを目的に設計されるが、我々のビルは予期せぬ出会いができるだけ多く生まれるように造られている」。社会的建築というアイディアは別のところでも人気だ。2016年、ロンドンにフランシス・クリック研究所が開設された。ヨーロッパ最大のバイオメディカル研究所として、6億5000万ポンドの建物に1万2000人以上の科学者を擁する。所長のポール・ナースによれば、レイアウトは、「軽い無政府状態を少々」創り出すことによって人々の交流を促すように、デザインされたという。(9)

思いがけない出会いが革新のひらめきを生むこともあるだろうが、会社がオフィスの仕切りを取り払い過ぎて逆効果になる場合もある。ハーヴァード大学の研究者らが2つの大会社の社員の動きをデジタル追跡装置で調べたところ、オープンプランのオフィスを導入すると、じかに顔を合わせての交流が70％ほど減少した。社員は代わりにオンラインでのコミュニケーションを選び、Eメールの使用が50％以上も増えた。オフィスをより開放的にした結果、有意義な交流の頻度が減り、総合的な生産性も低下したという[10]。

ネットワーク調査の壁

何かが広がるには、感受性のある人どうしが、直接または間接に接触する必要がある。新しい考えであろうと感染症であろうと、伝播が起こるチャンスは、どれだけ頻繁に接触が起こるかにかかっている。したがって、感染を理解したいなら、人々がどのように交流するのかを解明する必要がある。ところが、それは困難極まりない仕事であることがわかった。

「サッチャー、セックスに関する調査を中止」と『サンデー・タイムズ』紙の見出しが告げたのは、1989年9月のことだった[11]。政府が英国における性行動調査の提案を却下したのだ。エイズの流行の拡大に直面して、研究者たちは性的な出会いが重要な意味をもっているという確信を深めていた。問題は、そうした出会いがどれほどありふれたものなのか、誰もほんとうには知らないことだった。「エイズの流行をもたらしていると思われるパラメーターの推定値については、一切情報がなかった」と、英国での調査を提案した研究者のひとりであるアン・ジョンソンがのちに語っている。「人口のどれくらいの割合がゲイのパートナーをもっているのか、その人たちが何人のパートナーをもっているのか、わたしたちは知らなかった[11]」

1980年代半ばに、ある衛生問題調査グループが、性行動を全国規模で調べることを思いついた。予備調査はうまくいったが、本調査はなかなか開始できなかった。報道によれば、マーガレット・サッチャーが、そのような調査は人々の私生活を侵害し、「不適切な憶測」を生むとして、政府からの資金提供を拒否したのだという。幸いにも、別の選択肢があった。まもなく出た『サンデー・タイムズ』紙の記事によると、調査チームはウェルカム・トラストから民間の資金援助を受けられることになった。

性に関する態度とライフスタイルの全国調査（National Survey of Sexual Attitude and Lifestyles）、略してNatsalが1990年にようやく実施され、その後2000年と2010年にも実施された。調査法の開発に携わったケイ・ウェリングスによると、データには性感染症対策以外の用途もあることは明らかだった。「提案書を書いている段階ですでに、これが公衆衛生政策に関連した多くの疑問に答えを出してくれるだろうとわかっていた。これまではそのために使えるデータがなかったのだ」。近年は、避妊から離婚まで幅広い社会問題の実態に関する情報をNatsalが提供している。

とはいうものの、人々に性生活のことを話してもらうのは簡単ではなかった。面接員は、調査に参加するよう人々を説き伏せ――社会全体のためだからと力説したりして――、正直に答えてもらえるだけの信頼関係を築かなければならなかった。性に関する用語の問題もあった。「公衆衛生の用語と、日常生活で使われる用語とのあいだにはズレがあり、日常用語は遠回しな表現だらけだった」とウェリングスが書いている。「ヘテロセクシャル」とか「ヴァギナ」という言葉がわからない被験者もいた。「ラテン語の響きがある名称とか、3音節以上の言葉はすべて、気味の悪い異様な言葉に聞こえたらしい」

それでも、Natsalチームはある程度の成果を収め、性的出会いの頻度が比較的低いというようなデータを得た。一番最近の調査では、20歳代の典型的な英国人は平均して月におよそ5回セックスをしていて、新しい性的パートナーは年に1人未満であることがわかった[12]。最も活動的な個人でも、任意の年に数十人を超える相手と寝ることはなさそうだ。つまり、面接を受けた人の大半が、パートナーが何人いたか、そのパートナー関係に何が含まれていたか、よくわかっているわけだ。この点は、会話とか握手のような、インフルエンザを広げる可能性のあるような種類の交流とは対照的だった。そうした対面型の交流を、僕たちは毎日何十回も行っている。

過去十年かそこらのあいだに、インフルエンザのような呼吸器感染症と関連のある社会的な接触の測定が、徐々に試みられるようになってきた。一番有名なのはPOLYMOD研究と呼ばれるもので、ヨーロッパ8カ国の7000人以上の参加者に、誰と交流があったかを訊ねた。交流には、会話はもちろん、握手のような身体的接触も含まれる。その後、ケニアから香港に至る多くの国で、似たような調査が行われた。さらに野心的な調査も出てきている。僕は最近ケンブリッジ大学の共同研究者と、英国の5万人を超える志願者から社会行動データを集める公共科学プロジェクトを実施した。[13]

このような調査のおかげで、行動にはかなり世界共通の側面のあることが、いまではわかっている。人は同じ年代の人と交わる傾向があり、最も接触が多いのは断然子供たちだ。[14] 学校や家庭での交流は身体的な接触を伴うのが普通で、日常生活での出会いは1時間以上続くことも多い。とはいえ、交流の総数は地域によって大きく異なる。香港の住民はたいてい、毎日5人前後と身体的な接触をもつ。英国も似たり寄ったりだが、イタリアでは平均して10人だ。[15]

接触行動から流行を予測する

そうした行動の測定は、それはそれで意味のあることだが、この新しい情報は流行の形の予測にも役立つのではないだろうか？　本書の冒頭で見たように、2009年のインフルエンザパンデミックの際には英国で流行のピークが2つあった。ひとつは初夏で、ひとつは秋だ。このようなパターンができたわけを理解するには、学校に目を向けさえすればいい。学校は子供たちが集まって密接な接触をするのにうってつけの環境で、感染症のミキシングボウルさながらだ。学校が休みのあいだは、子供たちの毎日の接触は平均して40％ほど少なくなる。次ページのグラフを見ればわかるように、２００９年の２つの流行のピークの間隔は学校の休みと一致している。この長期にわたる社会的接触の低下は、流行が夏に一時休止したことの説明になるほど大きかった。とはいえ、学校の休みだけでは、感染の第２波を完全には説明できない。最初のピーク後の低下は恐らく社会的行動が変化したせいだろうが、２番目のピーク後の低下はおもに集団免疫による。[16]

この夏季の伝播中断がなければ、２００９年の流行の規模はこれより20％大きくなったと推測される。[17]この差が、集団免疫の奇妙な特性をよく示している。感染防止策や行動変化がなければ流行は「オーバーシュート」して歯止めが効かなくなるのが普通で、再生産数が１未満となる地点まで集団の感受性を引き下げるのに必要な数よりも多くの人が感染してしまう。ピークがひとつだけの単純な流行曲線を考えてみよう。この場合、ピーク後には当然、Ｒは１未満となっている（流行が衰えつつあるので）。これは、ピーク後の感染はすべて、実際に集団免疫が獲得されたあとで、ただし全体的な感染レベルが低下する前に、起こることを意味する。もし伝播に、たとえば学校の休みのような中断があれば、流行の勢いが鈍って、集団免疫獲得後の「オーバーシュート」が減る。つまり、たとえその流行が完全に制御可能でなくても、さまざまな対策を講じれば伝播を鈍化させる効果がある。全体としてより少ない感染で集団免疫が

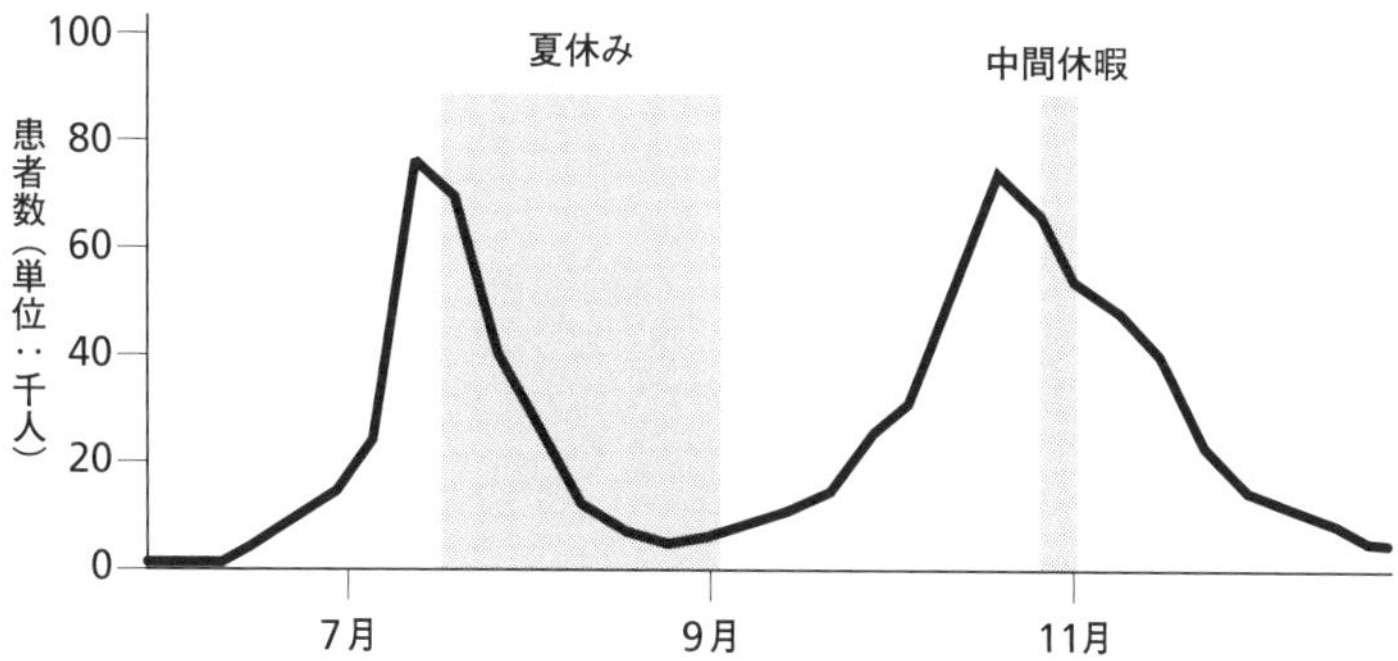

英国における2009年インフルエンザパンデミックの動態。

達成されるからだ。

学校の学期中と休暇中とで感染症が増えたり減ったりするのは、ほかの健康状態にも影響を与える。多くの国で、喘息の患者数は学期の初めにピークになる。こうした流行はもっと広い共同体に波及する場合もあり、成人の喘息を悪化させることもある。[18]

ある人の感染リスクを予想したいなら、何人と接触するかを測定するだけでは不十分だ。その接触相手の接触者、さらにその接触者まで考える必要がある。見たところほとんど人との交流がなさそうな人が、学校のように伝播が起こりやすい環境からほんの2、3ステップしか離れていないという場合もある。数年前、同僚と僕は香港での2009年インフルエンザパンデミックの際の社会的接触と感染について調べた。[19] すると、パンデミックの原動力となったのは子供たちの社会的接触の多さであることがわかった。子供時代を過ぎると接触と感染に減少が見られたのに、その後、親となる年齢に達するとまたリスクが増加したのだ。

どんな教師や親でも知っていることだが、子供とつき合うことは感染症のリスクが高まることを意味する。米国では、家に子供がいない人の場合、ウイルスに感染するのは年に2、3週間が普通だ。子供が1人いる人は年のおよそ3分の1は感染症に罹って過ごす。子供が2人いる人は、平均して、ウイルスに感染している期間のほうが長い[20]。

社会的な交流は共同体での伝播を推進するだけでなく、ほかの場所に感染症を運ぶ役割も果たす。2009年インフルエンザパンデミックの初期段階では、ウイルスはカラスが飛べる距離にある国のあいだで広がったわけではない。流行が3月にメキシコで始まったとき、中国のような遠く離れた国にすぐさま達した半面、バルバドスのような近隣の国に現れるにはもっと長くかかった。なぜか？「近い」とか「遠い」を地図上の位置で考えるなら、距離という概念を正しく捉えているとは言えない。感染症は人を介して広がり、メキシコと中国を結ぶ主要航空路――ロンドンを中継地とするような路線――は、メキシコとバルバドスを結ぶ航空路より多い。中国はカラスにとっては遠い国かもしれないが、人間にとっては割合に近いのだ。2009年のインフルエンザの拡散は、航空機の乗客の流れという観点から距離を考えると、ずっと容易に説明できることがわかった。インフルエンザだけではない。2003年に中国で現れたSARSも、同じように航空路を通じて広がり、タイや韓国に達する前にアイルランドやカナダに到達した[21]。

ただし、2009年のインフルエンザパンデミックの場合、いったんある国に到達すると、長距離の旅行は伝播にとってそれほど重要ではなかったようだ。米国では、ウイルスは波紋のように広がり、南東部からゆっくり感染地域が拡大した。米国東部の2000キロを移動するのに約3カ月かかったが、これは時速1キロに満たない。人が歩いて追い越せる速さだ[22]。

ウイルスを新たな国にもたらすには長距離航空路によるつながりが重要だが、米国内での移動は局地的な人の動きに支配されている。ほかの多くの国でも同じだ[23]。こうした局地的な動きをシミュレーションする場合、「重力モデル」と呼ばれるものがよく使われる。大きくて密度の高い惑星ほど引力が強いように、近くて人口密度の高い場所ほど人を引き寄せるという考え方に基づくモデルだ。もしあなたが村に住んでいれば、遠く離れた市よりも近くの町によく行くだろう。都市に住んでいるなら、周囲の町で過ごすことはほとんどないだろう。

これは、人の交流や動きについて考える際には自明の理に思えるかもしれないが、歴史を見ると、人々はそうは考えなかったようだ。1840年代半ば、英国での鉄道バブルたけなわのころ、列車の運行の大半は大都市間の長距離移動になるだろうと、技師たちは考えた。あいにく、この想定にあえて疑問を投げかける者はほとんどいなかった。ただ、大陸ではいくつか調査が行われた。人が実際にはどのように旅行するのかを解明するため、ベルギー人技師のアンリ＝ギヨーム・デザールは1846年に史上初の重力モデルを考案した。彼の分析によって、狭い範囲の小旅行の需要が多いことが明らかになったが、海峡の反対側の鉄道経営者たちはそうした考えを無視した。この見過ごしがなければ、英国の鉄道網はずっと効率のいいものになっていただろう。[24]

孤独は伝染する

社会的な絆の重要性はともすれば過小評価されがちだ。20世紀初頭に書かれた「出来事の理論」についての論文で、ロナルド・ロスとヒルダ・ハドソンは、この理論が事故や離婚、慢性疾患といったものにも適用できると指摘していた。彼らの考えではこれらは独立した出来事で、もしある人に何かが起こっても、それは誰かほかの人に同じことが起こる可能性には影響を与えない。この場合、人から人への伝染という要素はまったくない。21世紀が始まるにあたって、それはほんとうだろうかという疑問が投げかけられ始めた。２００７年、物理学者のニコラス・クリスタキスと社会学者のジェイムズ・ファウラーが、「大きな社会的ネットワークにおける32年にわたる肥満の拡散」と題する論文を発表した。彼らが分析に使ったのは、マサチューセッツ州フラミンガムを拠点に長期間続いているフラミンガム心臓研究の被験者の健康データだった。彼らは、肥満が友人間で拡散しうると指摘しただけでなく、ネットワークの遠くにまで届く波及効果があって、友人の友人、そのまた友人にも影響が及ぶ可能性があると主張した。

その後彼らは、喫煙、幸福、離婚、孤独など、同じネットワーク内での別の形の社会的伝染に目を向けた。[25]孤独が社会的な接触を通じて広がるというのは奇妙に思えるかもしれないが、彼らは友情ネットワークの端で何が起こるかを指摘した。「周辺部にいる人々は友人が少ない。すると孤独感を感じるが、残された数少ない絆を断とうという気持ちにも駆られる。しかし断ち切る前に、残っている友人に孤独感を伝染させる傾向があり、それによってサイクルが新たにスタートする」

これらの論文には非常に大きな影響力があった。発表後の10年で、肥満の論文だけでも４０００回以上も引用され、多くの人がこの調査を、そうした特性が拡散しうる証拠とみなした。しかし批判も浴びた。肥満と喫煙の研究論文が発表されるとすぐ、『ブリティッシュ・メディカル・ジャーナル』誌に、クリスタキスとファウラーの分析は、実際にはありもしない効果を大げさに言い立てるものだと指摘する論文が載った。[26]次いで数学者のラッセル・ライオンズが、この研究者たちは「根本的な過ち」を犯しており、「彼らの主要な主張には根拠がない」とする論文を書いた。[27]いったいどう考えればいいのだろう？　肥満のようなものごとは実際に拡散するのだろうか？　もし行動が伝染するとしても、それをどうやって確かめればいいのだろう？

社会的な伝染の例として一番なじみ深いのが「あくび」だ。最も研究しやすい形態の伝染でもある。ありふれていてわかりやすいうえ、ある人があくびをしてから別の人があくびをするまでの時間が比較的短いため、伝播の様子を詳しく調べることができる。

何があくびを拡散させるのか、ラボでの実験で分析した研究がいくつかある。伝播には、双方がどのような間柄にあるのかが、特に重要なようだ。よく知っている人のあくびほど、うつりやすい[28]。知人よりも家族のあいだのほうが伝播のプロセスも速やかで、短時間でうつる。見知らぬ人の前であくびをしても、うつる率は10％にも満たないだろう。家族の近くであくびをすれば、半分の時間でうつる。大事に思っている相手からのほうがうつりやすいのは、人間だけではない。同じような社会的あくびは、サルからオオカミまで、いろいろな動物で見られる[29]。ただし、人間があくびに感受性をもつようになるには、生後しばらくかかる。乳児や幼児も時にはあくびをするものの、親のあくびがうつるわけではないようだ。実験によると、4歳くらいになるまで、あくびがうつるようにはならない[30]。

動物のあいだでも行動が拡散する

あくびのほかにも、体をかく、笑う、感情的な反応といった短期の行動の拡散が研究されている。このような社会的応答は極めて短時間で現れる。チームワークを調べる実験では、リーダーの肯定的な気分または否定的な気分がほんの数分でチームに拡散した[31]。

あくびや気分を研究したい場合、実験室で実験をすれば、人々の目に入るものを管理できるので、気が散ったせいで結果が歪んでしまうのを避けられる。すばやく拡散するものではそれができるが、もっと時間をかけて集団内を伝わっていく行動や考えについてはどうだろう？社会的伝染を実験室の外で調べるのは難しい。それは人間の集団に限った話ではない。鳥のなかでもシジュウカラは、新機軸を取り入れることで昔から有名だ。１９４０年代に英国の生態学者が、シジュウカラが牛乳瓶のアルミ箔の蓋に穴を開けて、上部に浮いたクリームにありつく方法を編み出したのを見つけた。このやり方は何十年も続いたが、そうした新しいやり方が鳥の個体群にどのようにして広がったのかは不明だった。[32]

動物の行動の拡散を飼育下で調べた研究はいくつかあるが、野生の個体群で同じことをするのは難しい。新機軸を取り入れるという評判がシジュウカラにあることから、動物学者のルーシー・アプリンと同僚たちは、そうしたアイディアがどのようにして広がるのか、解明しようとした。まずは、何か新機軸が必要だ。チームはオックスフォード近郊のワイサム・ウッズに出向き、ゴミムシダマシの幼虫を入れた問題箱を設置した。箱の中の食べ物を手に入れたければ、引き戸を特定の方向に動かす必要がある。シジュウカラの交流の様子を見るため、その地域のほぼすべてのシジュウカラに自動追跡装置を取りつけた。「個々の鳥がいつどのように知識を得るのか、リアルタイムの情報を得ることができました」とアプリンは言う。「データ収集の自動化には、人間による妨害なしに伝播プロセスを続行させられるという利点もありました[33]」

シジュウカラの個体群はいくつかの小さな群れに分かれていた。そこで、そうした群れの５

つで、2羽に戸の開け方を教えた。そのテクニックはすぐに広がり、20日以内に、4羽に3羽が開け方を身につけた。訓練しなかった対照群でも数羽がなんとか開け方を見つけたが、そのアイディアが群れに現れて広がるには、ずっと長い時間がかかった。

訓練した群れでは、アイディアには高い回復力もあった。多くのシジュウカラは次のシーズンまで生き延びることなく死ぬが、その知識は失われなかった。「たとえ、行動の知識をもっていて前の年から生き延びた個体がごく少なくても、冬を越すたびに、その行動はまたすぐに現れました」とアプリンは言う。鳥たちのあいだの情報の伝達には、あるなじみ深い特性があることもわかった。「一般的な原則のいくつかは集団内での疾病の拡散に似ていました。たとえば、社交的な個体のほうが新しい行動に出会って採用する可能性が高く、社会的に中心にいる個体が、情報拡散の『かなめ』つまり『スーパースプレッダー』の役目をします」

この研究で、野生動物のあいだに社会規範が生まれることも明らかになった。問題箱に入るには実はいくつかのやり方があったのだが、拡散したのは研究者たちが教えたやり方だったのだ。そうした順守は人間ではもっと普通に見られる。「私たちは社会的学習の達人です」とアプリンは言う。「人間社会に見られる社会的学習や文化は、ほかの動物の世界に見られるものより桁違いに強力なのです」

人間で社会的実験は可能か？

健康状態や生活習慣から政治的な見解や裕福さまで、僕たちは自分が知っている人たちと同じ特徴を示すことが多い。そうした類似性には一般に3通りの説明が可能だ。ひとつは社会的な伝染。あなたがある行動をするのは、ひょっとすると、友人からの長年の影響のせいかもしれない。逆も言える。すでに何らかの特性を共有していたので、あなたはその友人を選んだのかもしれない。これは「同類性」と呼ばれ、要するに「類は友を呼ぶ」ということだ。もちろん、あなたの行動は社会的なつながりとは何の関係もないかもしれない。友人とはたまたま環境が同じで、その環境があなたの行動に影響を及ぼしたとも考えられる。社会学者のマックス・ウェーバーは、雨が降り出したときに傘を開く群衆の例を用いた。彼らがいっせいに傘を開くからといって、必ずしも互いに影響し合っているわけではない。影響を及ぼしているのは頭上の雨雲なのだ[34]。

3つの説明——社会的伝染、同類性、共通の環境——のうち、どれが正しいか見極めるのは容易ではない。友達がしているから、あなたはその活動が好きなのか、それともふたりともその活動が好きだから、あなたがたは友達になったのか？　あなたがいつものランニングを取りやめたのは友人がやめたからなのか、それとも雨が降っているので、ふたりとも走るのをやめたのか？　一方の説明がもう一方の説明の鏡像になっている場合、社会学者はこれを「反射問題」と呼ぶ[35]。友情と行動はしばしば相関関係にあるが、それが伝染のせいなのかどうかを明らかにするのは難しい。

僕たちに必要なのは、可能性のあるその他の説明から社会的伝染を切り離す方法だ。一番確実なのは、感染爆発を起こさせて、どうなるか観察することだろう。そのためには、アプリンらが鳥にしたように特定の行動を導入して、それがどのように広まるかを見ればいい。理想的には、その結果を、無作為に選んだ個人――感染爆発のきっかけに曝されない個人――のグループからなる「対照群」と比較して、感染爆発の効果がどの程度かを見る。このタイプの実験は医学でよく行われ、「無作為化比較試験」と呼ばれる。

そのような手法は人間でもうまくいくのだろうか？　たとえば、友人間での喫煙の拡散を調べる実験をしたいとする。ひとつの選択肢として、調べたい行動を導入する、つまり無作為に選んだ幾人かに喫煙をさせ、その行動が友人グループに拡散するかどうかを見る方法がある。こうした実験をすれば社会的伝染が起こるかどうかはわかるかもしれないが、この手法には倫理的に大きな問題があるとすぐにわかる。社会的な行動の理解に役立つからといって、喫煙のような有害な行動をするように人に頼むことはできない。

喫煙を無作為に導入する代わりに、すでに習慣化している喫煙行動が新しい社会的なつながりを通じてどう広がるかを調べることもできる。しかしそうなると、人々の友人関係や居場所を無作為に再設定して、新たな友人の行動を採用するかどうかを追跡することになる。これもやはり実現できそうもない。実験計画のために全友人関係をバラバラにされたい人などいるだろうか？

社会的実験を計画するとなると、アプリンの鳥の研究には、人間の研究より大幅に有利な点がある。人間が同じ社会的つながりを何年、何十年と維持するのに対して、鳥は寿命が人間よりずっと短いため、社会的なネットワークが毎年新しくつくられる。それに、その地域の大半の鳥に標識をつけることで、アプリンのチームはネットワークをリアルタイムで追跡できた。そのため、新しい行動を導入して、それが新たに形成されたネットワークにどう広がるかを観察できた。

人間でも、友人関係が無作為にいっせいに形成されるような状況がある。新兵が隊に配属されたり、大学生が学生寮に割り振られたりするようなときだ。[36]研究者にとってはあいにくなことに、こうした例はめったにない。現実の世界ではたいてい、科学者が行動や友人関係に干渉して何が起こるか見ることは不可能なのだ。代わりに、自然に観察できることから、洞察を得ようと努めるしかない。「最良の研究法の多くは無作為化、すなわち無作為に選びだしたことを保障してくれそうな何らかの方策を含むのだが、我々が社会学者および市民としてほんとうに関心のあるものごとの多くについては、無作為化は不可能だ」とマサチューセッツ工科大学の社会学者、ディーン・エクルスは語る。[37]「したがって、純粋に観察による調査で可能な最高の仕事をしなければならない」

疫学は観察による分析に多くを頼っている。つまり、疫学の研究者は普通、故意に感染爆発を引き起こしたり、人を重い病気にしたりして結果がどうなるかを知ることはできない。そのため、疫学は科学よりジャーナリズムに近いのではないかと指摘されることもある。実験を行うのではなく、何かが起こったときにその状況についてレポートするだけだからだ。[38] しかしそのような主張は、観察研究によってもたらされた保健衛生上の非常に大きな改善を無視している。

喫煙を例に取ろう。1950年代に、肺ガンによる死亡がそれまでの何十年かに大きく増加したことについての調査が始まった。[39] タバコ人気の高まりと明らかなつながりがあるように思われた。喫煙者は非喫煙者の9倍も多く、肺ガンで死んでいたのだ。問題は、喫煙が実際にガンを引き起こしていると、どうやって証明するか、だった。傑出した統計学者（そしてパイプタバコの愛用者）であるロナルド・フィッシャーは、2つのものごとに相関関係があるというだけでは、片方がもう片方を引き起こしているとは言えないと主張した。ひょっとすると喫煙者と非喫煙者のライフスタイルには大きな違いがあって、喫煙よりもそうした違いのひとつが死亡原因になっているのでは？　それとも、何らかの遺伝的特性――まだ特定されていない――のせいでたまたま、肺ガンになりやすいと同時に喫煙しやすくなったのでは？　この件で科学界はふたつに割れた。一方はフィッシャーのように、喫煙とガンを結ぶパターンは偶然の一致に過ぎないと主張した。他方は疫学者のオースティン・ブラッドフォード・ヒルのように、死亡率の上昇は喫煙のせいだと考えた。

もちろん、最終的な答えの得られる実験方法があるにはあったが、すでに述べたようにその実施は倫理的に許されない。現代の社会学者が人々に喫煙をさせてその習慣の拡散を見ることができないように、１９５０年代の研究者にとって、ガンになるかどうか見極めるために喫煙を依頼することは不可能だった。難局を打開するには、あることが別のあることを引き起こすかどうかを、実験を行わずに突きとめる方法を見つける必要があった。

１８９８年８月、ロナルド・ロスは蚊がマラリアを媒介するという発見を発表できる日を待って過ごしていた。論文を科学誌に発表する許しを得ようと政府と闘う一方で、彼はほかの人間が研究を横取りして自分の手柄にしてしまうのを恐れていた。彼の言葉を借りると、「海賊が沖合に潜み、こちらの船に横づけしようと狙っている」(40)

彼が最も恐れていたのはロベルト・コッホというドイツの生物学者だった。コッホがマラリアの研究のためにイタリアに行ったという噂が流れていた。もしコッホがマラリア原虫を人に感染させることに成功すれば、鳥でしか実験していないロスの研究は影が薄くなってしまう。数週間後、パトリック・マンソンからの便りという形で安堵がもたらされた。「聞いたところでは、コッホはイタリアでの蚊の実験に失敗したそうだ。だから君には、英国のために発見の栄誉をつかみ取る時間がある」とマンソンは書いている。

最終的にコッホは一連のマラリア研究論文を発表したが、それはロスの研究の功績を全面的に認めるものだった。コッホが特に指摘したのは、マラリア流行地域の子供が感染の保有宿主の役割を担っていることだった。成人はマラリア原虫に対して免疫をもっていることが多いからだ。コッホにとって、マラリアは一連の新しい病原体の最新のものに過ぎなかった。1870年代および1880年代を通じて、彼はウシの炭疽病や人間の結核のような病気の背後には細菌が潜んでいることを明らかにしていた。その過程で彼は、ある病気を引き起こしているのが特定の細菌かどうかを見分けるための1組の法則、すなわち「必要条件」を考案した。まず、病気の人の体内に常に細菌が見つからなければならない。次に、もし健康な宿主——たとえば実験動物——がその細菌に曝された場合、その動物も発症しなければならない。最後に、その新しい宿主が発症したなら、その体内から細菌のサンプルを抽出できなければならない。そしてそれは動物が曝されたもともとの細菌と同じでなければならない[41]。

コッホの必要条件は「細菌論」という新興の科学には有用だったが、すぐに彼はその限界に気づいた。最大の問題は、病原体によっては、常に病気を引き起こすとは限らないことだった。感染しても、目立った症状を示さない人もいる。したがって、ある病気の背後に何があるのかを突きとめるには、もっと包括的な原則が必要だった。

オースティン・ブラッドフォード・ヒルにとって、関心がある病気は肺ガンだった。喫煙がの原因であることを証明するため、彼と同僚らは最終的にいくつかのタイプの証拠を集めた。

ちに彼はそれをひとそろいの「視点」としてまとめ、あるものごとが別のものごとの原因かどうかを研究者が判断する一助になることを願った。彼のリストの最初にあったのは、提示された原因と効果のあいだの相関の強さだった。たとえば、喫煙者は非喫煙者よりも遥かに肺ガンになりやすい。ブラッドフォード・ヒルによれば、このパターンは一貫していなくてはならず、多くの研究のさまざまな場所に現れていなくてはならない。次にタイミングがある。原因のあとに効果という順序になっているかどうかだ。その病気が特定のタイプの行動に特異的かどうかという指標もある（ただし、これは常に有用とは限らない。非喫煙者も肺ガンになることがある）。理想を言えば、実験による証拠もあればいい。たとえば、禁煙すれば、ガンになる可能性が減少すべきだ。

場合によっては曝露のレベルと病気のリスクを関連づけられると、ブラッドフォード・ヒルは言う。たとえば、喫煙本数が多いほど、それが原因で死ぬ可能性が高い。さらに、ガンを引き起こす別の化学物質というような、類似の因果関係を引用することも可能だろう。最後にブラッドフォード・ヒルは、原因が生物学的に妥当で、既知の科学的知識に適合するかどうかも検討する価値があると述べている。

こうした視点は、何かを議論の余地なく「証明する」ためのチェックリストではないと、ブラッドフォード・ヒルは強調している。狙いはむしろ、「我々が見ているものに対して、単純な因果関係よりもよい説明が何かあるだろうか？」という、極めて重要な問いに答えるのを助けることだという。こうした手法は喫煙がガンの原因である証拠を提供するだけでなく、ほかの病気の原因を明らかにするのにも役立った。1950年代から1960年代にかけて、疫学者のアリス・スチュワートは、低線量の放射線が白血病を引き起こしうるという証拠を集めた。[42]当時、X線撮影という新しい技術は当たり前のように妊婦に使用されていた。靴店にまでX線の装置があって、靴の中の足の収まり具合を見られるようになっていた。スチュワートによる長い闘争のあと、こうした有害な使用は廃止された。もっと最近の例では、CDCの研究者がブラッドフォード・ヒルの視点を用いて、ジカ熱の感染が先天性欠損症を引き起こすと主張している。[43]

そのような因果関係の確定には本質的な難しさがつきものだ。原因は何で、どのような対策を講じるべきかについては、しばしば激しい議論が交わされる。それでも、厄介な証拠に直面した場合、たとえ不確実さが含まれることは避けようがなくても、行動を起こすべきだとスチュワートは考えた。「凍結した湖面を渡るには、氷の厚さをできるだけ正確に予測しなければなりません」と、かつて彼女は語ったことがある。「勝負のこつは、新たな観察結果しだいで自分の判断が変わりうると知りつつ、証拠の重みを正しく判断することなのです[44]」

既存のネットワークを利用する

クリスタキスとファウラーは、社会的伝染の研究に取り掛かった当初、実験を一から組み立てる計画だった。参加者を１０００人募り、それぞれに接触相手を５人挙げてもらい、さらにその５人にそれぞれ５人の接触相手を挙げてもらう。総計３万１０００人の行動を何年も詳しくたどらなければならない。そのような大掛かりな研究には、３０００万ドルもの資金が必要だったろう[45]。

選択肢を探るなかで、ふたりはフラミンガム心臓研究を実施しているチームに連絡を取った。最初の１０００人を既存のプロジェクトから集めたほうが簡単だからだ。クリスタキスがチームの責任者であるマリアン・ベルウッドを訪ねると、各参加者の詳細を記した定型の文書が地下室に保管してあると言われた。参加者と連絡が取れなくなるのを防ぐため、親類や友人、職場の同僚も記入してあるという。そうした連絡相手の多くも研究に参加していたため、その人たちの健康情報の記録もある。

クリスタキスは仰天した。社会的な接触相手のセットを新たに募集しなくても、フラミンガムの参加者間に存在する社会的ネットワークを拾い出せばいい。「駐車場からジェイムズを呼んで、『こんなの、信じられるか！』と言ったよ」とクリスタキスは回想する。難点はひとつだけ。既存のネットワークを特定するには、1万2000人分の氏名と5万カ所の住所に目を通す必要がある。「手書きの文字をいちいち判読しなければならなかった。コンピュータに入れるのに2年かかった」とクリスタキスは言う。

ふたりは最初、喫煙の拡散を分析するつもりだったが、肥満のほうが取り掛かりやすいと判断した。喫煙は参加者がどう申告するかに左右されるが、肥満は一目瞭然だ。「我々がやろうとしているのはまったく新しい試みだったので、客観的に評価できることから始めたかった」とクリスタキスは語る。

次のステップは、肥満がネットワークを介して伝染しているかどうかの評価だ。これは反射問題に取り組むことを意味する。潜在的な伝染を同類性や環境因子から引き離さなければならない。同類性による「類は友を呼ぶ」効果を除外するため、分析に時間的なずれを含めた。もし、ある人物から友人に肥満が広がったのなら、友人が先に肥満になることはありえない。環境因子はもっと除外が厄介だったが、クリスタキスとファウラーは友人関係の方向に注目することで、問題を解決しようとした。仮に、調査に際して僕はあなたを友人として挙げたが、あなたは僕を挙げなかったとする。これは、僕からあなたへの影響より、あなたから僕への影響のほうが強いことを表す。とはいえ、もし現実に僕たちが両方とも同じ環境因子——たとえばファストフードの新しいレストラン——から影響を受けているなら、僕たちの友情の方向は誰が肥満になるかには影響を及ぼさないはずだ。実際には、友情の方向が重要だという証拠が見つかった。これは肥満が伝染しうることを示す。

分析結果が発表されると、一部の研究者からは痛烈な批判を浴びた。論争の大半はおもに2点に帰着した。ひとつは、もし彼らの説が正しいなら、統計的証拠はもっと強力だったはずだというもの。肥満が伝染するという彼らの分析結果は、本来必要な決定性に欠け、たとえば、新しい薬が有効かどうかを示す臨床試験結果のように確定的とは言えない。もうひとつの批判は、クリスタキスとファウラーが用いた手法とデータを考えると、ほかの説明を完全に除外できないというもの。理論上は、同じパターンを生んだかもしれない同類性や環境が関与する状況を想像することが可能だ。

僕の考えでは、どちらももっともな批判だ。しかし、それはこの研究が役に立たないという意味ではない。クリスタキスとファウラーの初期の論文に関する論争を評して、統計学者のトム・スナイダースが、彼らの研究には限界があったが、それでも、社会的な伝染を科学者の追及すべき課題に挙げる斬新な方法を見出したという意味で、重要だったと指摘した。「ブラボー！　ニック・クリスタキスとジェイムズ・ファウラーの想像力と勇気に脱帽だ[46]」

彼らがフラミンガム研究のデータの最初の分析結果を発表してから10年のあいだに、社会的伝染の証拠が蓄積した。ほかのいくつかの研究グループも、肥満、喫煙、幸福感といったものが伝染しうることを明らかにしている。すでに述べたように、社会的伝染の研究は難しいことで有名だ。しかしいままでは、何が伝染しうるかについての理解ははるかに深まっている。

次のステップは、伝染が存在するとただ言うだけでなく、さらにその先に進むことだ。行動が流行しうると証明できたとしても、それは再生産数がゼロより大きいということしか意味しない。たいていの場合、いくらかは伝播があるだろうが、それがどの程度かはわからないということだ。もちろん、それだけでも有用な情報と言える。伝染が考慮の対象とすべき一因子であることを示しているからだ。その情報は、たとえ、流行がどれくらい大きくなるかは予想できなくても、行動は拡散可能なのだと教えてくれる。とはいえ、もし政府やその他の機関が伝染性のある衛生問題への対処を望むなら、社会的伝染の実際の程度についてもっと知る必要があるだろうし、さまざまな施策にどのような効果が期待できるかも知りたいだろう。友人グループの1人が肥満になった場合、ほかのメンバーには正確にどれくらいの影響があるのだろう？　あなたがもっと幸福になった場合、あなたの属す共同体の幸福度はどれくらい増加するのだろう？　クリスタキスとファウラーは、社会的伝染の程度を厳密に推測するには用心が必要であることを認識していた。そのうえ、そのような質問に取り組むことはしばしば、不完全なデータや手法を用いることを意味する。しかし、新しいデータセットが利用できるようになれば、ほかの人々が自分たちの分析を足掛かりにして、伝染の正確な評価を目指して進んで行けるだろうと、彼らは指摘している。

伝染する可能性のある行動の研究によって、生物学的な流行と社会的な流行とのあいだの決定的な違いもいくつか明らかになりつつある。1970年代に社会学者のマーク・グラノヴェッターが、情報は親しい友人よりも知人を介して、遠くにまで広がると指摘した。友人間では複数のリンクを共有していることが多く、伝播のほとんどが重複してしまう。「1人が友人全員に噂を話し、友人たちも同じようにすれば、多くの人はその噂を二度三度と聞くことになる。強い絆で結ばれている人たちは友人も共有する傾向があるからだ」。彼は「弱い紐帯の強み」という表現で、知人の重要性に言及している。新しい情報にアクセスしたいなら、親しい友人より、ちょっとした知り合いを通じてのほうがうまくいくという(47)。

　こうした長距離のリンクがネットワーク科学の中心を占めるようになってきている。すでに述べたように、「スモールワールド」的なつながりが、生物学的伝染や金融危機の伝播がネットワークのある部分から別の部分にジャンプするのを助ける。時には、このリンクが命を救うこともある。医学の世界で昔から知られているパラドックスに、親戚に囲まれているときに心臓発作や脳卒中を起こすと、医療処置を受けるのが遅れるというのがある。これはたぶん、社会的ネットワークの構造のせいだろう。親類という密接なグループは、軽い脳卒中を目撃したとき、様子を見るという対処法を選びがちであることが証明されている。その場の優勢な意見に逆らおうとする人がいないからだ。これに対して、同僚とか親戚以外の人たちというような「弱い紐帯」ではもっと多様な視点をもつことができるため、症状にすぐに危機感を抱いた人がすばやく助けを呼ぶ(48)。

複数の曝露による「複合伝染」

たとえそうだとしても、疾病の伝播を増幅させるようなたぐいのネットワーク構造が、社会的伝染にも常に同じ効果を及ぼすとは限らない。社会学者のデイモン・セントラが、性的パートナーのネットワークを通じて広がったエイズの例を指摘している。もし生物学的伝染と社会的伝染が同じように作用するなら、病気の予防に関する情報も、そのネットワークを通じて広く拡散したはずだ。ところが、そうはならなかった。何かが情報の伝播を失速させたに違いない。

感染症の流行では、一連の一回きりの遭遇を通じて感染が広がるのが普通だ。もしあなたが感染するとすれば、通常、特定の1人からうつる[49]。社会的な行動では、いつもそう単純とは限らない。ほかに複数の人が何かをしているのを見てはじめて、自分もそうし始めるということがある。この場合、はっきりした単一の伝播経路というものはない。伝播には複数の曝露が必要なため、「複合伝染」と呼ばれる。たとえばクリスタキスとファウラーによる喫煙の分析では、接触相手の多くが禁煙すると、人々が禁煙する可能性も高くなった。運動や健康上の習慣から、新機軸や政治的行動主義の取り込みまで、幅広い行動に複合伝染が見られることもわかっている。HIVのような病原体が単一の長期にわたる接触で拡散しうるのに対して、複合伝染の場合は伝播に複数の人間が必要なため、単一のリンクを通じてうつることはありえない。

「スモールワールド」ネットワークは、疾病の拡散は助けるかもしれないが、複合伝染の伝播には足かせとなる。

複合伝染はなぜ起こるのだろう？　デイモン・セントラと共同研究者のマイケル・メイシーが、その説明になりそうな４つの理由を提案している。第一に、すでに参加者のいる何かに加われば恩恵が得られる可能性がある。ＳＮＳから反対運動まで、すでに参加している人が多いほど、魅力的に見えるものだ。第二に、複数の曝露は信憑性を生む。いくつかの情報源から確認が取れれば、人は何かをいっそう信じやすくなる。第三に、見解は社会的な正当性に左右されることがある。何かについて知ることと、ほかの人たちがそれに基づいて行動している――または行動していない――のを見ることとは同じではない。火災警報を考えてみよう。警報だけでなく火も見えれば、誰もが警報を受け入れて建物から出る。１９６８年の有名な実験では、にせの煙を、学生が座って作業している部屋にゆっくり充満させた[50]。１人でいるときは、たいていは煙に反応した。学生役の俳優の一団と一緒だと、作業を続け、ほかの誰かが反応するのを待ったという。最後に、人には感情増幅というしくみが備わっている。集会の熱気の中では、特定の意見や行動を採用しやすくなる。結婚式とかコンサートのような催しの際に生じる集団感情を考えてみるといい。

複合伝染の存在は、何が新機軸を拡散させるかを見直す必要があるかもしれないことを意味する。セントラは、もしある見解を採用させるのに複数の刺激が必要なら、直感的な働きかけでものごとを流行させようとしてもあまり効果がないだろうと指摘している。たとえばビジネスにおいて新機軸を拡散させるには、組織内での交流を奨励するだけでは不十分だ。複合伝染を広げるには、グループ単位での交流を促して、アイディアの社会的な強化を図る必要がある。チームの全員がそうしているのを繰り返し目にすれば、人は新しい行動を採用しやすくなる。ただし、組織内で派閥意識が高まりすぎないようにする。でないと、アイディアが小さなグループの枠を越えて広がらない。交流のネットワークにはバランスが必要なのだ。新機軸を幅広い観客に届けるには、個々のチームにアイディアの孵卵器としての役割を果たさせることも大事だが、グループ間にピクサー型の交流をさせることにも利点がある。[51]

社会的伝染の研究はこの10年で長足の進歩を遂げたが、まだ知るべきことは多い。そもそも、何かに伝染性があるかどうかをはっきりさせること自体、難しい場合が少なくない。人の行動を故意に変えさせるような実験はたいてい不可能なので、クリスタキスとファウラーがフラミンガム研究を利用したように、観察データに頼らざるをえない。とはいえ、別の手法が登場しつつあり、「自然実験」による社会的伝染の研究が徐々に増えている。[52] 行動の変化を押しつけるのではなく、自然が代わりに変えてくれるのを待つのだ。たとえば、オレゴンのあるランナーが悪天候で日課を変えるとする。カリフォルニアにいる友人も行動を変えれば、社会的伝染のせいではないかと言える。マサチューセッツ工科大学の研究者らが、社会的ネットワークでつながっているユーザーも含め、フィットネストラッカーのデータを調べたところ、天候から本当に伝染のパターンが明らかになった。ただし、人によって、ランニング熱に感染しやすい人としにくい人がいた。５年にわたって、あまり積極的でないランナーの行動が積極的なランナーに影響を与える傾向が見られたが、その逆はなかった。これは、熱心なランナーが、あまり活動的でない友人に負けたくないと思っていることを暗に示している。

天候の変化のように行動変化のきっかけとなるものは伝染の研究に役立つが、それなりの限界もある。雨は誰かのランニングパターンを変えるかもしれないが、結婚とか政治的見解のようなもっと人生の根幹にかかわる行動には影響を与えそうもない。ディーン・エクルスが、容易に変えられるものと、僕たちがほんとうに研究したいものとのあいだには大きな隔たりがあると指摘している。「我々が最も関心のある行動の多くは、人々にそうするよう促すのがそれほど簡単ではない」

人は新しい情報を示されれば考えを改めるか？

２００８年11月、カリフォルニア州では同性婚が投票によって禁止された。この結果は結婚の平等を求める運動をしていた人たちに衝撃をもって受け止められた。投票前の世論調査では自分たちに有利なように見えたので、なおさらだった。すぐに、説明や言い訳が現れ始めた。ロサンゼルスＬＧＢＴセンターを率いるデイヴ・フライシャーは、結果に関していくつかの誤解が広まりつつあるのに気づいた。「辞書では『ヘイト』は極端な嫌悪とか憎悪と定義されている。それはわたしたちに反対票を投じた人の大半には当てはまらない」と彼は投票後に書いている。[53]

なぜこれほど多くの人が同性婚に反対したのかを明らかにするため、LGBTセンターはその後数年かけて、対面式の面接調査を何千回も行った。調査員は「deep canvassing（ディープ・キャンバシング）」と呼ばれる手法を用い、投票者の話に耳を傾けることに大半の時間を費やした。[54] そして、本人の人生について語ったり、偏見に遭遇した経験を振り返ったりするよう促した。こうした面談を行うなかで、この手法が単に情報を与えてくれるだけでなく、投票者の考え方を変えつつあるように思われることに、LGBTセンターは気づいた。もしそうなら、これは強力な票集めの手段になるだろう。しかし本当にそれほど効果的なのだろうか？

理性的な人なら、新しい情報を示されれば考えを改めるだろう――僕たちはそう思うのではないだろうか。科学の分野では「ベイズ推定」〔不確実な事象を、過去の経験と新たに得たデータをもとに予測する〕と呼ばれる手法だ。18世紀の統計学者トーマス・ベイズに因んだもので、知識を、一定レベルの確信をもっている考えとして扱う。たとえばあなたが、お互いの関係を慎重に検討した結果、誰かと結婚することを真剣に考えているとする。そうした状況では、あなたの考えを変えさせるにはよほどの理由が必要だろう。しかし、もしふたりの関係に全面的な確信をもっているわけではないなら、結婚の意志をひるがえさせるのはもっと簡単だろう。のぼせ上っている人には取るに足りないと思えるようなことでも、ためらっている心を破談に押しやるには十分かもしれない。同じ理屈は別の状況にも当てはまる。もしあなたがもともと確固たる考えをもっているなら、それをひっくり返すには一般に強力な証拠が必要だろう。逆に、もともと確信がなかったのなら、意見を変えるのに大した努力はいらないだろう。つまり、新情報に接したあとのあなたの考えは、もともとの信念の強さと、新しい証拠の強度の2つに左右される。[55] これがベイズ推定の——そして現代統計学の中心にある概念だ。

そうは言っても、人は情報をそんなふうに吸収することはない、それまでのものの見方に反する場合は特にそうだという指摘がある。2008年、政治学者のブレンダン・ナイハンとジェイソン・ライフラーが、人を説得しようとすれば「バックファイア効果」が起こる、つまりかえって裏目に出る場合があるという説を唱えた。彼らは人々に、当人の政治的な信条と対立する情報、たとえば、2003年のイラク戦争の前にイラクに大量破壊兵器はなかったとか、ブッシュ大統領による減税のあとで歳入が減ったというような情報を示した。しかし、多くの人は納得したようには見えなかった。それどころか、人によっては、新情報を見たあとで、それまでの信念にますます自信を深めたようだった。[56] 似たような効果がほかの心理学研究でも長年にわたって観察されていた。人を説得して何かを信じさせようとした実験では、結局、何か別の信念をもたせる結果に終わっただけだった。[57]

もしこうしたバックファイア効果がよくあることなら、同性婚のような問題について人々を説得して意見を変えさせようと思う運動員にとっては、幸先がいいとは言えない。ロサンゼルスLGBTセンターは効果のある方法を手に入れたと考えていたが、その手法にはきちんとした評価が必要だった。2013年初頭、デイヴ・フライシャーはコロンビア大学の政治学者ドナルド・グリーンと昼食を共にした。グリーンがフライシャーをカリフォルニア大学ロサンゼルス校の大学院生、マイケル・ラクーアに引き合わせ、ラクーアがディープ・キャンバシングの効果を検証する実験を引き受けることになった。目標は無作為化比較試験の実施だった。一連の調査に参加する投票者を採用したあと、ラクーアは無作為にグループ分けを行った。何人かは面接調査員の訪問を受け、対照群となるその他の人々はリサイクルについて話し合う。

その後の一連の出来事によって、信念がどう変わるかについて多くのことが明らかになったが、その経緯は予想とはやや違っていた。まず、ラクーアからいくつかの注目すべき発見の報告があった。彼の実験で面接員がディープ・キャンバシングを使うと、同性婚への支持が平均して大きく増加した。そのうえ、新しい考え方はしっかり定着し、1カ月後でもそのままだった。この考え方には伝染性もあり、面接を受けた人の同居人にも広がった。ラクーアとグリーンは結果を2014年12月に『サイエンス』誌に発表し、メディアの幅広い注目を浴びた。小さな行動で大きな影響を及ぼすことができることを証明した驚くべき研究とみなされたのだ[58]。

次いで、カリフォルニア大学バークレー校の大学院生ペアが奇妙なことに気づいた。デイヴィッド・ブルックマンとジョシュア・カラは、ラクーアの印象的な分析を下敷きに自分たちも研究をしたいと思った。「今年の最も重要な論文であることは間違いなかった」と、『サイエンス』誌に論文が出たあとにブルックマンがあるジャーナリストに語っている。ところが、ラクーアのデータセットを詳しく見てみると、あまりにもきれいすぎるように思われた。まるで、データを集めたのでなくでっち上げたかのようだった。[59] 2015年5月に彼らはグリーンに連絡を取り、自分たちの懸念を伝えた。問いただされると、ラクーアはデータのでっち上げは否定したが、オリジナルのファイルは提示できなかった。数日後、グリーン——そのときまで問題には気づかなかったと述べた——が『サイエンス』誌に論文の取り下げを申し出た。何が起こったのか、詳しいことは不明だったが、やったと言っていた実験をラクーアが実施していなかったことは明らかだった。このスキャンダルはロサンゼルスLGBTセンターをひどく失望させた。「わたしたち全員がおなかに強烈なパンチをくらったように感じた」と、センターの設立者の1人であるローラ・ガードナーが問題の発覚後に語っている。[60]

メディア各社はすぐさま、先の報道を訂正したが、そもそもジャーナリスト、それに科学雑誌は、もっと懐疑的な目で見るべきだったのではないだろうか。「わたしがおもしろいと思ったのは、この結果がいかに予想外で先例のないものであるかが繰り返し強調されたことだ」と、論文が撤回されたあとで統計学者のアンドリュー・ゲルマンが書いている。ゲルマンの指摘によると、心理学分野ではこうしたことがよく起こるようだ。「人々は異口同音に、結果は全く驚くべきもので、完全に筋が通ると主張する」[61]。バックファイア効果は説得の大きな障害として多方面で言及されてきたにもかかわらず、この研究は、1回の短い会話でそれを解消できると主張していた。

メディアは簡潔でしかも直感に反するような研究結果がことのほか好きだ。そのため、研究者は「ひとつの単純なアイディア」ですべてを説明できるという結果を発表したがるようになる。時には、単純でありながら驚くべき結論を出したいと願うあまり、明らかにその道の権威とされる人々がみずからそのよりどころを否定するようなことをしてしまう。アントニオ・ガルシア・マルティネスはフェイスブックの宣伝チームに2年間いた人物だが、そのような状況を自著の『サルたちの狂宴』(石垣賀子訳、早川書房)で思い起こしている。その話には、社会的影響に関して簡潔で印象的な洞察の持ち主という評判の経営幹部が出てくる。あいにくなことに、その評判は自社のデータ分析チームの調査によって粉砕された。チームの徹底的な分析が違う結果を示したのだ。

バックファイア効果が実際に起こるのはまれ

現実には、あらゆる状況に当てはまる単純な法則を見つけるのは非常に難しい。だからこそ、有望な理論がある場合は、それに合わない実例を探す必要がある。その理論の限界がどこにあり、どんな例外が考えられるか、解明する必要がある。たとえ幅広い報告のある理論であっても、見かけほど決定的なものではないかもしれないからだ。バックファイア効果を例にとってみよう。その説について読んだあと、シカゴ大学の大学院生のトーマス・ウッドとイーサン・ポーターは、実際にはどれくらいよくあることなのか、確かめることにした。「集団のいたるところでその効果が観察されるとしたら、民主主義にとっては悲惨なことになる」と彼らは書いている。[62]ナイハンとライフラーが３つの主要な誤解に的を絞ったのに対して、ウッドとポーターは36の信念を８１００人の参加者を対象に検証した。その結果、本人の間違いを納得させるのはなかなか厄介ではあるものの、正そうという試みでそれまでの信念が強まるとは限らないとわかった。それどころか、逆効果になったのはただ1件、イラクに大量破壊兵器があるという誤った主張を正そうとした件だけだった。「概して、市民は事実に基づく情報には耳を傾ける。たとえその情報が自分の属する党派や政治信条に疑問を投げかけるものであっても」と、彼らは結論づけている。

ナイハンとライフラーは、自分たちの当初の研究においてさえ、バックファイア効果が常に起こるという保証はないことに気づいていた。２００４年の大統領選の選挙運動中、民主党はジョージ・ブッシュが幹細胞の研究を禁止したと主張したが、実際には、そのなかの特定の部門への資金拠出を制限しただけだった。[63]ナイハンとライフラーがリベラルのあいだのこの思い込みを訂正しようとすると、情報はしばしば無視されたが、逆効果になることはなかった。あ「バックファイア効果が大きな注目を集めたのは、あまりにも驚くべき発見だったからだ。ありがたいことに、ごくまれにしか起こらないように思われる」とナイハンはのちに語っている。[64]ナイハン、ライフラー、ウッド、ポーターの4人はそれ以来協力してこの問題をさらに追求した。たとえば2019年には、ドナルド・トランプの選挙演説に関する事実確認結果を人々に示すと、彼の特定の主張を信じるかどうかは変わったが、トランプに対する総合的な意見は変わらなかった。[65]政治的な信念のなかには、変わりにくいものもあるようだ。「我々にはまだまだ学ぶべきことが多い」とナイハンは言う。

信念について調査する場合には、何を指してバックファイアと称しているのかについても、注意する必要がある。ナイハンは、バックファイア効果と、それに関連する心理学上の奇妙な行動で「反証バイアス」と呼ばれるものが混同されがちであることに注目している。[66]反証バイアスがあると、自分が賛同する主張よりも、自分のこれまでの信念と相いれない主張のほうを綿密に吟味する。バックファイア効果は人が反対意見を無視してそれまでの信念を強めることを指すのに対して、反証バイアスは単に、根拠が薄弱とみなした主張を無視しがちだという意味だ。

微妙な違いのように思えるかもしれないが、極めて重大な違いだ。もしバックファイア効果がありふれたものなら、対立する意見の人を説得して態度を変えさせることはできない。こちらの主張にどれほど説得力があろうと、相手はもともとの信念にいっそうしがみつくだけだろう。討論は絶望的となり、証拠は無価値となる。これに対して、もし人が反証バイアスに陥っているなら、十分に説得力のある根拠を与えられれば、意見が変わる可能性がある。これはより楽観主義的な見通しをもたらす。人を説得するのは確かに骨が折れるが、やってみる価値はあるのだ。

説得においては、議論をどう組み立て、どう提示するかに多くがかかっている。２０１３年、英国は同性婚を合法化した。当時保守党下院議員だったジョン・ランドールは法案に反対票を投じたが、後悔しているとのちに語っている。前もって議会の友人の１人と話をすればよかったと言う。その友人は周囲が驚いたことに、結婚の平等に賛成するほうに投票したのだ。「それは自分には何の影響もないが多くの人に大きな幸福を与える、と彼に言われた。実にもっともな意見で、反論のしようがない」とランドールは２０１７年に回想している(67)。

残念ながら、説得力のある論拠を探すとなると、大きな障害がある。強力な意見をもっている場合、反証バイアスによれば、僕たちはその既存の意見を支持する論拠の効果になかなか気づかない。仮に、あなたが何かを強く信じているとする。政治姿勢でも、ある映画についての意見でも何でもいい。もし誰かがあなたの信念に沿う証拠を示せば――その証拠に説得力があるかどうかにかかわりなく――あなたはその後も同じ意見をもち続けるだろう。今度は、誰かがあなたの信念に反する主張をしたとする。もしその主張の根拠が薄弱なら、あなたは意見を変えないだろう。しかし、もし水も漏らさぬ主張なら、意見を変えることは十分にありうる。反証バイアスの視点からすると、僕たちは一般に、自分が賛成できない主張を支える論拠の効果のほうがうまく見抜ける。[68]

議論の展開法の違いについて考えてみても、それは明らかだ。数年前、社会心理学者のマシュー・フェインバーグとロブ・ウィラーが、自分と反対の政治的な考えの人を説得する議論を考えるよう、人々に頼んだ。すると多くの人が、説得すべき相手の立場ではなく自分自身の道徳的立場に一致する議論を用いた。リベラル派は平等とか社会的正義といった価値観に訴えようとし、保守派は忠誠心とか権威の尊重といったものに基づく議論を展開した。よく知っている立脚点から議論しようとするのが普通なのかもしれないが、効果的な戦略とは言えないようだ。議論を相手の道徳観に合わせて調整したほうが、はるかに説得力があった。これは、もし保守派を説得したいなら、愛国心や共同体のような考えに焦点を合わせたほうがうまくいき、リベラル派を納得させるには公正さを推奨するメッセージのほうが効果的であることを示唆する。[69]

たとえ、自分の立場を効果的に裏づける議論の仕方を首尾よく見つけたとしても、説得の可能性をさらに高めるためにできることがほかにもある。まず、その届け方が重要だ。たとえば、人はEメールで頼まれるより、じかに頼まれたほうがアンケート用紙にきちんと記入してくれる可能性が高いと証明されている。[70] そのほかの実験でも似たような結論に達していて、電話や郵便、オンラインよりも直接顔を合わせたほうが、説得には効果がある。[71]

メッセージを伝えるタイミングも影響する。ノースイースタン大学の心理学者、ブリオニー・スワイヤ＝トンプソンによると、個人の信念がどのように弱まるのかについての研究がしだいに盛んになっているという。「つまり、あなたがいったん誰かの考え方を変えれば、もう元に戻ることはないのか、ということです」。２０１７年、彼女は人々に、ある種の通説、たとえばニンジンで視力が改善するとか、ウソをつくときは目が特定の方向に動くというような説を信じるかどうか訊ねる実験をした。[72] その結果、誤った思い込みの訂正はたいてい可能だが、その効果は必ずしも長続きしないことがわかった。「人は誤りを正されれば最初は思い込みを撤回するかもしれないが、時がたてば、もとの誤った考えを再び信じるようになる」とスワイヤ＝トンプソンは言う。反復が大事なようだ。[73] １回きりの訂正ではなく、何が真実かを数回思い出させてやれば、新しい信念が長続きする。

他人の道徳的立場を考える、じかに顔を合わせてやり取りする、長期の変化を促す方法を見つける。こうしたことはどれも説得の効果を高める。そして偶然にも、ロサンゼルスＬＧＢＴセンターが推奨するディープ・キャンバシング手法の一部でもある。ここで、ラクーアとグリーンのあの疑わしい論文に戻ろう。論文は２０１５年に取り下げられたものの、話はそこで終わりではなかった。翌年、デイヴィッド・ブルックマンとジョシュア・カラ――もとの論文の問題点を見つけたバークレー校の研究者――が、新しい研究論文を発表した。[74] トランスジェンダーの権利に注目した研究で、今度は確実にデータを集めた。

ディープ・キャンバシングの効果を対照群の結果と比較したところ、トランスジェンダーの権利についての10分間の会話で偏見を著しく減らせることがわかった。面接員がトランスジェンダーかどうかは重要ではなく、投票者の意見の変化はそれとは無関係に持続した。変化は攻撃にも耐えるように思われた。数週間後、最近の政治的キャンペーンからとった反トランスジェンダー広告を見せると、最初はトランスジェンダーに不利な方向に意見が揺れ戻ったが、この逆戻り効果はすぐに消えたのだ。

研究の完全な透明性を確保するため、ブルックマンとカラは分析に用いたすべてのデータおよびコードを公開した。これは研究者の社会にとって、気まずい数年間を締めくくる明るいエピローグとなった。正しい手法を用いて、深く染み込んでいると多くの人が信じている態度を変えることができたのだ。このことから、意見は必ずしも僕たちが想定しているようなやり方で拡散するわけではないし、人の考えは僕たちが思うほど不変なものではないとわかる。明らかな敵意に直面したときは、何か新しいことを試すと、大きな収穫があるように思われる。

第４章　暴力の感染

「我々がいるのは本物の暴力が存在する場所だった」。中央アフリカと東アフリカで10年、伝染病と闘ったあと、ゲイリー・スラトキンは米国に帰国していた。高齢の両親の近くにいたいと思ってシカゴを選んだのだが、暴力事件の多さに衝撃を受ける。「暴力はいたるところにあり、避けようがなかった。それで、どんな対策を取っているのか、人々に訊いてみた」とスラトキンは語る。「まともな対策と思えるものはいっさいなかった[1]」

それは１９９４年のことで、前年には市内で８００件を超える殺人があり、ギャングの抗争で子供62人が殺されていた。それから20年が経っても、イリノイ州の若者の主要な死因は殺人となっている[2]。危機的状況に関してスラトキンが聞かされた説明は、栄養や仕事から家族関係や貧困まで多岐にわたっていた。しかし議論は結局、刑罰を含む一連の狭い解決策に戻ることが多かった。スラトキンの見るところ、暴力問題は「にっちもさっちもいかない」状況に陥っていた。医師である彼は、エイズやコレラのような感染症を相手に仕事をするなかで、似たような状況を見たことがあった。ある考え方にはまって抜け出せなくなり、本当は効果を上げていないにもかかわらず、何年も同じ戦略を続けるのだ。

行き詰っているなら、新しい考え方が必要だ。「新規まき直しってわけだ」とスラトキンは言う。そこで、公衆衛生の研究者なら誰でもすることをした。マップやグラフを調べ、質問を投げかけ、暴力事件がどのように起こっているのかを理解しようとした。そのとき気づいたのが、なじみ深いパターンだ。「米国の都市の殺人事件のマップに見られる集団発生は、バングラデシュのコレラのマップに似ている」とのちに彼は書いている。[3]「過去にも、ルワンダでの爆発的な殺戮のグラフがソマリアのコレラのグラフにそっくりだった」

コレラの奇妙なパターン

スザンナ・イーリーは飲料水を毎日配達してもらうのが気に入っていた。夫の死後、ロンドンのソーホー地区の喧騒を離れて緑の多いハムステッドに移り住んでいたが、いまだに下町のポンプで汲み上げた水のほうが好きだったのだ。そのほうがおいしいと思っていた。

1854年8月のある日、イーリーの姪が隣のイズリントンから訪ねてきた。それから1週間もしないうちに2人とも亡くなる。原因はコレラだった。下痢と嘔吐を引き起こす悪性の病気だ。治療しなければ、重症の人の半数が死ぬ。イーリーがコレラで亡くなった日にはほかに127人の死者が出たが、そのほとんどがソーホー地区の住人だった。9月の終わりには、コレラの感染爆発によってロンドン市内で６００人以上が命を落としていた。コッホの細菌論が登場する前の時代とあって、コレラという病気の実態はまだ謎だった。感染爆発の始まる前の年に、医学雑誌『ランセット』の創設者であるトーマス・ウェイクリーが、「我々には何もわからない。憶測の渦に巻かれて途方に暮れている」と書いている。天然痘やはしかのような病気に伝染性があり、何らかの方法で人から人に広がることは理解され始めていたが、コレラは別だったようだ。大半の人は「ミアズマ説」を信じていて、コレラは空気中の毒気を通じて広がると考えていた。(4)

しかしジョン・スノウは違った。ニューカースル出身のスノウは、18歳の医学見習いとして、１８３１年に初めてコレラの流行を調査した。そのときでさえ、彼はある奇妙なパターンに気づいていた。悪い空気のリスクに曝されているはずの人々は病気にならず、リスクがないと考えられる人々が病気になったのだ。やがてスノウはロンドンに移り、優れた麻酔医としての名声を打ち立てた。ヴィクトリア女王も患者の一人だった。だが１８４８年にロンドンがコレラの流行にみまわれると、彼は以前の調査を再開した。誰が病気になっているか？　いつ罹ったのか？　患者を結びつけているものは何か？　翌年、スノウは論文で新説を発表した。この病気は人から人へ、汚染された水を介して広がる。彼がついにそう悟ったのは、患者が同じ水道会社の水を使っている場合が多いと気づいたときだった。驚くべき洞察力だ。まして、コレラという巨大な影の正体が顕微鏡サイズの細菌だとは全く知らなかったのだから、なおさらだ。

1854年のソーホー地区の流行はスノウの説に一致することがわかった。エールと輸入された水を飲んでいた地元の醸造所の労働者はコレラに罹らなかった。ソーホーからハムステッドに水を運ばせていたため罹ってしまったスザンナ・イーリーと姪の例もある。流行が拡大するに及んで、介入すべきときが来たとスノウは判断した。ソーホーの公衆衛生は地元の管理委員会の責任となっていた。彼は招かれもしないのにその会合のひとつに顔を出し、自説を披露した。委員会は彼の説明を全面的に信じたわけではなかったが、それでも、水を汲み上げるポンプのハンドルの撤去を決めた。すると流行はすぐに収まった。

3カ月後、スノウは自説をさらに詳しく書き上げた。報告には、スノウのコレラ地図としてのちに有名になるものが含まれていた。ソーホーの地図で、黒い長方形でコレラ患者一人ひとりを表している。患者はブロードストリートに近いポンプの周囲にかたまっていた。この地図は、不必要な枝葉末節を除いて肝心な情報だけを抽出するやり方の草分けとなった。マレーヴィチやモンドリアンのような後世の抽象画家が色彩の塊を描くことで写実を避けたのに対して、スノウの長方形はコレラの実像を捉えたものだった[5]。彼の長方形は、それまで目に見えなかった真実——感染のみなもと——を実体のあるものとしたのだ。

とはいえ、この地図だけでは、水が原因だという明確な証拠にはならない。コレラの感染爆発がブロードストリート周辺の悪い空気のせいだったとしても、そっくりのパターンが現れるだろう。そこでスノウは第二の地図を描き、決定的な情報を追加した。各患者を描きいれたただ

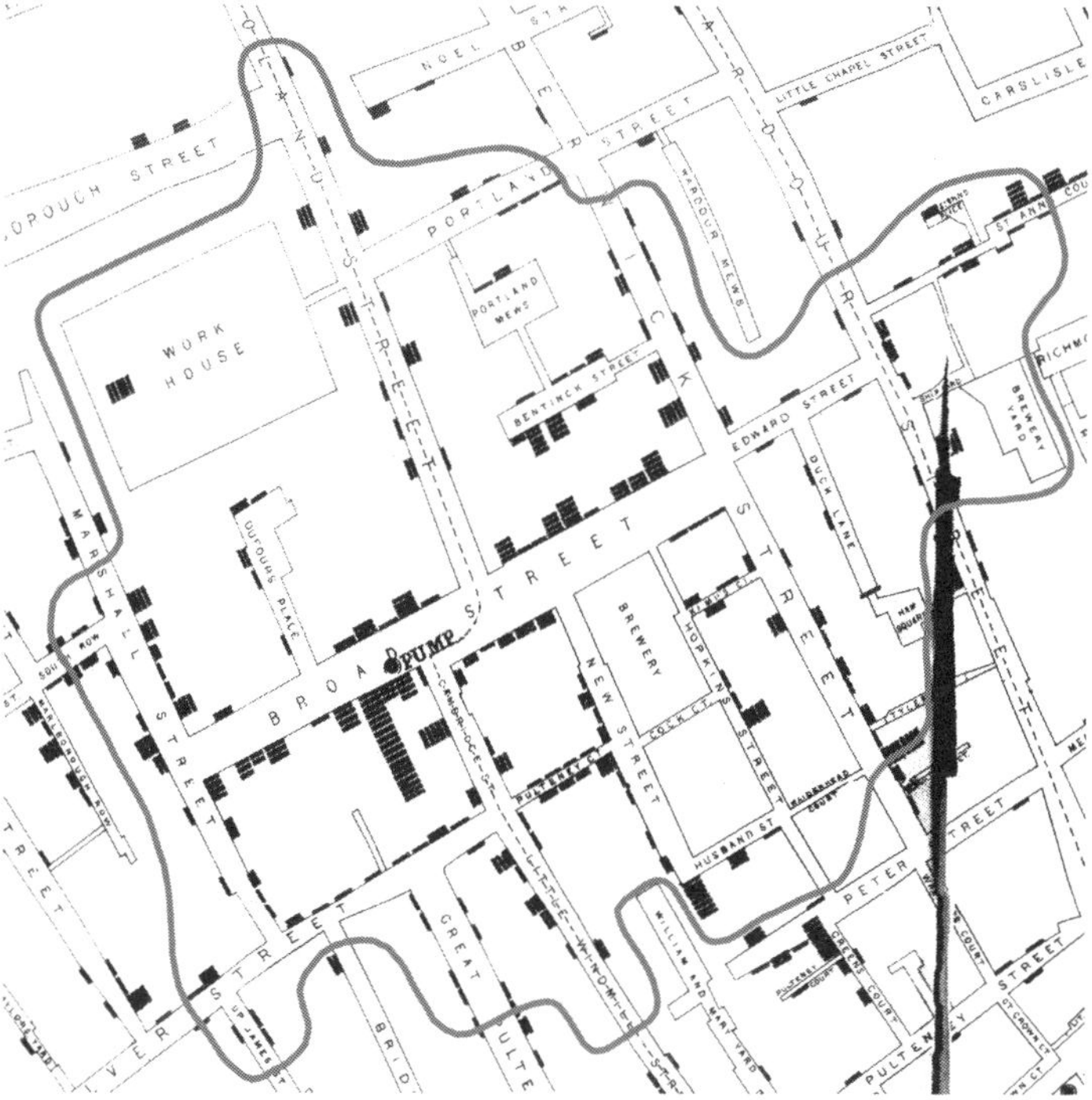

スノウの更新された（第二の）ソーホーのコレラ地図。
出所：ジョン・スノウ・アーカイヴ＆リサーチ・コンパニオン。
右手の欠損部は原本ページの裂け目。

けでなく、別のポンプまで歩くのにかかる時間も算出して、ブロードストリートのポンプが一番近いポンプになる場所を囲う線を描きいれたのだ。ポンプに原因があった場合に最もリスクの高い地域が一目瞭然となった。彼の説が示唆した通り、それは大半の患者が発生した地域と一致した。

　スノウは自分の考えの正しさが立証されるのを見ることなく亡くなる。1858年の死去に際して『ランセット』誌に2行の追悼文が載ったが、感染爆発に関する仕事には触れていない。知的なミアズマのように、悪い空気という考え方が医学界に居座り続けた。

やがて、コレラは感染症であるという考えが認められる。1890年代初めには、細菌が病気を広げるというロベルト・コッホの考えを多くの人が受け入れていた。その後、1895年にコッホは実験動物をコレラに感染させることに成功する。[6] コッホの提案していた必要条件が満たされ、細菌が病気を起こしていること、そしてコレラは悪い空気によって起こるのではなく、水を通じて広がることを示す決定的な証拠となった。スノウが正しかったのだ。

暴力連鎖を分析する手立てはあるのか？

いまでは、感染症を考える場合、悪い空気ではなく細菌と結びつけて考える。しかしゲイリー・スラトキンは、暴力の分析においては同様の進歩が見られないと主張する。「我々は道徳主義に陥って立ち往生している。この人はいい人、あの人は悪い人というわけだ」。彼の指摘によれば多くの社会は非常に懲罰的で、暴力に対する態度は何世紀も変わっていない。「まるで過去に生きているような気がする」

生物学のほうは悪い空気という考え方から抜け出しているのに、犯罪をめぐる議論は依然として悪い人々に焦点を合わせている。ひとつには、暴力が伝染するという考えは直感的に捉えにくいからだと、スラトキンは考えている。「微生物なら、少なくとも顕微鏡を使えば見せてやれるが、暴力の場合は、そうはいかない」。とはいえ、感染症と暴力との類似性は彼には明白なように思われた。「閃いたのは、ある人に『暴力の最大の決定要因は何か？　最大の予測因子は何か？』と質問したときだ。答えは『先行する暴力的な出来事』だった」。スラトキンの考えでは、それは伝染の明らかなしるしであり、そこから、感染症を制御するための方法が暴力にも応用できるのではないだろうかと思うようになった。

疾病の感染爆発と暴力の感染爆発には類似点がある。ひとつは、曝露と発症とのあいだに時間差があることだ。感染症と同じように、暴力にも潜伏期間があり、すぐに症状が現れるとは限らない。ギャングが別のギャングに報復するのにそう長くはかからないように、ある暴力事件がすぐに別の事件につながる場合もあるが、波及効果が表れるまでにもっと長くかかる場合もある。１９９０年代中ごろ、疫学者のシャーロット・ワッツはＷＨＯと共同で、女性に対する家庭内暴力の大規模な研究を企画した[7]。ワッツは数学者としての教育を受けたのち、エイズを中心とする疾病調査に移ったのだが、エイズに関する仕事が進むにつれ、女性に対する暴力が病気の伝播に影響していることに気づき始めた。安全なセックスを自分で選べなくなるからだ。しかし、これはもっと大きな問題をあぶりだした。そうした暴力がどれほどありふれたものなのか、誰も本当のところは知らなかったのだ。「人口データが必要だと、全員の意見が一致しました」と彼女は言う[8]。

WHOの研究は、ワッツと同僚らが公衆衛生の考え方を家庭内暴力の問題に応用した結果、実現したものだ。「これまでの調査の多くはそれを警察が扱うべき問題とみなしたり、暴力を誘発する心理的要因に重点を置いたりしていました」と彼女は語る。「公衆衛生にかかわる人なら、『全体像はどうか？　個人や人間関係、地域社会などのリスク要因に関して、証拠からわかることは何か？』と問います」。家庭内暴力はある種の背景事情や文化に特有のものだと指摘する人もいるが、必ずしもそうとは限らない。「子供時代に暴力に曝された経験のような、一貫して現れる共通の要素がいくつかあることは確かです」とワッツは言う。

WHOの研究に含まれる多くの場所で、少なくとも女性の4人に1人がこれまでにパートナーから身体的虐待を受けていた。暴力が、医学の世界では「用量反応関係」と呼ばれる法則にしたがっていることに、ワッツは気づいた。一部の病気の発症のリスクはその人が曝された病原体の量に左右され、少量なら重症になる可能性は低い。人間関係でも似たような効果が存在する証拠がある。もしある男性または女性が過去に暴力に巻き込まれたことがあるなら、将来の人間関係において家庭内暴力にかかわる可能性が高くなる。その人物の相手にもそのような暴力の過去があるなら、リスクはさらに増す。暴力にかかわった過去がある人は将来も必ずそうなるということではない。多くの感染症と同じく、暴力への曝露が必ずしもその後の症状につながるわけではない。とはいえ、感染症のように、経歴や生活習慣、社会的な交流などのなかに、感染爆発のリスクを高める要因がいくつかある。[9]

自殺の伝染

疾病の感染爆発のもうひとつの大きな特徴として、患者が特定の場所にかたまって発生し、感染症が短期間に表面化する傾向が挙げられる。ブロードストリートでのコレラの流行では、患者がポンプの周囲に集まっていた。暴力行動を調べてみると、同じようなパターンが見つかる。何世紀にもわたって、学校、刑務所、地域社会などでの自傷行為や自殺の集団発生が報告されてきた。[10] ただし、自殺の集団発生は必ずしも、伝染が起こっていることを意味するとは限らない。[11] 社会的な伝染のところで述べたように、たとえば環境が同じだというように、伝染とは別の理由で同じように行動する場合もある。この可能性を除外するには、注目を集めた死の余波に目を向けるのがひとつの方法だ。有名人の自殺のニュースは世間に広まりやすい。１９７４年、デイヴィッド・フィリップスがメディアによる自殺報道を検証した画期的な論文を発表した。それによると、イギリスやアメリカの新聞が自殺を1面で取り上げると、直後に地元でのそうした死亡数が増加する傾向があった。[12] 後続の研究も、メディアの報道について似たようなパターンを発見し、自殺が伝染するのではないかと指摘している。[13] これを受けてＷＨＯは、自殺についての責任ある報道に関するガイドラインを発表した。メディアはどこに助けを求めたらいいかについての情報を提供すべきであって、センセーショナルな大見出しや使われた方法の詳細、自殺が問題解決の一方法になるという示唆などは避けるべきだという。

残念ながら、こうしたガイドラインはしばしば無視される。コロンビア大学の研究者が、コメディアンであり俳優でもあるロビン・ウィリアムズの死後数カ月間に、自殺が10％増加したと報告している[14]。ウィリアムズの死を報じたメディアの多くがＷＨＯのガイドラインにしたがっていなかったこと、それに最も増えたのがウィリアムズと同じ方法による中年男性の自殺だったことを考えると、伝染効果が存在した可能性があるという。銃の乱射事件にも同様の効果が見られる。ある研究の推定では、社会的伝染の結果、米国での銃乱射10件につき2件の割で、さらに乱射事件が起きている[15]。

自殺や乱射事件の報道の直後にしばしば同じ事件の増加が見られることから、こうした場合には、ある伝染性出来事と別の出来事とのあいだの時間的な差——疫学では「世代時間」と呼ばれる——が比較的短いのではないかと考えられる。自殺の集団発生のなかには、数週間のうちに多数の死が起こった例がある。１９８９年にペンシルベニアハイスクールで自殺が急増し、18日間で9人が自殺を企てた。もしこの出来事が伝染の結果なら、世代時間は場合によってはわずか2、3日だったことになる[16]。

暴力連鎖を防ぐ3段構成

別のタイプの暴力でも集団発生がよく見られる。２０１５年には米国での銃による殺人の4

分の1が、この国の総人口の2パーセント未満しか住んでいない地域に集中していた[17]。ゲイリー・スラトキンと同僚らが暴力を伝染病として捉えて戦いに着手したとき、標的にしようとしていたのはそういう地域だった。彼らは最初のプログラムを「シーズファイア（休戦）」と呼んだ。のちにもっと大きな組織に発展し、キュアバイオレンス（暴力を治療する）と呼ばれるようになる。最初のころは、用いるべき対処法を的確に割り出すのにかなり時間を取られた。「戦略開発に5年かけてやっと、町なかで簡単な方法をやってみることができた」とスラトキンは言う。キュアバイオレンスの手法は結局、3段階からなる構成に落ち着いた。まずチームは「遮断者」を雇う。潜在的な対立を察知して介入し、暴力の伝播を止めることのできる人だ。たとえば、誰かが銃創で病院に担ぎ込まれたとすると、遮断者が出向いて被害者の友人たちに話をし、報復攻撃を思いとどまらせる。次に、暴力のリスクが最大の人を特定し、アウトリーチワーカーを使って、態度や行動の変化を促す。これは職探しや薬物中毒の治療などの支援を含む。最後に、チームは広く地域社会に働きかけて、銃に関する社会通念の変化を促す。暴力を是認する文化への幅広い反対の声を喚起するのだ。

遮断者とアウトリーチワーカーは暴力の影響を受けている地域社会から直接採用される。以前は犯罪者やギャングの一員だった者もいる。「我々はその地域の住民に信用のある人を採用する」と、キュアバイオレンスの科学および対処法部門の責任者であるチャーリー・ランズフォードは語る。「人々の行動を変え、何かをするのをやめるよう説得するには、彼らの出身をよく知っていることが役立つ。そうすれば彼らも理解してもらえていると感じるし、場合によっては、こっちを知っていたり、こっちの知り合いの誰かと顔見知りだったりするかもしれない」[18]。これも、感染症の世界ではおなじみの考え方だ。エイズ対策では過去にセックスワーカーをしていた人を採用して、まだリスクの高い行動をしているワーカーがそれを改められるよう、手助けをさせることがよくある[19]。

最初のキュアバイオレンスプロジェクトは2000年にシカゴのウェスト・ガーフィールド・パークで始まった。なぜそこを選んだのだろう？「当時そこが、全国の警察管轄区のなかで一番暴力事件の多いところだった」とスラトキンは言う。「私にはいつも、疫病の真っただなかに赴くのだという強い思いがあった——疫学者の多くがそうだと思う。自分の力量を試す最高の機会になるだろうし、最大の影響を与えられるからだ」。計画がスタートして1年後に、ウェスト・ガーフィールド・パークでの発砲事件は3分の1になった。遮断者たちが暴力の連鎖を断ち切ったため、速やかな変化が起こったのだ。では、そうした連鎖の何が、介入を可能にするのだろう？

2017年5月のある日曜の午後遅く、シカゴのブライトンパーク地区のとある路地から、ギャングの構成員が2人、姿を現した。彼らはアサルトライフルを携えており、やがて10人を銃撃して、そのうち2人が死ぬ。その日早くに起こったギャング絡みの殺人の報復だった[20]。

シカゴの発砲事件はこういうふうにつながっていることが多い。エール大学の社会学者アンドリュー・パパクリストスは数年前からこの市の銃撃事件のパターンを調査している。シカゴ生まれの彼は、発砲事件の多くが社会的なつき合いに関連があると気づいていた。犠牲者はしばしば互いを知っていて、一緒に逮捕されることがあったからだ。もちろん、2人の人間につながりがあって、共通の特徴——ある発砲事件にかかわりがある——をもっているというだけでは、必ずしも伝染が関与しているとは言えない。共通する環境のせいかもしれないし、人間には似たような特性の持ち主とつき合う傾向（同類性）があるからかもしれない[21]。

さらに詳しく調べるため、パパクリストスと共同研究者らはシカゴ警察から、2006年から2014年のあいだの逮捕者全員のデータを入手した[22]。データセットには全部で46万2000人以上の情報があった。これを使って、同時に逮捕されたことのある人々の「共同攻撃ネットワーク」を描いた。多くの個人は誰かと一緒に逮捕された経験はなかったが、一連の共同攻撃事件を通じて結びつけられる大きなグループがあった。このグループには13万8000人、つまりデータセットの約3分の1が含まれていた。

パパクリストスのチームは、観察された銃撃事件のパターンが同類性または環境因子で説明できるかどうかの検証に取り掛かった。すると、その可能性は低いことがわかった。発砲の多くは同類性や環境では説明のつかないつながりを示し、伝染に原因がある可能性が窺われた。発砲の伝染による可能性が高い発砲事件を特定してから、チームはひとつの事件から次の事件への伝

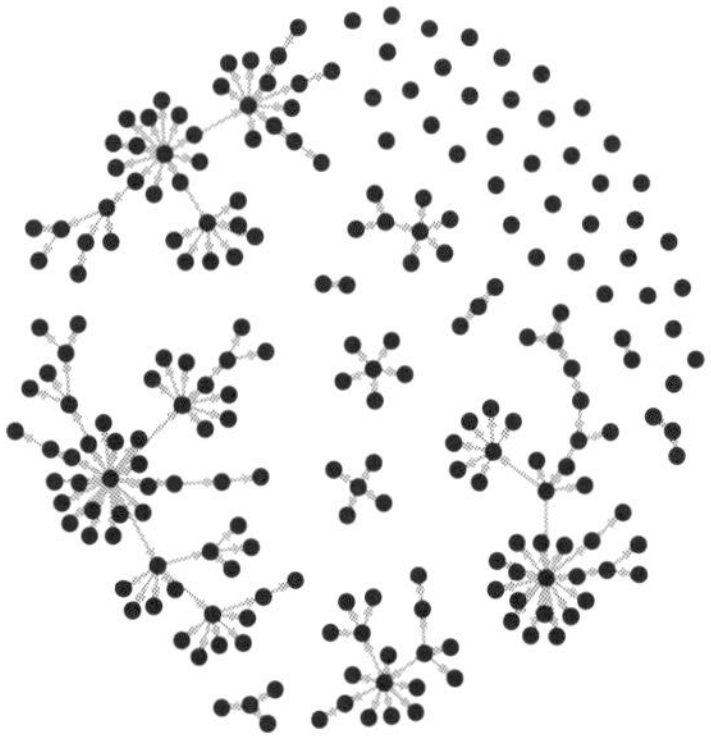

シカゴにおける暴力伝染の動態にもとづいて再現された50件の発砲事件の発生状況。点は発砲事件、矢印（灰色）はそれに続く攻撃を示す。スーパースプレッディング事例がいくつかあるものの、大半は単独の発砲事件でその後の伝播はない。

播の鎖を慎重に再構築した。その結果、撃たれた人100人につき、伝染によって63人がその後攻撃されたと推定された。つまり、シカゴの銃撃事件の再生産数は約0・63となった。

再生産数が1より小さい場合、感染爆発が起こるとしてもめったに長続きはしない。エール大学の研究チームはシカゴで4000を超える銃撃事件の発生を特定しているが、ほとんどは小さな事件だ。大多数が単発の事件で、伝染はない。とはいえ、時には大規模な事例もあり、関連する発砲が500件起きた例もある。このように規模に大きな幅があるため、伝播にはスーパースプレッディング事例が含まれていると思われる。シカゴでの発生状況のデータをさらに詳しく分析してみると、僕の推定では、銃撃事件の伝播は非常に集中していた。発砲の10％未満がその後の攻撃の80％を引き起こした可能性が高い[23]。疾病の伝播——同じようにスーパースプレッディングの影響を受ける――の場合同様に、ほとんどの発砲はそれ以上伝染しない。

シカゴでの伝播の連鎖から、伝播のスピードも明らかになった。平均して、発砲事件と次の発砲事件とのあいだの世代時間は１２５日だった。２０１７年５月のブライトンパーク事件のような劇的な報復事件に注目が集まりがちだが、知られることなく昔からくすぶり続けている抗争が多く存在すると思われる。

天然痘から学んだこと

こうした発砲事件のネットワークから、なぜキュアバイオレンスの手法が可能なのかがわかる。まず、とにかくネットワークを詳しく調べることができるという事実がある。急増を抑えたいなら、伝播の潜在的な経路を特定できれば助かる。スラトキンは暴力への介入を天然痘の感染爆発の制御に使われる手法になぞらえている。天然痘が１９７０年代に根絶に近づいていたとき、疫学者は「ワクチンの包囲接種」という手法を用いて、最後のわずかな火花を踏み消した。新しい症例が出現すると、感染者が接触した家族や隣人はもちろん、その人たちが接触した人も突きとめる。そしてこの「輪」のなかの人にワクチンを接種して、天然痘のウイルスがその外に広がるのを防いだのだ[24]。

天然痘には対策チームに有利な特徴が2つあった。まず、人から人へうつるには一般にかなり長時間の対面接触が必要なため、リスクの高い人を特定できた。そのうえ、天然痘の世代時間は2週間ほどなので、新規患者の報告があった場合、さらに患者が出る前にワクチン接種を行う時間的余裕があった。よく目立つ発疹が現れるため、患者の特定も容易だった。銃による暴力の拡散にもこうした特徴がある。発砲事件はよく目立つ出来事であり、伝播は既知の社会的なつながりを通じて起こることが多く、発砲事件と次の発砲事件との間隔は遮断者が介入できるほど長い。もし発砲が誰にも気づかれなかったり、もっとランダムに起こったり、間隔が常にずっと短かったりしたら、暴力の遮断はこれほど効果を上げなかっただろう（これに比べ、COVID－19にはそうした特徴の一部が欠けているため、制御が難しい。はっきりした症状がないのに感染を広げている場合があるし、世代時間は5日前後と、比較的短い[25]）。

米国司法省研究開発部門がキュアバイオレンスを独自に評価したところ、このプログラムが導入された地域で発砲事件がかなり減少していることがわかった。反暴力プログラムの効果を正確に評価するのは簡単ではない。ほかの理由で暴力事件がすでに減少傾向にあった可能性もある。しかし、シカゴの比較可能な他の地域ではそれほど減少していないことから、キュアバイオレンスが実際に多くの場所での発砲事件の減少をもたらしたことは確かだ。２００７年、キュアバイオレンスはボルチモアでの活動を開始した。ジョンズ・ホプキンズ大学の研究者らがのちにその成果を評価したが、最初の2年でおよそ35件の発砲事件と5件の殺人事件を防いだと推定している。その他の研究でも、キュアバイオレンス手法の導入後に同じような減少が起こったと判明した[26]。

それでも、キュアバイオレンスの手法は批判を免れなかった。懐疑論の多くは既存の対処法の責任者からのものだった。過去には、「遮断者」が協力的でないという苦情がシカゴ警察から寄せられたこともある。遮断者が別の犯罪で告発される場合もあった。このプログラムが、危険にさらされている当の地域社会の一員に遮断者の役割を委ね、警察の一部門に頼っているわけではないことを考えると、そのような問題はたぶん避けられないものなのだろう[27]。それに、社会的な変化に要する時間の問題もある。報復攻撃を止めれば暴力事件の件数にすぐに効果が表れるのに対して、その根底にある社会的な問題に取り組むには何年もかかるかもしれない[28]。感染症でも同じだ。感染爆発は止められたとしても、そもそもそれを許した医療体制の弱点について、考えてみる必要がある。

シカゴでの活動を足掛かりに、キュアバイオレンスはロサンゼルスやニューヨークといった米国のほかの都市へと拡大した。イラクやホンジュラスのような国でもプロジェクトを立ち上げている。公衆衛生を重視する手法は、スコットランドのグラスゴーに「暴力抑止部隊」が誕生するきっかけともなった。2005年当時、グラスゴーはヨーロッパの殺人の都と呼ばれていた。ナイフによる襲撃が週に何十件もあり、被害者の口の両脇に切り込みを入れた悪名高い「グラスゴースマイル」をこしらえる事件も数多く起きていた。そのうえ、暴力は警察の数字よりはるかに広範囲に及んでいた。ストラクスライド警察の情報分析の責任者であるカリン・マクラスキーが病院の記録を調べたところ、大半の事件は通報もされていないことが明らかになったのだ[29]。

マクラスキーの調査結果――および付随する勧告――が、暴力抑止部隊の創設につながり、その後10年間、彼女はその長を務めることになる。キュアバイオレンスや、ボストンの「オペレーション・シーズファイア」のようなその他の米国のプロジェクトから技術を拝借し、公衆衛生の幅広いアイディアを取り入れて、抑止部隊は暴力の拡散に待ったをかけた[30]。そこには、救急外来を監視して暴力の被害者を特定し、報復攻撃を思いとどまらせるといった遮断手法も含まれていた。また、ギャングの構成員が組織を抜けて職業訓練を受け、職に就くのを支援する一方で、暴力行為の続行を選んだ者には厳しい姿勢で臨んだ。もっと長期の対策もあり、暴力が次の世代へと伝わるのを防ぐため、弱い立場にある子供たちに支援を提供した。やるべきことはまだ多いが、ひとまず有望な結果が出ている。導入後に暴力犯罪が大幅に減少したことは、抑止部隊の功績とされている[31]。

2018年以降、ロンドンでもナイフ犯罪の「蔓延」と表現されるものに対する類似の取り組みが行われている。グラスゴーのような成功を収めるには、警察、地域社会、教師、公共医療サービス、ソーシャルワーカー、メディアの強力な連携が必要になるだろう。問題の性質がしばしば複雑で根が深いことを考えると、継続的な資金投入も必要だろう。「予防の観点から資金を提供しても、すぐには見返りがないかもしれないと理解することが大事です」と、マクラスキーはロンドンのプロジェクトの立ち上げの直後に『インデペンデント』紙に語っている。[32]
公衆衛生の取り組みにとって、資金を確保し続けるのはなかなか難しい。ほかの地域での受け入れが増えているにもかかわらず、本家であるシカゴのキュアバイオレンスへの資金提供は散発的なままで、数回の縮小にみまわれている。スラトキンによれば暴力に対する考え方は多くの場所で変わりつつあるが、思ったほど簡単ではない。「じれったくなるほど遅い」と彼は言う。

データ調査もしていたナイチンゲール

公衆衛生対策で一番難しいことのひとつが、人々をどうやって納得させるかだ。単に新しい手法が既存の方法より効果的なことを証明するだけでは不十分で、その手法を積極的に推奨し、統計的な証拠を行動に変えるのに役立つ説得力のある議論を提示しなければならない。

公衆衛生の推進という意味では、フローレンス・ナイチンゲールほど効果的、あるいは先進的な仕事をした人物はいない。ジョン・スノウがソーホーでコレラの分析をしていたころ、ナイチンゲールはクリミア戦争で戦っている英国軍の病気を調査していた。1854年末に現地の陸軍病院に着任して看護婦たちの指揮にあたっていたナイチンゲールは、兵士の死亡率が異常に高いことに気づいた。兵士を殺していたのは戦闘だけではない。コレラや腸チフス、発疹チフス、赤痢といった感染症も死因となっていた。それどころか、感染症こそがおもな死因だったのだ。1854年には、戦闘による傷より感染症で亡くなる兵士のほうが8倍も多かった。(33)お粗末な衛生環境のせいに違いないと考えたナイチンゲールは、毎晩、ランプを片手に病棟の通路を6キロ以上も歩いて見回りをした。患者は不潔なマットレスに寝かされ、その下にはネズミが潜み、周囲の壁は汚物に覆われていた。「兵士たちの衣服にはびっしりとシラミがたかって、まるで印刷物の活字のようだった」とナイチンゲールは記している。指揮下の看護婦たちとともに病棟の清掃に着手し、リネン類の洗濯、患者の体の清拭、壁の洗浄を徹底した。一方で英国政府は1855年3月に委員の一団をクリミアに派遣して、病院の状況の改善に取り組ませた。ナイチンゲールが衛生にもっぱら注意を向けていたのに対して、委員会は建物に目を向け、換気と下水設備を改善した。

その活躍ぶりによってナイチンゲールは故国で一躍有名になり、1856年夏にイングランドに戻ってまもなく、バルモラル城に招かれて、ヴィクトリア女王にクリミアでの体験について話をした。ナイチンゲールはこの会合を利用して、王立委員会がクリミア戦争の高い死亡率の調査をするよう促した。かの地ではほんとうは何が起こっていたのか?

委員会の調査に協力しただけでなく、ナイチンゲールは病院のデータの独自の調査も続けた。その年の秋にある晩餐会で統計学者のウィリアム・ファーに出会ったあと、調査にはいっそう熱が入った。ふたりの生い立ちはかけ離れていた。ナイチンゲールは上流階級の出で、フローレンスという名前はトスカーナ大公国の首都フィレンツェでの子供時代を彷彿《ほうふつ》とさせる。一方、ファーはシュロップシャーの田舎の貧しい家に育ち、医学を学んだのち、医療統計学の道に進んでいた[34]。

　1850年代には、人口データということなら、ファーこそ、相談すべき人物だった。天然痘のような病気の流行に関する仕事のかたわら、彼は出生や死亡といったことがらに関するデータをまとめた初めての全国的なシステムをつくった。とはいえ彼は、そうした生《なま》の統計値が誤解を招きやすいと気づいていた。ある地域の死亡者の総数は、そこの住民の数はもちろん、年齢のようなさまざまな因子に左右される。高齢者が多い町は一般に、若者が大勢いる町よりも毎年の死亡数が多い。こうした問題を解決するため、ファーは新しい測定値を考え出した。総死亡数を調べるのではなく、年齢のような要素を考慮したうえで、1000人あたりの死亡率を見る。こうすれば異なる集団を公平なやり方で比較できる。「死亡率は事実だ。それ以上はすべて推測でしかない」とファーは語っている[35]。

　ファーと協力して、ナイチンゲールはこの新しい方法をクリミアでのデータに応用した。そして、陸軍病院での死亡率が英国内の病棟に比べて遥かに高いことを明らかにした。また、医療委員が1855年に訪れたあとの病気の減少も測定した。データを表にまとめただけでなく、ヴィクトリア朝科学の新しい傾向も最大限に活用している。データの視覚化だ。経済学者や地理学者、技術者が、グラフや図をどんどん使って、自分たちの仕事を誰にでもわかるようにしていた。ナイチンゲールもそうしたテクニックを使って、肝心な結果を棒グラフや、円グラフに似た図形に変換した。スノウの地図のように、それらの図は最も重要なパターンに焦点を合わせ、気をそらすものはいっさい含まない。視覚に訴える図は明確で記憶に残りやすく、彼女のメッセージの拡散に役だった。

1858年、ナイチンゲールは英国陸軍における医療問題の分析を860ページの本として出版した。刷り上がった本はヴィクトリア女王や首相をはじめ、新聞の編集者やヨーロッパ各国の元首など多方面の指導者宛に発送された。病院であれ地域社会であれ、病気に関しては、自然は予測可能な法則にしたがうとナイチンゲールは確信していた。彼女によれば、クリミアでの初期の数カ月間の悲惨な状態は、人々がそういう法則を無視したから起こったのだ。「自然はどこでも同じであり、その法則を無視すれば必ず罰が下る」。何が問題を引き起こしたのかについても、彼女は主張を曲げることはなかった。「クリミアで軍をほぼ壊滅させたのは、無視、無能、それに無益な規則の3つだった[36]」

ナイチンゲールの主張は時にファーを苛立たせた。彼は、データよりメッセージを重視しすぎないようにと警告し、「我々が望むのは人に感銘を与えることではない。望むのは事実だ」と言った[37]。ナイチンゲールが死亡の原因を説明したがったのに対して、ファーは、統計学者の使命は何が起こったかをただ報告することであって、なぜ起こったかを推測することではないと考えていた。「あなたは報告が無味乾燥になってしまうと文句を言うが、無味乾燥であればあるほどいい。統計値はあらゆる読み物のなかで最も無味乾燥であるべきだ」と彼女に言ったことがある。

ナイチンゲールは自分の書いたものを使って変化を求める運動を展開したが、ただの物書きになろうと思ったことはなかった。看護婦になる訓練を受けようと１８４０年代に初めて決心したとき、裕福で有力な縁故をもつ家族は驚いた。妻として母としてのもっと伝統的な役割を引き受けるものと考えていたからだ。ある友人は、そうした役割をこなしながら作家としてのキャリアを追及することもできると指摘したが、ナイチンゲールは興味を示さなかった。「なぜ物書きにならないのかって？　感情を言葉にするのは浪費だと思う。感情はすべて行動に、結果をもたらす行動に昇華させるべきなのよ[38]」

衛生状態の改善を目指すなら、行動は十分な証拠に基づいたものでなければならない。こんにち、僕たちは日常的にデータ分析を行って、衛生状態がどれくらい逸脱しているか、なぜそうなのか、それに対して何をすべきかを明らかにする。この科学的根拠に基づく対処法の多くは、もとをたどれば、ファーやナイチンゲールのような統計学者に行き着く。彼女が見て取ったように、人々は一般に、何が感染症を抑え、何が抑えないか、ほとんど理解していなかった。時には病院が人々の病気のリスクを上げていたのも当然だろう。「こうした施設は人々の苦しみを和らげるためにつくられたのに、和らげているのかどうか、自分たちでもまったくわかっていない」と彼女は語っている[39]。

ナイチンゲールの調査は、統計学者のカール・ピアソンを含め、同時代の科学者に高く評価された。一般大衆にとって彼女は「ランプを掲げたレディ」であり、兵士たちの世話をして、その功績によって、彼女の大義への人々の共感を得た看護婦だった。しかしピアソンは、単なる共感は変化には結びつかないと主張した。変化には経営管理の知識は言うまでもなく、情報を解釈する能力も必要だ。それこそ、ナイチンゲールの優れた点だと彼は言う。「フローレンス・ナイチンゲールは、管理者が成功するのは統計学の知識を指針としたときだけだと信じていた。彼女の行動はすべて、その信念に基づくものだった[40]」

調査VS安全

シカゴ大学の公衆衛生の専門家であるカール・ベルによると、伝染病を止めるのに必要なのは、根拠となる証拠、実行のための手段、政治的な意志の3つだ[41]。ところが銃による暴力に関しては、米国は最初の段階でつまずいている。公衆衛生問題では通常主導権を握るCDCが、過去20年、この問題の調査をほとんど行っていない。

米国は間違いなく、銃に関しては飛びぬけて異常な国だ。2010年には、アメリカの若者が銃撃されて死ぬ確率は他の高所得国の若者の50倍近かった。メディアの注目は自動小銃など殺傷力の高い武器が使用される銃乱射事件に向かいがちだが、銃による死亡の問題はそれよりはるかに広い範囲に及んでいる。２０１６年には、乱射事件――４人以上が撃たれた場合を言う――による死者は米国での銃による殺人の３％に過ぎなかった。[42]

ではなぜ、ＣＤＣは銃による暴力をもっと調査していないのか？　おもな理由は１９９６年のディッキー修正条項にある。そこに、「ＣＤＣにおける傷害の予防および制御のための資金は、銃規制の擁護あるいは推進のためにはいっさい使ってはならない」と明記してあるのだ。共和党下院議員のジェイ・ディッキーに因んで名づけられたこの条項は、米国での銃調査に関する一連の意見の衝突のあと、提出された。採決に向け、ディッキーと同僚議員たちはＣＤＣの国立傷害予防管理センターの責任者であるマーク・ローゼンバーグと激しく渡り合った。彼らは、小火器作業グループの共同議長を務めるローゼンバーグが、銃を「公衆衛生上の脅威」（実際には、銃による暴力についてローゼンバーグにインタビューした『ローリングストーン』誌の記者のことば）として提示しようとしていると非難した。[43]

ローゼンバーグは銃の調査を、車関連の死者の減少という成功例と対比させていた。この例えはのちにバラク・オバマが大統領の任期中に用いている。「もっと調査をすれば、ちょうど、調査を増やすことでこの30年間に交通事故の死者を大幅に減らせたように、銃の安全性をさらに高めることができます」とオバマは２０１６年に語っている。「自動車や食品、薬、さらにはおもちゃさえ、人々に害をなす場合には、我々は調査を行い、それらをより安全なものにします。調査や科学はいいものです。それなりの成果をもたらします[44]」

車の安全性はいまや大幅に向上しているが、自動車業界は当初、改善が必要だという指摘になかなか耳を貸そうとしなかった。ラルフ・ネーダーが１９６５年に、危険な設計上の欠陥の証拠を示した『*Unsafe at any Speed*（どんなスピードでも安全でない）』を出版したとき、自動車会社は彼の信用を傷つけようとして、私立探偵に尾行させ、売春婦を雇って誘惑させようとした[45]。出版元のリチャード・グロスマンでさえ、本の趣旨に懐疑的だった。市場に食い込むのは難しく、たいして売れないだろうと思ったのだ。のちに振り返ってこう述べている。「たとえ書かれている一言一句が真実で、すべてが彼の言うように言語道断だったとしても、人々がそんなものを読みたがるかね？[46]」

ところが、人々は読みたがった。『*Unsafe at any Speed*』はベストセラーとなり、安全性の向上を求める声がしだいに大きくなって、シートベルトや、やがてはエアバッグやアンチロックブレーキといった装備の登場につながった。それでも、ネーダーの本の出版に先立って危険な実態を示す証拠を集めるのには時間がかかった。１９３０年代には多くの専門家が、事故の際には車内に閉じ込められるより車外に放り出されたほうが安全だと考えていた[47]。何十年も、製造業者も政治家も車の安全性の調査にはそれほど関心がなかった。だが、『*Unsafe at any Speed*』の出版で、それが変わった。１９６５年には走行１００万マイル（約１６０万キロ）あたりの死亡率は５％だったが、２０１４年には１％に下がった。

ジェイ・ディッキーは、銃の調査に関する見解が変わったと、２０１７年に死去する前に述べている。ＣＤＣは銃による暴力を調べる必要がある、と考えるようになったのだという。「我々はこの件を科学に委ね、政治とは切り離さなければならない」と、２０１５年に『ワシントン・ポスト』紙に語っている。[48] １９６６年の衝突後、ディッキーとマーク・ローゼンバーグは友人となり、時間をかけて互いの言い分に耳を傾けた結果、銃の調査の必要性に関する共通の地盤を見つけていた。「努力して探さない限り、銃による暴力の原因はわからないだろう」と、のちに共同の意見記事に書いている。

研究資金への制約にもかかわらず、銃による暴力に関する証拠がいくつか提出されており、ディッキー修正条項ができる前の１９９０年代初めに、ＣＤＣの資金による研究で、家庭に銃があると殺人および自殺のリスクが増すことが明らかになっている。後者は特に注目に値する。米国での銃による死亡の３分の２が自殺によるものだからだ。この調査結果に異を唱える人々は、たとえ銃がなかったとしても、そうした自殺はどっちみち起こっただろうと主張する。[49] しかし、死をもたらす手段に簡単に手が届くとなると、一時の衝動のままに突っ走ってしまうのではないだろうか。たとえば１９９８年に英国は鎮痛剤のパラセタモールの販売をボトルから最大32錠入りのブリスター包装に変えたが、包装を破るという余計な手間には抑止効果があったように思われる。包装導入後の10年で、パラセタモールの過剰摂取による死亡が約40％減少した。[50]

どこにリスクがあるかがわからなければ、それに対して何かをするのは難しい。だからこそ、暴力の調査が必要なのだ。見た目にも明らかな介入が、実はほとんど効果がないと判明することもある。その一方で、キュアバイオレンスのように既存の手法に挑むやり方であっても、銃に関連した死亡を減少させる力を秘めた手法があるかもしれない。「交通事故によるけがと同じく、暴力も因果関係の支配する世界に存在する。ものごとは予測可能な理由があって起こるのだ」とディッキーとローゼンバーグが2012年に書いている。[51]「痛ましい――しかし決して無意味ではない――出来事の原因を調べることは、再び起こるのを防ぐのに役立つ」

僕たちが理解しなければならないのは銃による暴力だけではない。ここまで、発砲事件とか家庭内暴力のようなひんぱんに起こる出来事に目を向けてきた。つまり、少なくとも理論上は、研究すべきデータがたくさんある出来事だ。しかし時には、ただ一回きりの犯罪や暴力が急速に集団に広がって、壊滅的な影響を与えることがある。

一回きりの暴徒化

2011年8月6日土曜日の夕方、ロンドンは略奪と放火と暴力が横行する五夜の最初の夜に突入した。2日前にロンドン北部のトテナムで、ギャングの一員と疑われた人物が警察に射殺されたのをきっかけに抗議行動が起こり、それが暴動に発展してロンドンじゅうに広がったのだ。バーミンガムからマンチェスターまで、英国のほかの都市でも暴動が発生した。

犯罪研究者のトビー・デイヴィーズは当時、ロンドンのブリクストン地区に住んでいた[52]。ブリクストンは最初の夜こそ暴力を免れたものの、結局、最大の影響をこうむった地区のひとつとなる。暴動後、デイヴィーズとロンドン大学ユニヴァーシティーカレッジの同僚らは、そのような無秩序状態がどのように拡大したのか、解明しようと考えた[53]。暴動がなぜ、どのようにして始まったのかを説明しようとしたのではない。いったん始まると何が起こるのかを明らかにしようとしたのだ。分析にあたって、暴動を３つの基本的な決定事項に分解した。１つ目は、ある人が暴動に加わるかどうかだ。これは、すぐ近くで何が起こっているかに左右される――伝染病の場合と同じ――だけでなく、現地の社会経済上の因子に左右される。加わろうといったん決めたら、２つ目の決定事項はどこで行動を起こすかだ。暴動と略奪の多くが小売業の多い地域に集中していたため、そうした地域への買い物客の流れを扱った既存のモデルを応用した（いくつかのメディアはロンドン暴動を「暴力ショッピング」と表現している[54]）。最後に、彼らのモデルには、暴動の現場に行ったときに逮捕される可能性が含まれていた。これは暴徒と警官の相対的な数、デイヴィーズが「数で勝る」と呼ぶ測定基準で決まる。

このモデルで、２０１１年の暴動の際に見られた大まかなパターンのいくつか――たとえばブリクストンへの集中――を再現できたが、こうしたタイプの出来事の複雑さも明らかになった。デイヴィーズによればこのモデルは最初のステップにすぎず、この種の調査ではすべきことがまだたくさんあるという。大きな課題のひとつはデータの入手だ。調査チームが入手できた情報は暴動関連の不法行為による逮捕者の人数だけだった。「想像がつくと思うが、それは非常に小さな、非常に偏った副次サンプルだ。暴動に関与した可能性のある人物を把握した数字ではない」とデイヴィーズは言う。2011年の暴動では暴徒は予想よりも多様性に富んでいて、長年敵対してきた地元グループが対立を超えて協力していた。それでも、モデルがあれば、普通でない状況や可能性のある反応を探れるという利点がある。強盗のような頻度の高い犯罪については、警察が抑止手段を導入し、効果を見て戦略を練り直すことができる。しかしその方法は、たまに突発的に起こる出来事には使えない。「実地訓練に使えるような暴動が毎日あるわけではない」とデイヴィーズは言う。

暴動が始まるには、少なくとも何人かが参加しようと思う必要がある。「1人では暴動にならない」と、犯罪研究者のジョン・ピッツは言う。「1人で騒ぐのはかんしゃくだ[55]」。では、たった1人からどのようにして、暴動に発展するのだろう? 1978年、マーク・グラノヴェッターが、騒乱がどのようにして始まるかを考察した、いまでは古典というべき研究を発表した。その指摘によれば、人は暴動を起こすことに対してそれぞれ異なる閾値をもっている。急進主義的傾向の人が他人の行動にかかわりなく暴動を起こすのに対して、保守的な人はほかに多くの人がそうしている場合に限り、暴動に加わる。一例としてグラノヴェッターは、広場に

100人がたむろしている場面を想像してみるようにと言う。ある人の閾値は0、つまりほかに誰もそうしている人がいなくても、暴動（あるいはかんしゃく）を起こす。次の人の閾値は1で、少なくともほかに1人、そうしている人がいるときだけ、騒動を起こす。その次の人の閾値は2で、というふうに、1ずつ大きくなっていくとする。この状況はドミノ効果をもたらさずにはおかないと、グラノヴェッターは指摘する。閾値が0の人が暴動をスタートさせ、閾値が1の人の引き金を引く。それが、閾値が2の人の引き金を引く。群衆全体が騒動に加わるまで、これが続くのだ。

しかし、状況がわずかに異なっていたら、どうだろう？　仮に、閾値が1の人が、1ではなく2だったとする。その場合、最初の人が暴動をスタートさせても、引き金が引かれるほど低い閾値の人が誰もいないことになる。2つの状況の群衆はほとんど同一であるにもかかわらず、1人の人の行動が、暴動に発展するか、かんしゃくで終わるかの違いを生む。グラノヴェッターの指摘によれば、個人の閾値は、ストライキの決行から、社交的な催しから抜けることまで、ほかの形の集団行動にも適用できる。[56]

テロと集団行動

集団行動の発生はテロ対策とも関連がある。潜在的なテロリストは勧誘されて既存の階層型組織に組み込まれるのか、それとも自分たちで集まって組織をつくるのか？　２０１６年、物理学者のニール・ジョンソンの主導で、いわゆるイスラミックステート（ＩＳ）への支持がオンラインでどのように拡大したかを調べる分析が行われた。ソーシャルネットワーク上での議論をまとめた結果、支援者が徐々に集まって大きなグループになったあと、当局がネットワークを遮断したときには小さなグループに分裂していたことがわかった。ジョンソンはこのプロセスを、魚の群れがいったん分かれて、捕食者の周りに再び群れる様子になぞらえている。別々のグループに集結したにもかかわらず、イスラミックステートの支援者には一貫した階層型組織はないように思われた。[57]世界各地の反乱行為を研究したジョンソンらは、テロリストグループのこうした集団動力学で、大規模な攻撃が小さな攻撃よりずっと少ないわけを説明できると述べている。[58]

イスラミックステートの活動に関するジョンソンの研究は過激思想の生態系――群れがどのように形成され、成長し、消散するか――の理解を目的としていたが、メディアの関心はもっぱら、その研究で攻撃を正確に予測できるかどうかにあった。残念ながら、そうした手法ではまだ予測までは無理だろう。しかし少なくとも、基本的な行動様式を見て取ることは可能だ。過激思想を研究しているジョージ・ワシントン大学の特別研究員であるＪ・Ｍ・バーガーによると、テロリズムのこれほどわかりやすい分析はまれだという。「この研究が述べているようなことができると主張する会社がたくさんあるが、そうした会社の多くはインチキを売りつけているように思われる」と、研究の発表後に『ニューヨーク・タイムズ』紙に語っている。[59]

予測をするのは難しい。単にテロリストの攻撃のタイミングを予想すればいいというものではない。政府は、どんな手段が使われる可能性があるか、それによってどのような影響が出るかも考慮しなければならない。2001年の9・11攻撃後の数週間に、米国のメディアと議会の幾人かに有毒な炭疽菌入りの手紙が送りつけられた。その結果5人が死亡し、さらに別のバイオテロ攻撃が起こるのではないかという不安を掻き立てた。[60]一番の脅威は天然痘だと思われた。自然界からは根絶されているものの、ウイルス標本はまだ米国とロシアの政府系ラボそれぞれ1カ所ずつに保管されている。もしほかに公表されていない天然痘ウイルスがどこかにあって、悪人の手に渡ったらどうなるだろう？

いくつかの研究グループが数理モデルを使って、万一テロリストがそのウイルスを放出したらどうなるかを推測しようとした。先手を取って抑止措置を講じておかなければ感染爆発が速やかに拡大するだろうという結論に達した研究が大半だった。米国政府はすぐに、医療従事者50万人への天然痘ウイルスワクチンの接種を決めた。計画はそれほど大きな熱意をもって迎えられたわけではなく、2003年末までに進んでワクチン接種を受けた人は4万人に満たない。

2006年、英国健康保護庁で当時数理モデルの作成をしていたベン・クーパーが、天然痘のリスク評価に使われた手法を批判する有名な論文を発表した。クーパーによれば、いくつかの方法で用いられた前提には疑問の余地があるという。特に目を引く例として、「ＣＤＣのモデルが接触者追跡を完全に無視し、もし何も手を打たなければ77兆の症例が発生すると予想するに及んで、誰もが驚いて眉を上げた」と彼は書いている。そう、見間違いではない。当時の世界の人口が70億に満たなかったにもかかわらず、モデルでは、感受性があって感染しうる人が無限にいるという前提に立っていた。つまり伝播が無限に続くということだ。ＣＤＣの研究者はそれが大幅な単純化であることを認めているものの、あまりにも現実離れした前提を用いた奇異なモデルに感じられた。(61)

とはいえ、単純なモデルの利点のひとつは、どこで――そしてなぜ――間違ったかを突きとめるのがたいてい簡単なことだ。そのモデルの有用性を検討するのもたやすい。あまり数学の素養のない人でも、前提が結論にどう影響しているかが理解できる。高度な計算法など知らなくても、天然痘の伝播レベルが高くて感受性のある人が無限にいるという前提に立てば、非現実的なほど大規模な蔓延に至ることはわかる。

モデルをどう利用するか

モデルがもっと複雑になり、さまざまな特性や前提をどっさり含むようになると、欠陥を見つけるのは難しくなる。すると問題が生じる。どんなに精緻な数理モデルでも、モデルであるからには、複雑で扱いにくい現実を単純化したものだ。子供用の模型の列車セットに似ている。ミニチュアの信号、客車番号、詳細な時刻表と、どれほど多くの特徴をつけ加えても、やはり模型にすぎない。それを使えば本物の列車のさまざまな側面を理解できるとしても、常にどこかしら、本物とは違うところがある。そのうえ、いろいろな特徴をつけ加えることで、必要とする本質がかえってあいまいになる場合もある。モデルをこしらえるときには、詳細と正確を混同するリスクが常にあるのだ。仮に、精巧に彫刻され彩色された動物がすべての列車を運転していたなら、細部まで非常によくできた列車模型かもしれないが、現実に即したモデルとは言えないだろう(62)。

クーパーはその批判のなかで、別のもっと詳細な天然痘モデルも、大規模な感染爆発に関して似たように現実を見落とした悲観的な結論に達していたと記している。細部が追加されたにもかかわらず、それらのモデルにも依然として非現実的なところがあった。大半の伝播は天然痘特有の発疹ができる前に起こるという前提に立っていたのだ。現実の世界のデータからすると、それは違う。伝播の大多数が、発疹が現れたあとで起こっている。そのため感染性のある人の特定が容易になり、広範囲にワクチン接種をしなくても、隔離によって病気を制御することができる。

伝染病からテロや犯罪まで、予測があれば、当局が計画を立てたり資源を配分したりするのに役立つ。注意を喚起するのにも役立ち、資源をまず必要なところに割り当てなければならないと人々を納得させることができる。そうした分析の優れた例が2014年9月に発表された。西アフリカのいくつかの部分を席巻したエボラ出血熱の蔓延の最中にCDCが、このままだと次の1月には140万人が発症している可能性があると発表したのだ(63)。ナイチンゲール型の主張という観点からすると、このメッセージは非常に効果的だった。分析は世界の注目を集め、広範囲のメディアが報道した。当時の他のいくつかの研究も、西アフリカでの流行を抑えるには速やかな対応が必要だと指摘していた。しかしCDCの推定値はすぐに、より幅広い疾病研究界からの批判に曝された。

論点のひとつは分析それ自体だった。推定値を出したCDCグループというのが、あの天然痘の予測をしたのと同じグループだったのだ。彼らは、感受性のある人が無限にいるという、似たようなモデルを使っていた。もし彼らのエボラモデルが2015年の1月ではなく4月まで展開したとしたら、3000万人以上の患者が発生すると予想され、感染国の人口の総計よりはるかに多くなってしまう(64)。多くの研究者が、エボラの5カ月後の拡大予測にごく単純なモデルを使うのが適切かどうかを疑問視した。僕もその1人だ。「翌月かそこらでエボラがどう広がるかについてなら、モデルは役に立つ情報を提供できる。しかし、もっと長期の予測を正確に行うのはほとんど不可能だ」と、当時僕はジャーナリストたちに話した(65)。

誤解のないように言うと、CDCには非常に優秀な研究者たちもおり、エボラモデルはそこの大きな研究者共同体からのたったひとつの発表にすぎない。しかしこの件は、注目を浴びるような感染症の感染爆発分析を行って伝えることの難しさをまざまざと示している。欠陥のある予測の困った点のひとつは、モデルはそれほど有用なものではないという考え方を強めてしまうことだ。もしモデルが不正確な予測を生むのなら、どうしてそんなものに注意を払う必要があるのか、というわけだ。

感染爆発の予測となると、僕たちはパラドックスに直面する。悲観的な天気予報が嵐の規模に影響を与えることはないが、感染爆発に関する予測は最終的な患者数に影響を与える可能性がある。もし、モデルから本物の脅威が窺われれば、保健当局は大規模な対応策を講じるかもしれない。その結果、感染爆発が抑え込まれれば、最初の予測は間違っていたことになってしまう。というわけで、無益な予測（すなわち決して起こるはずがなかった予測）と有益な予測（当局が介入しなければ起こったはずの予測）とは混同されがちだ。似たような状況はほかの分野でもありうる。西暦２０００年が近づくにつれ、政府や企業は「２０００年問題」を阻止するために世界中で数千億ドルを投じた。もともと、日付を簡略化することで初期のコンピュータの記憶容量を節約するための特性だったものが、そのまま修正されることなく現代のシステム全体に広がっていたのだ。問題を解決する努力がなされたおかげで、実際の被害は限定的だった。するとと多くのメディアに、リスクが過度に宣伝されたと不満を述べる記事が載った[66]。

厳密に言うと、ＣＤＣのエボラ予測はこうしたパラドックスとは無縁だ。実際には予測ではなく、いくつかのシナリオのひとつだったからだ。予測は将来起こるだろうと僕たちが考えることを述べるのに対して、シナリオは特定の一連の前提のもとで起こりうることを示す。140万人という推定値は、伝染がまったく同じ割合で拡大し続けるという前提に立っていた。もし病気の抑制手段がモデルに含まれていたとしたら、推定患者数は大幅に少なくなっていただろう。しかしいったん数字が頭に入ると、記憶にこびりついて、そうした数字を生むような種類のモデルに対する疑念をいっそう掻き立てる。「2014年秋にCDCが予測した100万人のエボラ患者という数字を思い出してほしい」と国境なき医師団のインターナショナル部門の代表であるジョアン・リューが、予測に関する2018年の論説に応えてツイートしている。「モデル化にも限界がある」[67]

たとえ140万という推定値がひとつのシナリオにすぎなくても、ひとつの基準値ではある。もし何も手を打たなければ、そうなっていたかもしれない。2013〜2016年の流行では、リベリア、シエラレオネ、ギニアで約3万人のエボラ患者が報告された。欧米の保健機関によって導入された抑制策がほんとうに130万人以上もの発症を防いだのだろうか?[68]

公衆衛生分野では、疾病抑制手段をよく、「ポンプハンドルの除去」と表現する。コレラに関するジョン・スノウの仕事と、ブロードストリートのハンドルの取り外しに賛意を表してのことだ。この表現にはひとつだけ問題がある。1854年9月8日にポンプハンドルが取り外されたとき、ロンドンのコレラの流行はとうに衰退し始めていた。リスクのある人の大半はすでに感染したか、その地域から逃げ出していたのだ。正確を期すなら、「ポンプハンドルの除

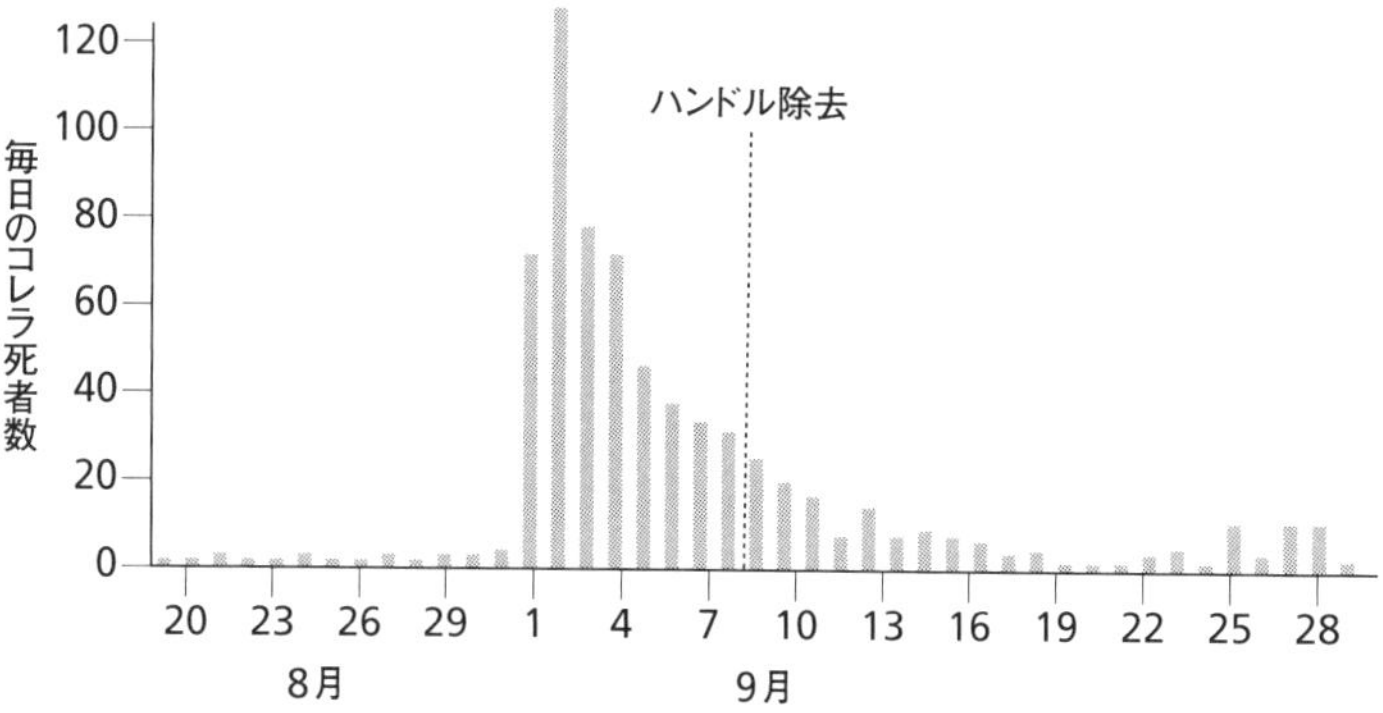

1854年のソーホーでのコレラの流行。

去」は本来、理論上は有益だが遅きに失した抑制手段を指すべきだろう。

２０１４年末に大規模なエボラ治療センターがいくつか開設されたころには、感染爆発の勢いは、完全に衰えたとは言えないまでもすでに減速傾向にあった(69)。ただ、地域によっては、抑制手段の投入と患者数の下落とがぴったり一致するところもある。したがって、そうした手段の効果を的確に判断するには慎重さが求められる。対応チームは、感染者との接触の追跡、行動変化の推奨、さらには治療センター開設や安全な埋葬の実施と、多岐にわたる手段を同時に導入することが多い。国際的な努力は実際にはどの程度、効果を上げたのだろうか？

僕たちのグループがエボラ伝播の数理モデルを用いて推定したところ、治療用病床――患者を地域社会から切り離し、それによって伝播を減らす――の追加導入が、２０１４年９月と２０１５年２月のあいだにシエラレオネでエボラ症例約6万件を予防したという結果が得られた。地区によっては、治療センターの拡充で感染爆発の低下すべてを説明できるとわかった。その他の地域でも、それによって地域社会における伝播がいっそう減少したという証拠があった。ただしこれは、地元や国際機関によるその他の努力や、ひょっとすると、どっちみち起こっていた行動の変化を反映している可能性もある。[70]

エボラの流行の歴史は、流行の制御にとって行動変化がいかに重要かを証明している。最初に報告されたエボラの流行は、1976年にザイール（現在のコンゴ民主共和国）のヤンブクという村で始まったもので、地元の小さな病院で感染が発生したあと、地域社会に広がった。感染爆発当時の調査記録のデータをもとに、僕と同僚は地域社会での伝播速度が数週間で急速に低下したと推測した。[71] 低下の大部分は、病院が閉鎖され、国際援助チームが到着する前に起こっていた。「流行が拡大し続けた共同体では、それ以上の拡大を防ぐために自分たちなりの社会的距離戦略を考え出していた」と、調査に加わった疫学者のデイヴィッド・ハイマンが回想している。[72] 2014年末から2015年初めにかけてのエボラへの国際的な対応が、西アフリカでの患者数の増加を防ぐのに役立ったことは間違いない。しかし同時に、外国の組織がそうした感染爆発の終息に対する功績を主張する際には、慎重になるべきであることも確かだ。

予測との付き合い方

いろいろな難題がつきものであるにもかかわらず、予測には幅広い要望がある。対象が感染症の拡大であれ犯罪の拡散であれ、政府やその他の機関は将来の政策の土台となる証拠を必要とする。では、どうすれば、流行予測をよりよいものにできるだろう？

一般に、予測にまつわる問題のもとをたどると、モデルそのものか、そこに組み込まれたデータに行き着く。経験上言えることだが、数理モデルは手に入るデータをもとにデザインすべきだ。たとえば、さまざまな伝播経路についてのデータがないなら、拡散全体に関する単純で、しかも妥当な前提を立ててみる。そうすれば、モデルの解釈が容易になるだけでなく、何が未知かも、伝えやすい。モデル化にあまりなじみがない人でも、隠れた前提だらけの複雑なモデルに取り組まずに済み、主要なプロセスに集中することができるだろう。

僕の専門分野以外の人たちは、数理解析に対してだいたい次の２つの反応のどちらかを見せるようだ。ひとつは疑念だ。これは理解できる。不可解でなじみのないものは本能的に信じないのだ。すると、分析結果はおそらく無視される。もうひとつはその正反対で、無視どころか、結果に過大な信頼を寄せる。不可解で難しいのは優れている証拠だと見るのだ。誰にも理解できないがゆえに、ある数学の論文が卓越したものだと評されるのを、たびたび耳にしたことがある。その人たちの考えでは、難解とは優れているという意味なのだ。統計学者のジョージ・

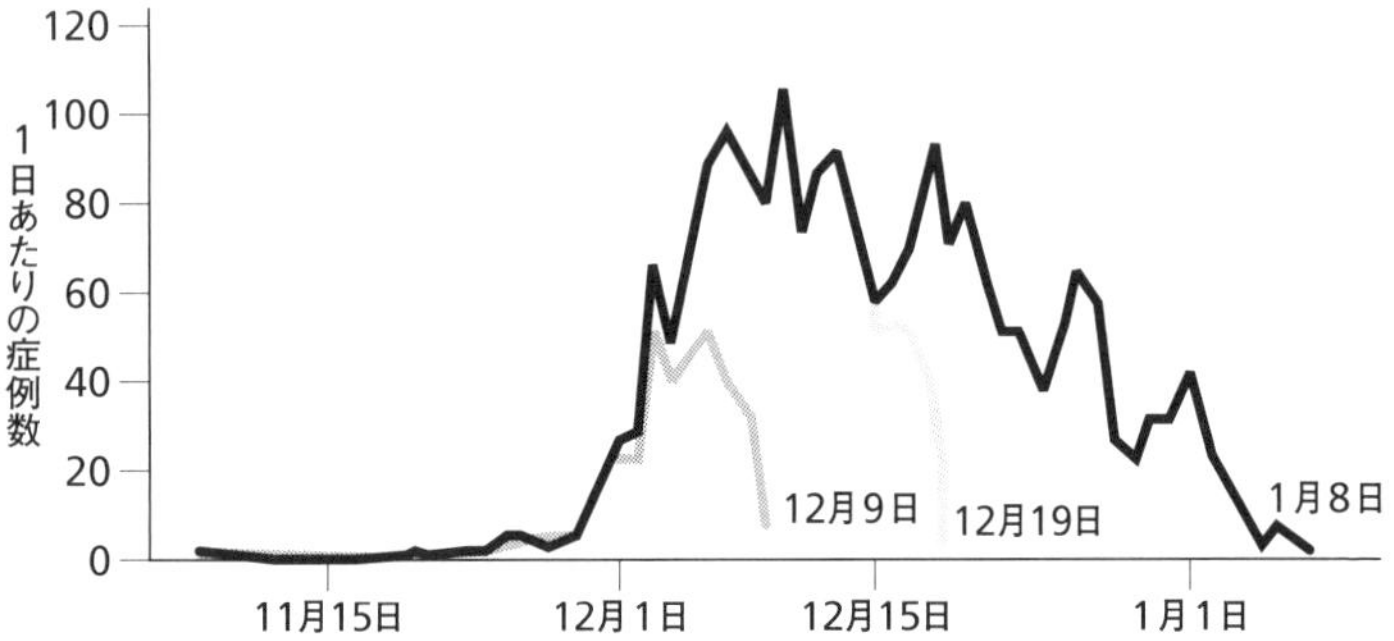

バングラデシュ、コックスバザールにおける2017～18年のジフテリアの感染爆発。折れ線はそれぞれ、12月9日、12月19日、1月8日にデータベースに登録された1日あたりの新規症例数の変化を示す。
データ：Finger et al., 2019。

ボックスによれば、数理解析に魅せられるのは国連の監視団員だけではない。「統計学者にも芸術家同様に、自分のモデルに恋をするという悪癖がある」と言ったと伝えられている(73)。

分析に用いるデータについても考える必要がある。科学の実験と違って、感染爆発があらかじめデザインされたものであることはまれだ。データは乱雑で、欠けている部分もある。あとから振り返ったときには、患者数が増加して減少するきれいなグラフを描くことができるかもしれないが、感染爆発の最中には、そうした種類の情報はめったに手に入らない。たとえば2017年12月に僕たちのチームは「国境なき医師団（MSF）」と一緒に、バングラデシュのコックスバザール難民キャンプでのジフテリアの感染爆発を分析した。僕たちは毎日新しいデータセットを受け取った。新規患者の報告には少し時間がかかるので、そうしたデータセットには最新の患者は一部しか含まれていない。もし誰かが月曜に病気になっても、水曜か木曜まではデータには表れないのが普通だった。流行はまだ続いていても、そうした遅れのせいで、ほとんど終わったかのように見えるのだった。(74)

このように感染爆発のデータは鵜呑みにはできないものの、使えないというわけではない。不完全なデータも、どれほど不完全かわかっていて、それに応じて調整できるかぎり、必ずしも問題にはならない。たとえば、あなたの腕時計が1時間遅れているとする。もし気づかなければ、たぶん困った事態に巻き込まれる。しかし遅れがわかっていれば、頭の中で調整して、ちゃんと時間に間に合うように行動できる。同じように、感染爆発中の報告に遅れがあると知っていれば、流行曲線をどう解釈すればいいかがわかる。今後の予測をする前には、現在の実際の状況を理解するためのそうした「現在予測」が、しばしば必要なのだ。

オピオイドと現在予測

「現在予測」の正確さは、報告の遅れの程度と入手できるデータの質に左右される。感染症の流行の多くは数週間または数カ月続くが、もっと長い時間軸で起こる流行もある。米国のいわゆるオピオイド蔓延を考えてみよう。ヘロインのような違法薬物だけでなく、処方された鎮痛剤の依存症になる人の数が急増している現象だ。いまでは薬物の過剰摂取が、55歳以下のアメリカ人の死因の筆頭となっている。こうした死亡が増えたせいで、アメリカ人の平均寿命は2015年から2018年にかけて3年連続で低下している。第2次世界大戦以降、初めてのことだ。この危機的状況には米国特有の側面もあるものの、危険に曝されているのは米国だけではない。オピオイドの使用は英国やオーストラリア、カナダなどでも増えている[75]。

あいにく、薬物関連死の証明には特に長い時間がかかるため、過剰摂取事例を追跡することは難しい。米国の2018年の過剰摂取死の予備推定値が出たのは、2019年7月になってからだった[76]。地方レベルのデータはもっと早く入手できる場合もあるが、危機の全国的な像を描くには時間がかかる。「わたしたちは常に過去を振り返っています」と、公共政策に特化したランド研究所の上級エコノミストであるロザリー・リカード・パクラは語る。「何が起こっているかを即座に理解するのは、あまり得意ではないのです[77]」

米国のオピオイド危機は21世紀になってかなり注目を集めているが、ピッツバーグ大学のホーレ・ジャラルと同僚らは、この問題はもっと前からあったと指摘する。1979年から2016年にかけてのデータを調べたところ、米国での薬物過剰摂取による死者はこの期間に指数関数的に増えており、死亡率が10年ごとに倍になっていたという[78]。全国レベルではなく州単位のデータについても、多くの地域で同じような増加パターンが見られた。この何十年かで薬の使用がどれほど大きく変わったかを考えると、こうした一貫した増加パターンには驚かされる。「この公式通りの増加パターンが少なくとも過去38年間続いていることは、長期にわたって進

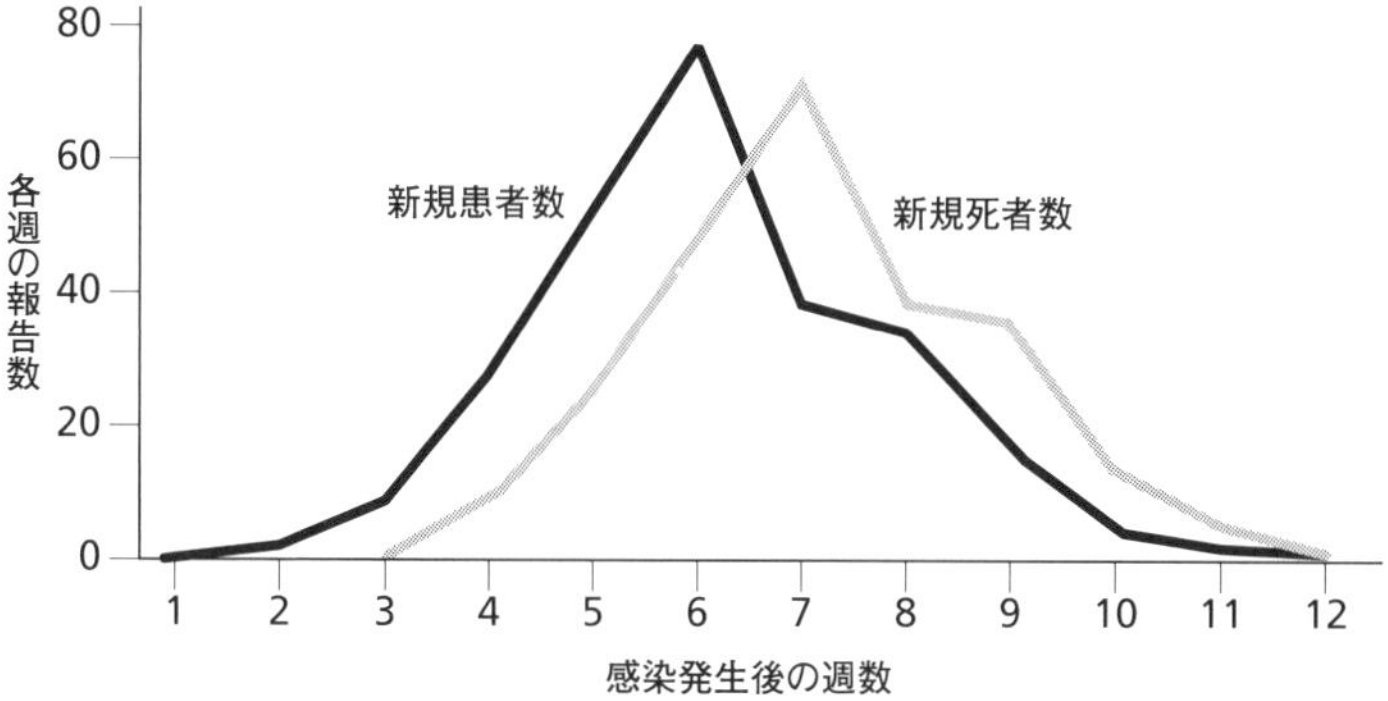

ヤンブクにおける1976年のエボラの流行。
データ：Camacho et al., 2014。

行してきたオピオイド蔓延プロセスが最近になって表面化した可能性を示唆している」と彼らは記している。「このプロセスはこのまま、今後さらに数年続くかもしれない[79]」

しかし、過剰摂取による死亡は全体像の一部でしかない。その人の死亡に至るまでの出来事については、何も教えてくれない。何年も前から、薬物の不適切な使用が始まっていたのかもしれない。こうした時間的ずれが、ほとんどのタイプの感染爆発で起こる。感染源に接触した場合、曝露してからその影響が観察されるまでのあいだに遅延があるのが普通なのだ。たとえばあの１９７６年のヤンブクでのエボラ流行では、ウイルスに曝された人が病気になるにはたいてい数日かかった。病状が致命的だった場合、発症してから死ぬまでにさらに１週間かそこらを要した。発症と死亡のどちらに注目するかによって、流行に対する印象がわずかに違ってくる。もし新規の発症数に注目するなら、ヤンブクでの流行は6週後にピークに達したと言える。死者数をもとに考えるなら、ピークはその1週間後になる。

どちらのデータセットも有用だが、測定しているのはまったく同じものとは言えない。エボラの新規患者数の集計は、感受性のある人々に何が起こっているか——つまり何人が感染したか——を教えてくれるのに対して、死者の数はすでに感染した人に何が起こっているかを示す。最初のピークのあと、2つの曲線は1週間ほど逆方向に進む。患者数が減少したのに対して、死者数がまだ増加中だからだ。

パクラによれば、薬物の蔓延も似たような段階に分けられる。流行の初期段階では、新たな人々が薬物に曝されるにつれ、使用者数が増える。オピオイド類の場合、曝露は処方薬で始まることが多い。薬をのみすぎる患者や過剰に処方しすぎる医師が悪いのだと言いたくなるかもしれないが、強力なオピオイドを直接医師に売り込む製薬会社のことも考えなければならない。保険会社も、代わりとなる理学療法のような治療法より鎮痛剤のほうを保険でカバーしがちだ。現代のライフスタイルも一定の役割を演じており、肥満とオフィスワークの増加に伴って慢性痛が増えている。

流行を早い段階で減速させる効果的な方法のひとつは、感受性のある人の数を減らすことだ。薬物に対しては、教育に力を入れて意識を高める。「教育はとても大切だし、大きな効果を上げています」とパクラは言う。薬物の供給を減らすといった戦略も、早い時期には役に立つ。

オピオイド蔓延にかかわる薬物の数の多さを考えると、これは、特定の1種類の薬剤ではなく、可能性のある曝露ルートすべてを標的とすることを意味する。

新規の使用者数がピークに達すると、薬物蔓延の中期段階に入る。この時点では既存の使用者がまだ大勢いて、より大量使用への道を進んでいる。処方薬が手に入らなくなるにつれ、違法薬物に手を出すかもしれない。薬物中毒の治療を提供し、大量使用を防ぐことが、この段階では特に効果を上げる。目標は、単に新しい中毒者を増やさないだけでなく、使用者の総数を減らすことだ。

最終段階では、新規と既存の使用者の数は減少しつつあるが、大量使用者のグループが残っている。これらは最もリスクの高い人々で、処方薬のオピオイドから、ヘロインのようなもっと安価なドラッグに切り替えている可能性がある。[80] しかし、こうした後期段階にある人に対しては、単に違法薬物市場を厳しく取り締まればいいというものではない。中毒の根底にはもっと根深く幅広い問題がある。警察署長のポール・セルのことばを借りれば、「逮捕者を増やしても、アメリカはオピオイド蔓延から抜け出せない」[81]。それに、ただ処方薬が手に入らないようにすればいいというものでもない。「薬物依存の問題はオピオイドに限ったことではないのです」とパクラは言う。「薬物を取り上げておいて依存症の治療を提供しないなら、どこかほかへ向かうのを奨励するようなものです」。薬物の蔓延は一連の波及効果ももたらすと、彼女は指摘する。「たとえ、オピオイドの間違った使用を制御できたとしても、わたしたちがまだ手さえつけていない極めて心配な長期の傾向がいくつかあります」。そのひとつは薬物使用者の健康への影響だ。錠剤の服用からドラッグの注射へと移行すれば、C型肝炎やHIVなどに感染する危険に直面する。もっと広い社会的な影響もある。大量の薬物中毒者を抱えることになれば、家族や地域社会、職場などに影響が及ぶ。

いろいろな抑止戦略のどれが功を奏するかは、薬物蔓延の3つの段階それぞれで異なるので、いまどの段階にいるのかを知ることが肝心だ。理論上は、新規使用者、既存の使用者、大量使用者の年間推定値を見ればわかるはずだが、この3つを区別するのは、処方薬と違法薬物の使用が入り混じっているという複雑さがあるため、非常に難しい。緊急治療室での治療者数や逮捕後のドラッグ検査の結果など、役に立つデータはいくつかあるが、近年はそうした情報の入手が困難になってきている。薬物使用の各段階を示すきれいなグラフを描くことはできない。ヤンブクでのエボラの流行のときのようなグラフを描けないのは、要するにデータが手に入らないからだ。これは感染爆発の分析に共通する問題で、報告されないものは当然、分析は無理ということになる。

実態把握と制御

疾病の感染爆発では、初期段階のおもな目標は2つ、伝播の把握とその制御だ。これらの目標は密接に結びついている。拡散の実態を的確に把握できるようになれば、より効果的な制御手段を考えることができる。介入の対象をハイリスク集団に絞ったり、伝播の連鎖のなかの弱い部分を狙ったりできるだろう。

結びつきは逆方向にも作用し、制御手段が伝播の把握に影響を与える場合もある。疾病についても、薬物の使用や銃による暴力についてと同様に、医療センターが感染爆発に対する窓の役目をすることが多い。つまり、もし医療体制が弱体化や過度の負担にみまわれれば、入ってくるデータの質に影響が出る。２０１４年8月のリベリアでのエボラ流行の際には、僕たちが使っていたデータセットは首都モンロビアでの新規患者数が横ばいになったことを示していた。最初はいいニュースのように思われたが、やがて実情が判明した。そのデータセットは、対応能力の限界に達した治療施設から来たものだった。報告患者数が横ばいになったのは流行が減速したからではなく、患者をそれ以上受け入れられなくなったからだったのだ。

実態把握と制御との相互作用は犯罪や暴力の世界でも重要だ。犯罪がどこで起こっているかを当局が知りたい場合、たいていは報告されていることに頼るしかない。モデルを使って犯罪の予測をしようとすると、これが問題のもとになる。２０１６年、統計学者のクリスチャン・ラムと政治学者のウィリアム・アイザックが、報告が予測にどう影響するかを示す実例を公表した[82]。彼らが取り上げたのはカリフォルニア州オークランドにおける薬物使用だった。まず彼らは２０１０年の薬物関連の逮捕者に関するデータを集め、それをプレッドポル（PredPol）アルゴリズムに入れた。米国で予測に基づく警察活動のためによく使われるツールだ。そうしたアルゴリズムは基本的に解釈装置で、個人や位置に関する情報を取り込んで、犯罪リスクの予測値に変換する。開発者によれば、プレッドポルはたった3つのデータを使って予測をする。過去に起こった犯罪のタイプ、起こった場所、起こった日時の3つだ。人種や性別のような、特定のグループに対する結果を歪める可能性のある個人情報は使わない。

プレッドポルアルゴリズムを使って、ラムとアイザックは2011年に薬物犯罪がどこで起こると考えられたかを予測した。薬物使用と健康に関する全米調査のデータを使って、報告されなかったものも含め、その年の薬物犯罪の実際の分布も算出した。もしアルゴリズムの予測が正確なら、実際に犯罪が起こった地域に警告の旗が立つはずだ。ところが、アルゴリズムが指摘したのはたいていが、以前に逮捕が起こった地域のように思われた。ラムとアイザックは、このアルゴリズムによって、犯罪の把握と制御とのあいだのフィードバックループが生じた可能性があると指摘した。「こうした予測はすでに警察に知られている地域を過大に表示しやすいため、警察官はその地域をますます多くパトロールするようになり、犯罪活動の分布に関するそれまでの考えを裏づける新たな犯罪行為をいっそう多く目にするようになる[83]」

この分析を批判して、警察は薬物犯罪の予測にはプレッドポルを使っていなかったと主張する人もいた。しかしラムは、その批判はもっと幅広い論点を見落としていると言う。予測警察活動という手法の狙いは、決定をより客観的に行うことだからだ。「システムから人間につきもののバイアスを取り除きたいというのが、暗黙の理由なのです」。しかし、もし予測が既存の警察活動を反映するなら、そうしたバイアスは、建前上は客観的とされるアルゴリズムの陰に隠れて存続するだろう。「同じ行動をしても少数派の人々のほうが逮捕されやすいシステムによって生み出されたデータでアルゴリズムを訓練しているなら、ただそのシステムの問題点を永続させるだけです」と彼女は言う。「問題は何も変わらないけれど、今度はこのハイテクツールというフィルターを通されているわけです」

犯罪アルゴリズムには、人々が思うよりも多くの限界がある。２０１３年、ランド研究所の研究チームが予測警察活動に関するよく知られた４つの神話を概説した[84]。１つ目は、将来何が起こるかをコンピュータは正確に知っているというもの。「こうしたアルゴリズムは将来の出来事のリスクを予測するもので、出来事そのものを予測するものではない」と彼らは述べている。２つ目は、関連のある犯罪データの収集から適切な勧告まで、コンピュータは何でもできるというもの。実際には、コンピュータが最も力を発揮するのは、警察活動に関して人間が行う分析や判断を補佐するときで、完全に取って代わるときではない。３つ目は、的確な予測をするために警官隊には高性能なモデルが必要なのだという神話。ところが実は、正しいデータの入手が厄介な場合が多い。「時には、データセットはあっても、予測に必要なデータが含まれていないこともあるのです」とラムは言う。

最後の、おそらく最も根強い神話は、正確な予測は自動的に犯罪の減少につながるというもの。「予測はあくまでも予測でしかない」とランド研究所のチームは書いている。「犯罪を実際に減らすには、そうした予測に基づいて行動を起こす必要がある」。したがって、犯罪を制御するには、当局はただ予測をするだけでなく、介入と予防に力を注がなければならない。それはほかの感染爆発でも同じだ。いまはイングランドの首席医務官を務めるクリス・ホウィッティによると、最良の数理モデルは必ずしも将来を正確に予測するモデルではない。大事なのは、僕たちの状況把握の欠落部分を明らかにできるような分析が含まれていることだ。「数理モデルは一般に、さまざまな政策判断に関して、常識では予測不可能な影響を見極める際に最も役に立つ」とホウィッティは指摘する。「決め手は通常、モデルが『正しいかどうか』ではなく、思いがけない洞察を提供できるかどうかなのだ[85]」

2012年、シカゴ警察は発砲事件に関与する可能性のある人物を予想するための「戦略的対象者リスト」（SSL）を導入した。このプロジェクトは、シカゴにおける社会的ネットワークと銃による暴力に関するアンドリュー・パパクリストスの仕事がひとつのきっかけとなって生まれた。パパクリストス自身はSSLから距離を置いている[86]。リストは特定の市民のリスクスコアを計算するアルゴリズムに基づいて作成される。開発者によればSSLは、性別や人種、居住地といった要素を明示する情報は含まない。とはいえ、どんな情報を入れているのか、数年間は明らかにされなかった。『シカゴ・サンタイムズ』紙からの圧力を受けて、シカゴ警察は2017年についにSSLのデータを公表した。データセットには、年齢、ギャングの構成員かどうか、以前の逮捕歴といったアルゴリズムに入れるための情報だけでなく、アルゴリズムが算出したそれぞれのリスクスコアも含まれていた。公表は好意的に受け止められた。「予測警察活動システムのもととなるデータが一般に公開されるのは非常にまれであり、貴重なことだ」と、社会的公正を求める組織、アップターン（Upturn）の一員であるブリアナ・ポサダスが記している[87]。

ＳＳＬデータベースには全部で40万人が登録され、そのうち29万人がハイリスクとされていた。アルゴリズムは入力情報として人種を明示してはいないものの、人種グループ間には顕著な差があった。シカゴの20代の黒人男性の半数以上がＳＳＬスコアをもっているのに対して、白人男性は６％だ。暴力犯罪と明らかなつながりのない人々も多く、「ハイリスク」の人の９万人前後は、逮捕されたり犯罪の被害者になったりしたことはなかった[88]。

そこで、そんなスコアでいったい何をするのかという疑問が湧く。警察は暴力とは何の関係もなさそうな人を監視すべきなのか？　シカゴでのパパクリストスのネットワーク研究が、銃による暴力の犠牲者に注目したものであって、加害者ではなかったことを思い出してほしい。分析の目的は命を救うことだった。「警察主導の対策につきものの危険のひとつは、どこかの段階でそうした努力の対象がもっぱら犯罪者になってしまうことだ」とパパクリストスが２０１６年に書いている。犯罪予防にデータが一定の役割を果たすことは確かだが、それが警察だけの仕事である必要はないと彼は言う。「データ解析学を使って銃撃事件の犠牲者になるリスクを算出するのは有望だが、その本当の将来性は警察活動にではなく、もっと幅広い公衆衛生対策にある」。犠牲者になると予想された人に、ソーシャルワーカーや臨床心理士、暴力遮断者といった人々からの支援を提供すればいい。彼はそう指摘する。

犯罪抑止の成功はさまざまな形で表れる。たとえば1980年代に西ドイツは自転車に乗る際のヘルメット着用を義務化した。その後の6年で、自転車の盗難が3分の2も減った。理由は簡単、不便になったからだ。もう出来心でとっさに盗むというわけにはいかず、前もって計画してヘルメットを持ち歩かなくてはならない。その数年前にオランダと英国も似たようなヘルメット条例を導入していた。両国とも盗難が大幅に減り、社会規範が犯罪発生率にどれほど影響を与えるかを示している。(89)

割れた窓を直せば犯罪が減る?

環境が犯罪をかたちづくるという考え方で一番有名なのが、「割れ窓理論」だ。1982年にジェイムズ・ウィルソンとジョージ・ケリングが唱えた説で、割れた窓のような、社会的秩序のささいな乱れを放置すると、それが広がってもっと重大な犯罪に発展するというもの。それを防ぐには、公共の秩序を回復し、維持すればいい。割れ窓理論は警官のあいだでもよく知られるようになり、特に1990年代のニューヨーク市では、この理論に触発されて、地下鉄の無賃乗車のような軽犯罪を厳しく取り締まった。こうした対策と軌を一にして市内の犯罪が大幅に減少したことから、軽犯罪の検挙がもっと重大な犯罪を止めたのだという主張が出てきた。[90]

割れ窓理論が採用されたやり方に違和感を抱く人々もいた。ケリング自身もその１人で、この理論はもともと、社会的秩序を取り上げたものであって、逮捕するためのものではないと指摘する。しかし、何をもって公共の秩序が乱されたとみなすかは、考え方の問題だ。あの人たちはあてもなくうろついているのか、それとも友人を待っているのか？　壁を埋め尽くしているのは落書きか、それともストリートアートか？　ケリングは、警官に頼んで地域の秩序を回復させてもらえばいいというような単純な話ではないと言う。「秩序の維持をほんとうに願う警官なら、『公共の場での立ち小便という行為に対して、ある人物は逮捕し、別の人物は逮捕しないのはなぜか？』という問いに満足のいく答えができなければならない」と２０１６年に語っている。「もし答えられないなら、『いやあ、常識的に見てそうでしょう』としか言えないなら、非常に心配だ[91]」

それに、軽微な犯罪を厳重に処罰したことが、ニューヨーク市の90年代の犯罪減少のおもな原因だったかどうかは、はっきりしない。犯罪減少が、割れ窓理論を応用した警察活動の直接の結果だという証拠はほとんどないのだ。その時期にはほかの米国の都市の多くでも、異なる戦略を用いて警察活動を行っていたにもかかわらず、犯罪が減っている。もちろん、だからと言って、割れ窓理論に基づく警察活動にはまったく効果がないというわけではない。落書きや放置されたショッピングカートのようなものがあると、人はゴミのポイ捨てや通行禁止の抜け道の使用などをしやすくなるという証拠がある。[92] これは、秩序のささいな乱れが別のささいな違反の呼び水になることを示している。この効果は逆方向にもはたらくように思われる。ゴミを拾うというような秩序の回復を目指す努力は、ほかの人たちにもきれいにしようという気を起こさせる。[93] しかし、そうした結果から、軽罪での逮捕で暴力の大幅な低下が説明できるという結論を引き出すのは、飛躍しすぎだ。

では、何が減少を引き起こしたのだろう? 経済学者のスティーヴン・レヴィットは、1973年以降、人工妊娠中絶を受けやすくなったことが一定の役割を演じていると述べている。その結果、望まれない子供の数が減ったが、成長して犯罪にかかわるようになるのはそうした子供たちだったのだというのだ。別の説では、20世紀半ばには子供が有鉛ガソリンや有鉛塗料に曝され、それがあとになって行動上の問題を引き起こしたのだとしている。曝露のレベルが低下したため、犯罪も減少したというのだ。実は、最近の報告によると、1990年代の米国での犯罪の減少についてでは、研究者のあいだでも24もの異なる説明が提示されていると判明した。[93] それらの説はおおいに注目されただけでなく批判も浴びているが、当の研究者たちはみな、簡単に答えられるような問いではないと認めている。実際には、犯罪の減少はさまざまな要因が組み合わさった結果である可能性が高い。[95]

これは長期にわたって起こる感染爆発にも共通する問題だ。なんらかの方法で介入したとしても、効果があったかどうか知るには長いあいだ待たなければならない。そのあいだにほかの変化もいろいろと進行するので、介入の効果を正確に測るのは難しくなる。暴力的な出来事についても同じように、長期の悪影響を調べるより、即座の影響に注意を集中するほうが簡単だろう。シャーロット・ワッツが、家庭内暴力は世代を越えて伝わることがあり、影響を受けた子供が大人になってから暴力にかかわるようになると指摘している。それなのに、介入手段を話し合うときにはこうした子供たちはしばしば置き去りにされる。「家庭内暴力が存在する家庭で成長する子供たちへの支援について、考える必要があります」と彼女は言う。

過去の事例を見ても、世代間伝播の分析は、伝播にかかる時間を考えると難しかった。[96]そこで公衆衛生の手法が役に立つと、疫学者のメリッサ・トレイシーは指摘する。疫学研究者は長期の状態の分析に経験があるからだ。「それが疫学の強みです。ライフコースという視点を持ち込むわけです」

オンライン交流の影響

公衆衛生対策を用いて犯罪を防ぐ手法は、米国でもほかの地域でも、極めて費用対効果が高いだろう。米国の普通の殺人事件による社会、経済、そして司法上の影響を総合すると、１件の殺人がもたらす損失は1000万ドルを超えると試算した研究がある。[97] 問題は、最も効果的な解決策が、人々にとって最も心地よい解決策とは限らないことだ。僕たちは悪人を罰していると感じたいのだろうか、それとも犯罪を少なくしたいのだろうか？「行動の変化に対しては、脅しや罰はそれほど効果がない」と、キュアバイオレンスのチャーリー・ランズフォードは言う。罰もある程度の効果はあるかもしれないが、たいていはその他の方法のほうがいいとランズフォードは指摘する。「ある人の行動を変えるうえで最終的に最も効果的なのは、腰を下ろしてじっくり話を聴き、怒りを吐き出させて、心からその人を理解しようと努めることだ。そのうえで、もっと健全な行動の仕方へと導く」

キュアバイオレンスのようなプロジェクトは、直接会って働きかけることに以前から主眼を置いてきたが、暴力の拡散にはオンラインでの交流がますます影響を及ぼすようになっている。「環境が変わった」とランズフォードは言う。「調整が必要だ。いまでは我々もソーシャルメディアをくまなくチェックする専門の人材を雇って、対応が必要な衝突を探させている」

犯罪や暴力に取り組む場合、人々がどのようにつながっているのかを理解すれば役に立つ。それは感染爆発にもあてはまる。ここまでの章で、喫煙やあくびから感染症や新たなアイディアまで、さまざまなことがらの伝染が現実の世界での接触によってどのように促進されるかを見てきた。しかし、オンラインでの影響の強さは、顔を合わせての交流と必ずしも同じではない。「暴力受容性に関する見解の伝染について考えると、オンラインでは見解の到達範囲は遥かに広いかもしれないが、それによって行動を起こす人は少数だろう」とワッツは言う。

これは多くの企業が関心を示す問題だ。ただし、彼らは一般に伝染の制御にはそれほど興味がない。オンラインでの感染爆発となると、逆の理由で伝播に関心を持つ傾向がある。彼らの望みはものごとを拡散させることなのだ。

第5章 オンラインでの感染

「あなたのナイキiD《アイディー》のオーダーはキャンセルされました」。2001年1月、ジョナ・ペレッティに1通のEメールが届く。カスタマイズされたスニーカーの購入サービスを利用しようとしていたのだが、問題は彼が注文した文言にあった。ナイキ社への挑戦の意味で、「スウェットショップ（搾取工場）」という言葉をスニーカーにプリントするよう依頼していたのだ[1]。

当時、マサチューセッツ工科大学のメディア・ラボに所属する大学院生だったペレッティは、ナイキ社と幾度かメールのやり取りをすることになる。会社は繰り返し、「不適切なスラング」を理由に、発注致しかねますというメールを寄越した。埒が明かないと見たペレッティは、一連のメールを数人の友人に転送することにした。すると、その多くが自分の友人に転送し、さらにその人たちが転送しというふうにどんどん転送され、数日で何千人にも広まった。まもなくこの話をメディアが取り上げた。2月の終わりには『ガーディアン』紙や『ウォール・ストリート・ジャーナル』紙に記事が載り、NBCはペレッティを「トゥデイ・ショー」に招いて、ナイキのスポークスパーソンと討論させた。3月には国際的な話題となり、ついにヨーロッパの新聞数紙にも載った。すべては、あのたった1通のメールから始まったのだ。「報道機関はナイキと僕の闘いをダビデとゴリアテの話にたとえているが、実際には、マスメディアにアクセスできるナイキのような会社と、使えるのはマイクロメディアだけというネット市民とのあいだの闘いなのだ」とペレッティはのちに書いている(2)。

メールが驚くほど遠くまで拡散したのは、単に偶然の成り行きだったのだろうか？　ペレッティの友人で院生仲間のキャメロン・マーロウはそう考えていたようだ。のちにフェイスブックのデータサイエンス部門の責任者となるマーロウは、1人の人間がそのような大事件を意図的に引き起こせるはずがないと思っていた。しかしペレッティは、もう一度やることもできると考えていた。この事件のすぐあと、彼にはニューヨークの非営利マルチメディア団体であるアイビームから仕事のオファーがあった。ペレッティはやがてアイビームの「伝染性メディア・ラボ」の責任者となり、オンラインのコンテンツに関する実験をするようになる。何がものごとに伝染性をもたせるのか、そして何が拡散を続けさせるのかを解明することが彼の望みだった。

その後数年かけて、彼はオンラインでの人気にとって重要な特性をまとめた。たとえば、新規のニュース種にジャンプできるようになっているとウェブサイトへの訪問数が増える。また、見解が両極端に分かれるような話題は露出が多くなり、一方、コンテンツの中身を絶えず変えるとユーザーを引きつけておける。ほかの人の投稿をシェアできる「リブログ」に先鞭をつけたのも彼のチームで、このアイディアはのちにソーシャルメディアでの拡散に大きな役割を果たす（ツイッターにリツイート機能がなかったら、あるいはフェイスブックに「シェアする」というボタンがなかったら、と想像してみてほしい）。ペレッティはやがて報道の世界に移り、『ハフィントン・ポスト』の創設に協力したが、伝染性についてのかつての実験を忘れることはなかった。結局、アイビーム時代の上司に、新しい種類のメディア企業の創設をもちかける。人気に関する自分たちの洞察を大掛かりな規模で応用した、伝染に特化した企業だ。ウイルス化したコンテンツのうねるような流れを、ひとつに束ねることを目指す。彼らはそれをバズフィードと名づけた。

ダンカン・ワッツは、スモールワールド・ネットワークに関する研究を発表してからほどなく、コロンビア大学の社会学科に職を得る。この期間に彼はオンラインのコンテンツにますます興味をもつようになり、やがてバズフィードの初期の顧問となる。映画の配役や蠕虫《ぜんちゅう》の脳のようなネットワーク構造におけるつながりの研究からスタートしたワッツだったが、ワールドワイドウェブには、利用できる新しいデータが豊富にあった。2000年代初めにワッツと同僚らはそうしたオンラインのつながりの探求を開始した。その過程で、情報の拡散について昔から信じられてきたいくつかの考えをひっくり返す。

インフルエンサー登場

当時、マーケティング業界では「インフルエンサー」という概念がもてはやされていた。社会的な流行現象を引き起こせる一般人のことだ。いまではその意味が変化して、影響力のある一般人だけでなく、著名人やメディア番組の司会者までを指すようになっている。しかしもともとの概念としては、口コミで流行を引き起こせる無名の個人を指していた。つまり、予想外の幅広いつながりをもつ少数の人を標的にすることによって、企業は何らかのアイディアをずっと遠くまで、ずっと少ないコストで拡散できるという考え方だ。オプラ・ウィンフリーのような有名人に自社の製品を宣伝してもらわなくても、底辺から熱烈なファンを積み上げることができる。「マーケティングに携わる人々がこれに関心をもったのは、少額の予算でオプラ並みの影響を実現できるからにほかならない」と、現在はペンシルベニア大学を本拠地にしているワッツは言う[3]。

このインフルエンサーの概念は、心理学者のスタンレー・ミルグラムによる有名な「スモールワールド」実験に触発されたものだ。１９６７年、ミルグラムは３００人の人々に、ボストン近郊のシャロンという町に住むある株式仲買人に伝言を届けるという課題を与えた[4]。結局、64件の伝言が目的地にたどり着いた。そのうちの４分の１が、地元で衣料品店を営むひとりの人物を経由していた。ミルグラムによると、株式仲買人はこの商人が自分と世界との最大のリンクらしいとわかって、ショックを受けたという。この平凡な商人が伝言の拡散にとってこれほど重要なら、ほかにも同じように大きな影響力をもつ人がいるのではないだろうか？

実はインフルエンサー仮説には多くの異説があると、ワッツは指摘している。「興味深いけれど正しくない説もあれば、正しいけれどつまらない説もある」とワッツは言う。興味深い説とは、ミルグラムの実験の衣料品店主のような特別な人がいて、社会的伝染に考えられないほど大きな役割を演じるというもの。もしそういう人を見つけられれば、巨額のマーケティング経費も著名人による宣伝もなしで、ものごとを拡散できる。魅力的なアイディアだが、綿密な吟味には耐えられない。２００３年、ワッツとコロンビア大学の同僚らはミルグラムの実験の再現を試みた。ただし今回はＥメールを使い、遥かに大規模に行った[5]。13カ国の18人を標的に選んで、約２万５０００人からメールの連鎖をスタートさせ、各参加者には、メッセージを特定の標的に到達させることを目指すよう頼んだ。ミルグラムのもっと小規模な実験では、衣料品店主が重要なリンクのように思われたが、Ｅメール連鎖ではそういうことは起こらなかった。それぞれの鎖のメッセージはさまざまな人々を通って流れ、同じ「インフルエンサー」が幾度も顔を出すということはなかったのだ。さらにコロンビア大学の研究チームは参加者に、なぜメールをその相手に送ったのか訊ねた。特に人気がある、つまり顔が広い相手に送ったというより、住んでいる場所とか職業といった特性をもとに、標的への到達しやすさを考えて、送る相手を選ぶ傾向があった。

実験の結果、メッセージが特定の標的に到達するには、広い人脈のある人々は必要ないことがわかった。しかしもし、単に何かをできるだけ遠くまで拡散することに関心があるとしたら、どうだろう？　ネットワークで顔の広い人――著名人のように――のほうが、その目的の実現に役立つのでは？　Ｅメール分析の数年後、ワッツたちはウェブリンクがツイッター上でどのように広がるか調査した。その結果、フォロワー数が多かったり、過去に何かをはやらせたことがあったりする人によって投稿されると、広く拡散しやすいように思われた。といっても保証の限りではない。そういう人たちもたいていは、大きな流行をつくりだすことなく過ごしている(6)。

影響力があり影響されやすくもある人はいるか？

そこで、インフルエンサー仮説のなかでも基本的な説に立ち戻ることになる。一部の人がほかの人より影響力が大きいという単純な考え方だ。裏づけとなる証拠はたくさんある。たとえば、２０１２年にシナン・アラルとディラン・ウォーカーは、フェイスブックのアプリの選択に友人がどれくらい影響を与えるか調べた。すると、友達承認しているペアでは、女性は男性に対して、女性に対するよりも45％多く影響を与え、30歳以上の人は18歳以下の人より50％影響力が大きいことがわかった。また、女性は男性よりも影響を受けにくく、既婚者は独身者より影響を受けにくいという結果になった[7]。

もしアイディアを拡散したいなら、理想を言えば、非常に影響を受けやすいうえに非常に影響力の強い人がいればいい。しかしアラルとウォーカーによれば、そのような人はごくまれだ。「影響力の強い人は影響を受けにくい傾向があり、影響を受けやすい人は影響力が弱い傾向がある。影響力が強くて影響も受けやすいという人はほとんどいない」と彼らは記している。では、影響力の強い人を標的にするとどのような効果があるのだろうか？　アラルの研究チームは後続研究で、社会的な流行を引き起こすのに最適な人々を選んだ場合にはどうなるかをシミュレートした。無作為に選んだ場合に比べると、効果的な標的を選べば、2倍も遠くまで拡散できる可能性があるとわかった。一応の前進ではあるが、1人で巨大な流行を引き起こせる無名のインフルエンサーという概念には程遠い[8]。

人から人へアイディアを広めるのはなぜ、これほど難しいのだろうか？　ひとつには、影響を受けやすいと同時に影響力が強いという人はめったにいないからだ。ある考え方を、影響を受けやすい大勢の人に広めたとしても、その人たちがそれをさらに遠くまで広げてくれるとは限らない。それに、人と人との相互作用の構造の問題もある。金融ネットワークが「異類結合」であり、大銀行がたくさんの小銀行と結びついているのに対して、人と人の社会的ネットワークはその逆の傾向がある。村の共同体からフェイスブックの友達承認まで、人気のある人は別の人気のある人とグループをつくるという証拠がある[9]。これは、少数の人気者を標的にすれば口コミで急速に広げることができるかもしれないが、その流行はネットワークの大部分には到達しないことを意味する。したがって、ネットワークのあちこちで多くの流行を引き起こすほうが、ある共同体内部で注目を浴びるインフルエンサーを見つけようとするよりも効果がある(10)。

ワッツは異なるインフルエンサー説が混同されがちなことに気づいた。隠れたインフルエンサー――ミルグラムの実験の商人のような――を発見して、その人たちを使って何かを広めたと主張する人々がいる。しかし実際には、単にマスメディアによるキャンペーンを行ったり、著名人に対価を支払ってオンラインで商品を宣伝したりしているだけで、口コミでの伝播は事実上行っていない場合が多い。「人々は不注意から、あるいは意図的に、異なる説を合体させ、つまらないことがおもしろいことに聞こえるようにしている」とワッツは言う。

インフルエンサーを巡る論争は、僕たちがオンラインの情報にどのように曝されているのか考えてみる必要があることを示している。なぜ僕たちは、あるアイディアを採用して、ほかのアイディアは採用しないのか？　理由のひとつは競合だ。意見もニュースも製品も、僕たちの注意を引こうと互いに闘っている。生物学的な伝染でも、似たような効果が見られる。インフルエンザやマラリアのような病気の病原体には実は多くの型があり、感受性のある人間を巡って絶えず競争している。ひとつの型があらゆるところで優勢にならないのはなぜだろう？　僕たちの社会的な行動に一部関係があるかもしれない。もし人が緊密で排他的な派閥を複数つくれば、多様な型が集団内にいつまでも残れる。それぞれの型が別々の派閥内に自分の縄張りを見つけることができ、ほかの型といつまでも競争しなくてもすむからだ。[11] そうした社会的な相互作用で、オンライン上に極めて多様な考え方や意見が存在することも説明できるだろう。ソーシャルメディアでは、政治姿勢から陰謀説まで、類似の世界観の人々がその周りにしばしば集まる。[12] すると、自分とは相いれない見解にはめったに耳を貸さないという「エコーチェンバー現象」が生じる可能性がある。

反ワクチンとエコーチェンバー現象

声高に主張するオンライン共同体のひとつに反ワクチン運動がある。メンバーは、はしかとおたふくかぜと風疹の3種混合（ＭＭＲ）ワクチンが自閉症を引き起こすという、人気があるけれども根拠のない主張を中心に集まっている場合が多い。この風評は１９９８年に、ある論文をもとに始まった。その後、結果の真偽が疑われて論文は撤回され、研究を主導したアンドリュー・ウェイクフィールドはのちに英国の医師免許をはく奪されている。あいにく、英国のメディアがウェイクフィールドの主張を取り上げて詳しく説明した。[13] そのためＭＭＲワクチンの接種率が低下して、接種していない子供たちが何年かあとに学校や大学という混雑した環境に入ったとき、大きな流行が幾度か起こっている。

英国では２０００年代にＭＭＲについての風評が蔓延したが、海峡の反対側ではまた別の不確かな情報が注目を浴びていた。英国ではＭＭＲがマスコミの否定的報道の的になったのに対して、フランスのメディアは、Ｂ型肝炎ワクチンと多発性硬化症との関連について、証明されていないにもかかわらず憶測を流した。もっと最近では、日本のメディアが子宮頸がんワクチンについて否定的な報道をし、ケニアでは破傷風ワクチンに関する21年も前の風評が再び現れた[14]。

医学に対する懐疑的な態度はいまに始まったことではない。何世紀にもわたって、病気の各種の予防法は疑問視されてきた。エドワード・ジェンナーが１７９６年に天然痘のワクチンを見つける前、一部の人々は「人痘接種法」という方法を用いて天然痘のリスクを下げようとした。16世紀中国で考案された方法で、健康な人を天然痘患者の乾いたかさぶたや膿汁に曝す。軽い感染を起こさせて、ウイルスに対する免疫をつけさせようとするのだ。この方法にもリスクがあり、２％前後は死に至るが、天然痘に罹った場合の死亡率30％に比べれば、リスクははるかに小さい[15]。

人痘接種法は18世紀イングランドで普及したが、リスクに見合うほどの効果があったのだろうか？　フランスの作家ヴォルテールの観察によれば、ほかのヨーロッパ人は、そんな方法を使うイングランド人は愚かで常軌を逸していると考えていた。「愚かというのは、子供が天然痘に罹らないようにと天然痘に接触させているからであり、常軌を逸しているのは、不確かな害悪から護るためだけに、無謀にも子供をある恐ろしい病気に感染させているからだ」。彼は逆向きの批判もあることに気づいた。「一方、イングランド人はほかのヨーロッパ人を臆病で異常だと評した。臆病というのは、子供たちに少々の痛みを与えることを恐れているからであり、異常というのは、子供たちをいずれ天然痘で死ぬリスクに曝しているからだ」[16]（ヴォルテール自身は天然痘に罹って生き延びた経験をもち、イングランド人の対処法を支持した）。

1759年、数学者のダニエル・ベルヌーイが論争を終わらせようと決心した。天然痘感染のリスクが人痘接種によるリスクを上回るかどうか見極めるため、彼は史上初の感染爆発モデルを考案した。天然痘の伝播パターンをもとに推定したところ、人痘接種法はその手法による死亡のリスクが10％以下である限り、平均余命を伸ばすという結果になった。そして実際にリスクは10％以下だった[17]。

現代のワクチンについては、恩恵とリスクのバランスは遥かに明確だ。一方には、MMRのような圧倒的に安全で有効なワクチンがあり、もう一方には、はしかのような致命的な感染症がある。したがって、ワクチンの接種拒否の蔓延は一種の贅沢と言える。ワクチンのおかげでここ何十年もそうした感染症がほとんど見られない場所に住んでいる人々だけに許された贅沢なのだ[18]。2019年のある調査によると、ヨーロッパ諸国ではアフリカやアジアに比べて、ワクチンに対する信頼がずっと低い傾向がある[19]。

ワクチンに関する風評は伝統的にその国特有のものだったが、デジタルの世界でのつながりの増大がそれを変えつつある。いまでは情報がオンラインで速やかに拡散し、自動翻訳機能のおかげで、ワクチンに関する神話が言葉の壁を簡単に越える。[20] その結果ワクチンへの信頼が低下すれば、子供の健康に悲惨な結末をもたらしかねない。はしかは非常に伝染力が強いため、流行を防ぐには少なくとも集団の95％にワクチン接種をする必要がある。[21] 反ワクチンの信念が広がってしまった地域ではいま、流行が起こっている。近年、ヨーロッパでは何十人もはしかで亡くなっているが、ワクチン接種率がもっと高ければ容易に防げたはずの死だ。[22]

そうした反ワクチンのような運動の出現で、オンラインでのエコーチェンバー現象の可能性に注目が集まっている。しかし、ソーシャルメディアのアルゴリズムは、僕たちと情報との相互作用を実際にどれほど変えたのだろうか？　なにしろ、僕たちはオンライン上の知り合いだけでなく、現実の世界で知っている人々とも考えを共有している。オンラインでの情報の拡散は、すでに現実の世界に存在するエコーチェンバー現象の反映に過ぎないのだろうか？

ソーシャルメディアがエコーチェンバー現象を加速する

ソーシャルメディアでは、おもに3つの要因が、僕たちが何を読むかを左右する。接触相手の1人がある記事をシェアするかどうか、その記事が僕たちのフィードに現れるかどうか、そして僕たちがそれをクリックするかどうか、の3つだ。フェイスブックのデータによると、3つの要因すべてが、情報の消費に影響を及ぼす。フェイスブックのデータサイエンスチームが2014年から2015年にかけて米国のユーザーの政治的意見を調べたところ、人々は自分と似た考え方に曝される傾向があるとわかった。友達承認の段階で、すでにそういう選択がはたらいているからだ。そうした友達が投稿したコンテンツのうち、フェイスブックのアルゴリズム――ユーザーのニュースフィードに何が表示されるかをこれが決める――が、対抗する政治的見解のさらに5〜8%を除外する。そして人には、目にするコンテンツのうち、自分の政治姿勢と対立する記事はあまりクリックしない傾向がある。また、フィードのトップに現れるコンテンツをクリックする確率が遥かに高いことは、注目を巡ってコンテンツがどれほど激しく争わなければならないかを示している。したがって、もしエコーチェンバー現象がフェイスブックに存在するなら、それは友達承認の選択から始まるわけだが、その後ニュースフィードアルゴリズムによってさらに肥大化しうることがわかる。[23]

その他の情報源から得る情報についてはどうだろう？　同じように偏っているのだろうか？2016年、オックスフォード大学、スタンフォード大学、マイクロソフトリサーチの研究者が、アメリカ人5万人のウェブ閲覧のパターンを調べた。すると人々がソーシャルメディアや検索エンジンで見る記事は一般に、彼らがお気に入りのニュースサイトで出くわすものよりもさらに偏っていることがわかった。[24]　とはいえ、ソーシャルメディアや検索エンジンは人々をもっと多様な考え方にも曝していた。いっそうイデオロギー色の強い内容のものもあったかもしれないが、自分と対立する考え方も、もっと見る機会が得られたのだ。

これは矛盾しているように思われるかもしれない。もしソーシャルメディアが僕たちを従来のニュースソースよりも幅広い情報に曝すなら、なぜそれがエコーチェンバー現象の鎮静化を助けないのだろうか？　オンライン情報に対する僕たちの反応にも、一因があるのかもしれない。デューク大学の社会学者が、米国のボランティアに自分とは逆の考え方をするツイッターのアカウントをフォローさせたところ、その後、自分の政治的な見解にますます固執する傾向が見られた。(25) 平均して、共和党員はさらに保守的になり、民主党員はいっそうリベラルになったのだ。これは第3章で述べた「バックファイア効果」とまったく同じというわけではない。ボランティアたちは自分の信念に異議を申し立てられたわけではないからだ。それでも、政治的な断絶を緩和するのは、オンラインで新しいつながりをつくるほど簡単ではないことを示している。現実の生活でもそうだが、僕たちは自分が賛成できない見解に曝されるのを不快に思うのだろう。(26) 顔と顔を合わせて有意義な会話をすれば、偏見や暴力の場合にそうだったように態度を変えるのに役立つが、オンラインのフィードでさまざまな意見を閲覧しても、同じ効果が得られるとは限らない。

コンテクストの崩壊

対立をつくりだすのはオンラインのコンテンツそのものだけではない。コンテンツの背景にも一因がある。オンラインでは、実生活ではそれほど遭遇しないようなアイディアや共同体に数多く出くわす。そのため、もし誰か1人を念頭に何かを投稿し、それがほかの人にも読まれた場合、争いに発展することもある。ソーシャルメディア研究者のダナ・ボイドはこれを「コンテクスト崩壊」と呼ぶ。実生活では、親しい友人とのおしゃべりと仕事仲間や見知らぬ人との会話では、話し方がまったく違う。友人なら僕たちのことをよく知っているので、誤解される恐れなしに気楽なおしゃべりができる。ボイドは、対面でもコンテクスト崩壊が起こりうる例として、結婚式のような行事を指摘している。友人たちを念頭に置いたスピーチは新郎新婦の親族に不快感を抱かせかねない。たいていの人は、新郎付添人が逸話を披露してそうした失敗を犯し、冗談が不発に終わるのを、白けた思いで聞いていた経験があるはずだ。しかし結婚式が（通常は）綿密に計画されたものであるのに対して、オンラインでの交流では、友人、家族、仕事仲間、他人がすべて、偶然同じ会話に参加していることもありうる。コメントの背景があっさり無視されて、困惑から口論が生まれるかもしれない[27]。COVID－19のパンデミック中には、多くの疾病研究者がツイッター上でこのコンテクスト崩壊に遭遇した。それまで専門家仲間の意見交換に使っていたプラットフォームが、にわかに一般のスポットライトを浴びる事態になったからだ。２０２０年には僕自身、何の気なしに投稿したコメントや観察結果がメディアに広く引用されるという経験を何度かした。半年前だったら、そうしたツイートはごく少数の同業者の興味しか引かなかったことだろう。

ボイドによれば、背景は時とともに変わることもあり、特に成長に伴って変わる。「ティーンエイジャーのコンテンツは、たとえ公開されていても、たいていは、あらゆる時、あらゆる場所のあらゆる人々に読まれることは想定していない」と２００８年に彼女は書いている。ソーシャルメディアで育った世代が大人になるにつれ、この問題はいっそう頻繁に顔を出すようになるだろう。そのときの背景から切り離された状態で見れば、過去の投稿の多く――オンラインに何十年も残ることがある――は、不適切だったり軽はずみだったりするように思われるものだ。

オンラインでのコンテクスト崩壊が悪用される場合もある。「荒らし」はオンラインでの嫌がらせを広く指す用語になっているが、初期のインターネット文化では悪意からというよりイタズラ心から出た行為だった。[28]狙いは、信じがたいような状況への率直な反応を引き出すことにあった。ジョナ・ペレッティのバズフィード以前の実験の多くがこの手法を用いており、一連のオンライン悪ふざけで注目を浴びた。

その後、「荒らし」はソーシャルメディアの討論における効果的な戦術となっている。実生活と違って、オンラインでの交流は事実上、舞台の上で演じられる。もし「荒らし」によって対抗者の一見大げさな反応を引き出せれば、全体の背景を知らずにたまたま出くわした観客には受ける。対抗者のほうは、たぶん理に適った論点をもっているのだろうが、結局バカに見えてしまう。かつてヴォルテールは、「おお、主よ、わたしの敵を滑稽に見せてください」と言ったものだ(29)。

「荒らし」をする人の多くは、悪ふざけであれ嫌がらせであれ、実生活ではそうした行動をとらない。心理学者はこれを「オンライン脱抑制効果」と呼ぶ。対面の反応と実生活でのアイデンティティから切り離されると、人はまったく違う人格を身にまとうことがある(30)。ただしこれは単に、少数の人々が「荒らし」をしようと待ち構えているという意味ではない。オンラインでの反社会的行動の分析によって、どんな人でも状況しだいで「荒らし」をするとわかったのだ。特に、険悪な気分だったり、会話に加わっているほかの人たちがすでに「荒らし」をしていたりすると、自分もそうなりやすい(31)。

インターネットは格好の実験場

インターネットからは、新しいタイプの相互作用だけでなく、ものごとの広がり方を研究する新しい方法も生まれている。感染性疾患の分野では一般に、ロナルド・ロスが1890年代にマラリアでやろうとしたように人を故意に感染させて広がり方を見ることはできない。現代の研究者が感染症を研究しようと思えば、その研究は通常、小規模で高価なうえに、念入りな倫理審査にしたがったものとなる。たいていは、観察データを頼りに、感染爆発に関して、「もしこうだったら？」と問う数理モデルを使うしかない。しかしオンラインでは違う。比較的安価にしかも簡単に、故意に伝染を引き起こせる。たまたまソーシャルメディア企業を運営していれば、願ったりかなったりだ。

もし、よくよく注意していたなら、何千人というフェイスブックのユーザーは、２０１２年１月11日に友達がいつもよりわずかに幸せそうだったことに気づいたかもしれない。同時に、ほかの何千人かは友達が予想より悲しそうだったと気づいたかもしれない。ところが、たとえ友達の投稿の何らかの変化に気づいたとしても、それは友達の本来の変化ではなかった。

フェイスブックとコーネル大学の研究者が、オンラインで感情がどう拡散するかを調べたいと考え、人々のニュースフィードに１週間のあいだ手を加えて、どうなるか追跡したのだ。研究チームは結果を２０１４年初めに発表した。人々が目にする内容を微調整した結果、感情に伝染性があるとわかったという。肯定的な投稿を少ししか目にしなかった人々は、平均して自分もあまり肯定的でない投稿をしたし、逆もまた真だった。いまから見るとこの結果は別に意外ではないかもしれないが、当時は世間一般の常識に反していた。この実験以前には多くの人が、フェイスブックで楽しそうなコンテンツを見ると、劣等感に苛まれて気分が落ち込むと信じていた[32]。

すぐにこの研究そのものが大量の否定的感情を誘発し、数人の科学者やジャーナリストがそのような研究の倫理的な妥当性に疑問を投げかけた。「フェイスブック、秘密実験でユーザーの気分を操作」という見出しが『インデペンデント』紙に登場した。ユーザーが快く研究に参加するかどうかを訊ねて、あらかじめ同意を得るべきだったという論調が目立った。[33]

デザインが人々の行動にどう影響するかを調べるのは必ずしも倫理に反することではない。実際、医療機関はいつも無作為化実験を行って、健康的な行動をどのようにして促すか、ひねり出そうとしている。たとえば、ガン検診に関するあるタイプの催促状を一部の人に送り、別の人たちには違うタイプの通知を送って、どちらがいい反応を引き出したかを見る。[34] こうした種類の実験がなければ、特定の方法が実際に人々の行動をどの程度変えたかを知るのは難しい。

とはいえ、もし実験がユーザーに有害な影響を与える可能性があるなら、研究者は代わりの方法を考える必要がある。フェイスブックの実験では、「自然な実験」の機会――雨降りのような――を待って、人々の感情の状態を変えることもできたはずだ。もっと少ないユーザーで同様の調査をすることもできただろう。しかしたとえそうだとしても、前もって同意を得ることはやはり不可能だったかもしれない。著書の『ビット・バイ・ビット』(滝川裕貴他訳、有斐閣)で社会学者のマシュー・サルガニックは、心理学の実験の場合、何を調べられているか人々が知っていると、結果の信憑性が損なわれる恐れがあると指摘している。フェイスブックの実験の参加者も、感情についての研究だと最初から知っていたら、違う行動をしていたかもしれない。とはいえ、心理学の研究では、自然な反応を得るためにたとえ被験者を欺いたとしても、実験後に目的や理由を明かすことが多いと、サルガニックは記している。

実験の倫理性に関する議論のほかに、この研究の感情伝染の程度についても、幅広い研究者から懸念が提起された。大きかったからではなく、あまりにも小さかったからだ。実験では、ユーザーが肯定的なフィードをあまり目にしないと、彼らの近況アップデート中の肯定的な言葉の数が平均して0・1％少なくなるという結果が出ていた。同様に、否定的な投稿をあまり目にしないと、否定的な言葉が0・07％少なくなった。

巨大な規模の実験では、もっと小規模な実験なら検出されないような非常に小さな効果を検出してしまうという、予想外の問題が起こる場合がある。フェイスブックの実験にはあまりにも多くのユーザーが含まれていたため、信じられないほどささいな行動変化を識別できたのだ。研究チームは、ソーシャルネットワークの大きさを考えると、それくらいの違いでも重要だと主張した。「2013年初めなら、これは近況アップデートにおける1日あたり何十万もの感情表現に相当しただろう」。しかし一部の人々は納得しなかった。「たとえその主張を受け入れるとしても、感情の拡散に関するもっと一般的な科学的疑問についてはこのサイズの効果が重要かどうか、やはり明確でない」とサルガニックは書いている。

伝染の研究では、ソーシャルメディア企業は極めて有利だ。伝播プロセスを細かくモニターできるからだ。フェイスブックの感情実験の場合、誰が何を投稿し、それを誰が見て、どんな効果が表れたか、研究者はすべて知ることができた。外部のマーケティング会社にはそのようなレベルのアクセス権はないので、代わりの測定手段に頼ってアイディアの人気を推定するしかない。たとえば、ある投稿を何人がクリックしたりシェアしたりしたか、あるいは「いいね！」やコメントをいくつ獲得したかを追跡する。

どんな種類のアイディアがオンラインで人気になるのだろう？　２０１１年、ペンシルベニア大学のジョーナ・バーガーとキャサリン・ミルクマンが、『ニューヨーク・タイムズ』紙のどの記事がほかの人にメールされるかを調べた。３カ月かけてデータを集め、総数７０００前後の記事について、その特徴だけでなく、それが「多くメールされた記事リスト」に入るかどうかも記録した[35]。その結果、強い感情的な反応を引き起こす記事がシェアされやすいことがわかった。畏敬の念のような肯定的な感情でも、怒りのような否定的な感情でもいい。それに対して、悲しみのようないわゆる「不活発にする」感情をもたらす記事はそれほどシェアされなかった。ほかの研究者も似たような効果を発見している。たとえば、人は嫌悪感を掻き立てるような話を拡散したがる傾向があるという[36]。

とはいえ、感情だけが、ニュース記事が記憶にとどまる理由ではない。『ニューヨーク・タイムズ』紙の記事の感情的な内容を考慮することで、バーガーとミルクマンは記事がどれだけ広くシェアされたかの違いの約7%を説明できた。つまり、違いの93%は何かほかの要因のせいということになる。これは、人気が感情的な内容だけに左右されるのではないからだ。バーガーとミルクマンの分析によると、意外性とか実際的な価値という要素も、記事がシェアされるかどうかに影響を与える。記事の状況も影響を与え、いつ投稿されたか、ウェブサイトのどのセクションにあるか、書き手は誰か、といったことが人気を左右した。こうした付加的な要素も考慮すると、人気の差の原因をもっと的確に説明できた。

コンテンツも進化しなければ生き残れない

拡散に成功したコンテンツと成功しなかったコンテンツを細かく調べることで、少なくとも理論上は、何が伝染力の強いツイートや記事をつくるのか特定できるだろうと考えたくなる。しかし、たとえ人気の鍵となる特性をどうにか突きとめたとしても、そうした結論は長続きしないかもしれない。技術研究者のゼイネップ・トゥーフェクチが、オンラインプラットフォームを使うにつれ、人々の興味の的が明らかに変化すると指摘している。彼女は、たとえばユーチューブではお勧めビデオのアルゴリズムが不健全な嗜好を助長して、人々をどんどん、オンラインの底なし沼に引きずり込んでいるのではないかと考えている。「ユーチューブのアルゴリズムは、視聴のスタート時よりもさらに極端なコンテンツ――つまり一般に扇情的なコンテンツに、人は引き寄せられるものだと結論づけているように思われる」と２０１８年に書いている。[37] 興味がそういうふうに移り変わるなら、新しいコンテンツは進化しなければ――よりドラマチックに、より刺激的に、より度肝を抜くようにならなければ――、先行したものよりも少ししか注意を引かないことになる。この場合、進化とは進歩することではない。生き残りを目指すことだ。

同じ状況は生物界にもある。多くの種は、単に競争相手に後れを取らないために、適応しなければならない。人間が抗生物質を見つけて細菌感染症を治療するようになると、一部の細菌は進化して、よく使われる薬に耐性を示すようになった。すると人間はさらに強力な抗生物質に助けを求めたため、細菌にはさらに進化を促す圧力がかかった。治療薬はしだいに過激になったが、それでようやく、何十年も前にもっと弱い薬がもたらしていたのと同じ効果が得られるありさまだ[38]。生物学ではこの軍拡競争を、ルイス・キャロルの『鏡の国のアリス』（河合祥一郎訳、KADOKAWA）の登場人物にちなんで「赤の女王効果」と呼んでいる。鏡の国では走ってもどこにも行きつかないと文句を言うアリスに、赤の女王が、「ここでは、全力で走ってやっと、同じ場所にとどまれるのです」と応えるのだ。

この進化のランニングは変化についての話だが、伝播についても同じことが言える。たとえ細菌に新しい変異型が出現しても、それが人間の集団に自動的に広がるわけではない。同じように、オンラインに新しいコンテンツが現れても、人気が出るという保証はない。誰でも、オンラインで広く拡散した新しい話題やアイディアのことは知っているが、注目されずに消えていった投稿――たぶん僕のも含め――があることも知っている。ではオンラインでの人気というのはどれくらいありふれたものなのだろう？　典型的な流行はいったいどんなふうに見えるのだろう？

ヒッグス粒子の噂の拡散過程

ヒッグス粒子についての噂は、最初はじわじわと広がった。２０１２年７月１日、ツイッターのユーザーたちが、「神の粒子」というあだ名の捕まえにくい粒子がついに発見されたのではないかという憶測を流し始めた。もともと１９６４年にピーター・ヒッグスによって存在が示唆された粒子で、原子より小さな世界を表すジグソーパズルにおいて、欠けている重要なピースだった。素粒子物理学の法則によれば存在するはずだが、まだ実際に観察されたことはなかったのだ。

まもなくそれは変わることになる。ツイッターでの噂は最初、イリノイにあるテバトロン粒子加速器でその粒子が発見されたと主張していた。噂はこの頃、ほぼ毎分１人の新しいユーザーという割で大きくなっていった。翌日、テバトロンの研究者が、ヒッグス粒子が存在するという、有望ではあるが確定的とは言えない証拠をついに見つけたと発表した。ツイッターでの流行は加速し、ますます多くのユーザーが加わって、注目はＣＥＲＮ（欧州原子核研究機構）の大型ハドロン衝突型加速器に向かった。この最新の噂は本当だと判明する。２日後、ＣＥＲＮ

の研究者が、実際にその粒子を見つけたと宣言したのだ。発見に対するメディアの関心が大きくなるにつれ、ツイッターでの流行に加わる人がさらに増えた。翌日くらいには毎分500人以上のユーザーが加わるまでになったのち、まもなくピークに達する。最初の噂が現れてから5日後の7月6日には、この話に対する関心は劇的に低下していた[39]。

ヒッグス粒子の噂が始まったときには、一部のユーザーが発見の可能性について投稿し、ほかの人たちがそのコメントを自分のフォロワーにリツイートした。こうしたリツイートの最初の数百がどのようにつながっていたかに注目すると、伝播の様相には非常に大きな違いのあることがわかる（次頁の図を参照）。大部分のツイートはそれほど遠くまで行かず、1人か2人にニュースを広げただけだ。ところが伝播ネットワークの中央にはリツイートの大きな連鎖があり、大規模な伝播イベント2つが含まれ、1人のユーザーが多くの人々に噂を拡散している。

伝播におけるこのような多様性は、オンラインでのシェアではよく見られる現象だ。2016年、当時マイクロソフトリサーチを本拠地にしていたダンカン・ワッツは、スタンフォード大学の共同研究者とともに、ツイッター上でのシェアの「カスケード」を調べていた。研究チームは6億2000万件を超えるコンテンツを追跡し、ほかの人にシェアされたリンクをどのユーザーがリツイートしていたかに注目した。一部のリンクは伝播の長い鎖を経て多くのユーザーに渡された。その他は、つかの間、勢いがあったが、ずっと早く消滅した。まったく広がらないものもあった[40]。

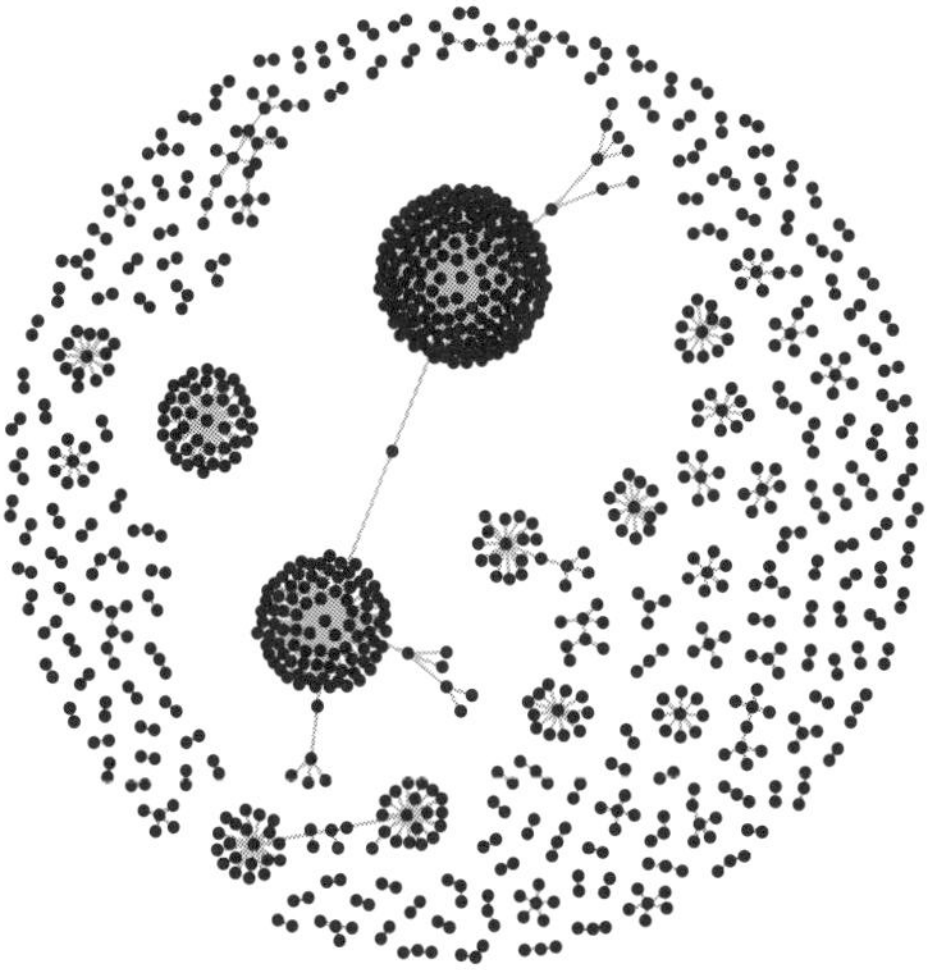

2012年７月１日におけるヒッグス粒子についての噂の最初のリツイート。各点はユーザーを表し、線はリツイートを表す。データ：De Domenico et al., 2013。

感染性疾患の場合、すでに見たように、感染爆発には両極端のタイプがある。片方は「共通感染源」によるもので、食中毒のように、全員が同じ感染源から感染する。もう片方は伝播型感染爆発で、人から人へ広がる。オンラインカスケードにも似たような違いがある。コンテンツが単独の源から大勢に広がる――マーケティングでは「ブロードキャストイベント」と呼ばれる――こともあれば、ユーザーからユーザーへ順に伝わっていくこともある。スタンフォード大学とマイクロソフトの研究者たちは、ブロードキャストイベントが大きなカスケードの決定的な要素であることを発見した。ツイッターの投稿１０００件につきおよそ１件が１００以上の「シェアする」を獲得したが、伝播型の伝染で広がったのはそのごく一部だった。拡散した投稿については、その成功の陰には一般にひとつのブロードキャストイベントがあった。

オンラインでの伝染について話すときは、人気が出たものだけを取り上げたいという誘惑に駆られる。しかしそれでは、話題になることなく消えるものが大多数だという現実を無視することになる。マイクロソフトの研究チームは、ツイッターカスケードの95％前後が、誰もシェアしない単独のツイートからなることを発見した。残りのカスケードについても、シェアという点では、大半がさらにワンステップ進んだだけだった。その他のオンラインプラットフォームでも、同じだった。何かが拡散するのは非常にまれなことで、たとえ拡散したとしても、数世代の伝播より遠くへは広がらない。ほとんどのコンテンツはそれほど伝染力がないのだ。(41)

威力の低い感染を正しく評価する

前の章で取り上げたシカゴでの発砲事件の突発的流行では、一般に少数の出来事のあと、伝播は終息していた。同じように、人間の集団に時々思い出したように現れる病気がいくつかある。たとえば、鳥インフルエンザウイルスのH5N1やH7N9のような型は家禽に大きな感染爆発を引き起こしているが、人間にはあまり広がらない（少なくともいまのところは）。

あまり効果的に広がらないものの場合は、どのような種類の感染爆発になると考えられるだろう？　ある感染性疾患が広がる可能性があるかどうか、再生産数Rを使って見積もる方法をすでに紹介した。もしRが1という決定的な数を超えれば、大きな流行になる可能性がある。しかし、たとえRが1未満でも、感染した人が誰かほかの人に病気をうつすことはありうる。あまりありそうもないが、不可能ではない。したがって、再生産数がゼロでない限り、たまには2次感染がいくらか起こると考えたほうがいい。断続的な感染爆発が最終的に終息する前に、そのような新規感染者からさらに何世代かの感染者が生まれるかもしれない。

断続的な感染症の再生産数がわかれば、感染爆発が平均してどれくらいの大きさになるか予測できるだろうか？　便利な数式のおかげで、可能なことがわかっている。その考え方は感染爆発分析に欠かせないものになっているだけでなく、ジョナ・ペレッティとダンカン・ワッツがバズフィードを立ち上げた時期に、ウイルス性マーケティングに取り組む方法のもとになったものでもある。[42]

1人の感染者から感染爆発がスタートすると仮定してみよう。当然、この最初の感染者はR人の二次感染者を生む。そしてその2次感染者がさらにそれぞれR人の感染者を生むと、新規感染者は全部でR^2人となる。このようにしてずっと続いていくので、

$$感染爆発サイズ＝1＋R＋R^2＋R^3＋\cdots$$

となる。

値をすべて合算すれば、予想される感染爆発サイズが得られる。しかし幸いなことに、もっと簡単な方法がある。19世紀に、このような数列に応用できる簡潔な法則のあることが証明されたのだ。Rがゼロと1のあいだの数なら、次の等式が成り立つ。

$$1+R+R^2+R^3+\cdots=1/(1-R)$$

つまり、再生産数が1未満なら、予想される感染爆発サイズは1／（1－R）に等しい。たとえ19世紀の数学には特に興味がなくても、この近道がどれほど役に立つか、ちょっと考えてみる価値はある。感染症が伝播のひとつの世代から次の世代へと断続的に進み、ようやく消滅するのをシミュレートしなくても、再生産数から直接、最終的な感染爆発サイズを推定できるのだ[43]。たとえば、もしRが0・8なら、1／（1－0・8）＝5なので、全部で5人の感染者からなる突発感染になると予想できる。それだけではない。平均感染爆発サイズから逆算して、再生産数を推定することもできる。もし平均5人の患者からなる突発感染なら、Rは0・8ということになる。

僕の研究分野では、いつもこの概算を使って、新規の感染症の脅威を推定する。2013年初めに中国で130人のH7N9鳥インフルエンザ患者が出た。その大半は家禽との接触で感染したものの、人のあいだでの伝播によると思われる感染クラスターが４つあった。[44] 大部分の人はそれ以上誰にもうつさなかったため、ヒトのＨ７Ｎ９突発感染の平均サイズは１・04人で、ヒトでのＲはわずか０・04と推定された。

こうした考え方は病気以外の分野でも役に立つ。２０００年代中頃に、ジョナ・ペレッティとダンカン・ワッツは同じ手法を宣伝キャンペーンに応用した。それによって、キャンペーンの経過が見たところどうだったかをただ描写するだけでなく、あるアイディアの潜在的な伝染性をつかむことができた。たとえば２００４年に、銃による暴力に反対する団体「ブレイディ・キャンペーン」が、新しい銃規制手段への支持を依頼するＥメールを人々に送った。受け取った人にはそのメッセージを友人に送るよう促し、そうやってメッセージが次々に伝わっていった。結局、発送された各メールにつき平均して２・４人前後が、メッセージを見た。この感染爆発サイズをもとに計算すると、キャンペーンの再生産数は約０・58だった。その次のＥメールによるキャンペーンはハリケーン・カトリーナの救援資金を募るためのもので、このときのＲは０・77だった。とはいうものの、常にそれほど多くの伝播が起こるわけではない。販売担当重役が、洗浄剤についてのコマーシャルを拡散しようとしている場合を考えてみよう。ペレッティとワッツは、タイドコールドウォーターという洗剤のＲがわずか０・04（つまりＨ７Ｎ９鳥インフルエンザと同じ）であることを発見した。カトリーナのメールの大半が多くの人のあいだに拡散したのに対して、タイド洗剤の宣伝の突発的増加の99％以上が、たった１回の伝播イベントのあと、つまずきながら終息に向かった[45]。

大きな感染爆発につながりそうもない感染症を、なぜわざわざ評価しようとするのだろうか？　それは生物学的な病原体については、新しい宿主によりよく適応するようになるのではないかという懸念が常にあるからだ。たとえ小規模な感染爆発であっても、その最中にウイルスが、もっと伝播しやすくなる変異を身につける可能性があるのだ。そして、感染する人が多いほど、そうした適応が起こる機会も増える。ＳＡＲＳが２００３年２月に香港で大きな感染爆発を引き起こす前、中国南部の広東省で一連の小さな感染クラスターが発生していた[46]。２００２年11月から２００３年１月にかけて、広東省では７件の突発的流行が報告されており、それぞれの患者数は１〜９人だった。感染爆発サイズは平均５人で、Ｒがこの時期には０・８だったことを示している。ところが２カ月ほどあとの香港での感染爆発の際には、ＳＡＲＳのＲは２以上というはるかに厄介な値になっていた。

感染症の再生産数が大きくなる理由はいくつかある。Ｒが４つのＤＯＴＳに左右されることを思い出してほしい。感染の持続時間（duration）、伝播の機会（opportunity）、その各機会における伝播の確率（transmission probability）、平均感受性（susceptibility）の４つだ。生物学的なウイルスについては、これらの特性すべてが伝播に影響する。人のあいだで広がるウイルスのうち、うまく感染を広げるものは感染期間が長く（すなわち持続時間が長く）、媒介物なしに直接人から人へ広がる（つまり機会が多い）傾向がある[47]。伝播の確率も違いを生む。鳥インフルエンザウイルスが人間のあいだになかなか広がれないのは、ヒトのインフルエンザウイルスのようにやすやすと、僕たちの気道の細胞に取りつくことができないからだ[48]。

オンラインのコンテンツでも同じような適応が起こる。投稿や画像などのインターネット・ミームが、より興味をそそるように進化する例は多い。フェイスブックの研究者のラダ・アダミックと同僚らがソーシャルネットワークでのミームの拡散を分析したところ、コンテンツがしばしば時とともに変化することに気づいた[49]。その一例が、「医療費が払えないからといって誰も死ぬべきではないし、病気になったからといって破産すべきではない」という投稿だ。もとの形のミームは50万回近くシェアされた。しかしすぐに変形が現れるようになり、投稿10件につき1件は言葉に変化を加えていた。そうした編集のいくつかがミームの増殖をさらに助けた。「賛成なら投稿して」といった語句をつけ加えると、拡散速度が2倍にもなった。このミームは回復力も非常に高く、流行の最初のピークが過ぎたあとも、少なくとも2年間、何らかの形のものが存続した。

オンラインで流行を生む方法はあるか？

それでも、オンラインのコンテンツの伝染力には一定の限界があるように思われる。2014年から2016年にかけてフェイスブックで流行したものはすべて、再生産数が2前後だった。こうした限界があるのは、伝播のさまざまな要素が互いに相殺し合うからであるようだ。一部の流行は、たとえばアイス・バケツ・チャレンジのように、各人が少数の人しか指名できないが、それぞれの指名に伴う伝播の確率は非常に高い。動画やリンクのようなコンテンツは拡散の機会は遥かに多いものの、現実には、再びシェアするのはその投稿を見た友達のごく一部だ[50]。意外なことに、フェイスブックのコンテンツで、数多くの友達に到達し、しかも、それを見た人が一貫して高い確率で拡散した例はひとつもない。これは、生物学的な感染症に比べて、オンラインでの流行の感染力がどれほど弱いかを思い出させてくれる。フェイスブックで一番人気のあるコンテンツでさえ、はしかに比べれば感染力は10分の1なのだ。

一般の宣伝キャンペーンとなると見通しはさらに暗い。ジョナ・ペレッティはかつて、何かを故意にはやらせることは可能だと主張したが、その後、クライアントの発注書に沿って仕事を進める際に伝染を保障するのは非常に難しいと認めている[51]。彼の最初のナイキへのEメールは広く拡散したが、その後のEメールキャンペーンの数々は伝染性が遥かに劣っていた。その落差を考えてみよう。ペレッティとワッツは、感染性疾患は何千年もの進化を経ているのに対して、マーケティングをする人間にはとてもそんな時間は与えられていないと指摘している。「だから、たとえ才能ある製作者であろうと、どんなにがんばっても、一般にRが1未満の製品しかデザインできないのだ」と彼らは指摘している[52]。

幸い、流行のサイズを大きくするには別の方法がある。最初から、もっと多くの人にメッセージを発信するのだ。前述の例では、スタート時点で1人が感染しているという前提で、断続的な流行を分析した。その場合、再生産数が小さいと、小さな流行が起こって速やかに終息する。これを修正するには、最初にもっと多くの感染者を導入するだけでいい。ペレッティとワッツはそれを「ビッグシードマーケティング」と呼んでいる。メッセージの伝染力がたとえわずかであっても、大勢の人に送れば、それに伴う小さな流行のあいだにさらに注目を掻き立てることができる。たとえば、伝染力のないメッセージを1000人に送れば1000人としか接触できないが、代わりにRが0・8のメッセージを発信すれば、総数で5000人に接触できると考えていい。バズフィードの初期のコンテンツの多くはこうしたやり方で人気を得た。人々はウェブサイトで記事を見て、次にそれを、フェイスブックのようなサイトで一握りの友達とシェアしたのだ。2000年代初めに「リブログ」というアイディアを他に先駆けて導入したペレッティのチームはその後10年間、その利点を最大限に活用した。2013年にはバズフィードはフェイスブックで最も「ソーシャル」なパブリッシャーに挙げられており、ほかのどの組織よりも多くのコメントや「いいね！」やシェアを獲得していた(53)（ペレッティのかつての会社である『ハフィントン・ポスト』が2番目だった）。

もしウェブコンテンツのRが一般に小さく、拡散には多くの導入が必要なら、オンラインでの伝染を1918年のインフルエンザウイルスやSARSと同列には考えるべきでないということになる。パンデミックを引き起こすインフルエンザのような感染症は人から人へ容易に広がるため、感染爆発は最初、数世代の伝播を通じてどんどん大きくなる。それにひきかえ、オンラインコンテンツの大半は何らかの大規模ブロードキャストイベントがない限り、多くの人には到達しない。ペレッティによれば、マーケティング会社はものごとが病気のように「ウイルス化」するというようなことをよく言うが、実は単に人気が出るという意味で言っているに過ぎない。「我々が念頭に置いていたのは、実際の疫学で使われるウイルス性の定義だ。伝染の一定の水準をもち、それが時とともに大きくなる。指数関数的な減衰ではなく、指数関数的な増加をもたらす。それがウイルス性ということなのだ」とかつて彼は語っている(54)。

オンラインカスケードのほとんどはウイルス性ではなく、パンデミックは引き起こさない。指数関数的に成長することはないのだ。実際には、1970年代にヨーロッパで起こった断続的な天然痘の流行のほうに似ている。そうした流行はたいてい徐々に下火になったものの、たまにスーパースプレッディング事例が起こって、患者の大きなクラスターが発生することもあった。とはいえ、天然痘のスーパースプレッダーのたとえはあまり適切ではないかもしれない。報道機関や有名人による発信は、生物学的な伝播よりも遥かに遠くまで到達できるからだ。「スーパースプレッダーとは、たとえば2人ではなく11人に感染させる人のことだ。その100万倍の人に感染させるスーパースプレッダーなどありえない」とワッツは言う。

ソーシャルメディアのカスケードが感染性疾患の拡散の様子と同じではないことを考えると、オンラインで何が起こるかの予想に伝統的な疾病モデルが役立つとは限らない。そもそも、生物学に着想を得た予想には頼る必要がないのかもしれない。ソーシャルメディアでは膨大な量のデータが発生する。その分析による伝播パターンの解明とそれを使ったカスケード動態の予想が、ますます試みられるようになっている。

オンラインでの人気の予想は、どの程度簡単にできるのだろうか？　２０１６年、ワッツとマイクロソフトリサーチの同僚らは、ツイッターの10億近いカスケードに関するデータをまとめた。[55]ツイートそのものに関するデータ――投稿された日時やテーマなど――はもちろん、それを最初にツイートしたユーザーに関する情報、たとえばフォロワー数や、過去に多くのリツイートを獲得したことがあるかどうかといったデータも集めた。その結果得られたカスケードのサイズを分析したところ、ツイート自体の内容は、人気が出るかどうかにほとんど関係がないことがわかった。インフルエンサーに関する彼らの以前の分析同様に、ユーザーの過去のツイートの成功のほうが遥かに重要だったのだ。ただし、予想能力にはかなり限界があった。疾病調査官にとっては夢でしかないようなデータセットを手にしていながら、チームが説明できたのはカスケードサイズのばらつきの半分以下だった。

では、あとの半分は何で説明がつくのだろう？　ワッツたちは、成功をもたらす何らかの未知の特性があって、それがわかれば予想能力が改善できるかもしれないと認めている。けれども、人気のばらつきの多くは偶然に左右される。たとえ、何がツイートされ、誰がそれをツイートしているかについての詳細なデータがあったとしても、投稿の人気がたいてい運次第なのは避けようがない。これもまた、「完璧な」ツイートをひとつ見つけようとするより、多くのカスケードを引き起こすことのほうがなぜ重要なのかを示している。

「のぞき見法」

投稿される前にツイートの人気を予想するのは非常に難しいので、代わりに、カスケードの開始を待ち、それを見てから予想をする。拡散の初期のデータを見て、次に起こることを予想するため、「ピーキングメソッド（のぞき見法）」と呼ばれる。[56] ２０１４年にジャスティン・チェンと同僚らがフェイスブックの写真のシェアを分析したところ、最初のカスケード動態に関するデータがいくらかあると、予想の的中率が上がるとわかった。大きなカスケードは早い段階でブロードキャスト様の広がりを示す傾向があり、速やかに多くの注目を集めた。とはいえ、ピーキングメソッドをもってしても、つかまえにくい特性もあった。「それでも、カスケードのサイズの予想は形の予想より遥かに容易だ」と彼らは記している。[57]

時間がある程度経過すると予想が容易になるのは、ソーシャルメディアのコンテンツだけではない。２０１８年、ブルチェ・ユジェソイとノースイースタン大学の同僚らは、『ニューヨーク・タイムズ』紙のベストセラーリストに載った本の人気を分析した。ある本がそもそもヒットするかどうかを予想するのは非常に困難だが、いったん人気が出始めると、その後は一貫したパターンにしたがう傾向がある。リストの本の大半は、最初は売り上げが急増し、出版後約10週以内にピークに達し、その後、非常に低いレベルまで落ちることがわかった。平均して、最初の年が過ぎると売り上げはわずか５％になった[58]。

オンラインでの突発的流行の理解が進んだにもかかわらず、ほとんどの分析は依然として、過去のデータが十分に入手できることを当てにして行われている。一般に、新しい流行がどれくらい続くかを前もって予想するのは難しい。伝播の根底にある法則がわからないからだ。ただし、ときにはオンラインカスケードが既知の法則にしたがうことがある。ソーシャルメディアにおける伝染に僕が最初に興味を引かれたのも、そうしたカスケードがきっかけだった。

指名式ゲームは感染爆発を生むか？

「アイラブヘイターズ」という文字の入った野球帽の女性が袋から金魚をつかみ出し、アルコールをなみなみと湛えたカップに落とすと、金魚ごと、それを飲み干す。女性は見習い弁護士で、オーストラリア旅行中に友人から指名されて、このばかげたパフォーマンスを演じた。一部始終が録画され、まもなく、別の誰かを指名する言葉とともに、動画が彼女のフェイスブックページに投稿された[59]。

これは２０１４年初めのことで、女性は「ネックノミネーション」というオンラインゲームの最新の参加者だった。ゲームの決まりは単純だ。参加者は飲み物を飲み干すところを録画し、それをソーシャルメディアに投稿して、別の人が24時間以内に同じことをするように指名する。ゲームはオーストラリアじゅうに広がり、指名が拡散するにつれ、飲み物はどんどん大胆に——そしてアルコールを含むように——なっていった。人々はスケートボードをしたり、オフロード用の四輪オートバイに乗ったり、スカイダイビングをしたりしながら、酒をがぶ飲みした。飲み物はストレートの蒸留酒から、昆虫のブレンドやバッテリー液を入れたカクテルまで、さまざまだった。[60]

ネックノミネーションの報道も、ゲームそのものと並行して拡大した。金魚の動画は広くシェアされ、ますます過激になる内容は新聞にも取り上げられた。ゲームが英国に達すると、メディアは大騒ぎになった。なぜ誰もがこんなことをするのか？　どこまでひどくなるのか？　このゲームは禁止すべきでは？[61]

英国がネックノミネーションに襲われたとき、僕はBBCラジオの特別番組のためにこのゲームの分析を引き受けた。[62]ネックノミネーションのようなゲームの最中には、参加者がそのアイディアを特定の一握りの人に伝え、その人たちが別の人に伝える。すると伝播型伝染の明確な連鎖ができるが、それは疾病の感染爆発によく似ていた。

感染爆発の形を予想したいなら、どうしても知る必要のあることが2つある。各患者が平均してさらに何人の感染者を生むか（すなわち再生産数）と、感染のひとつの段階と次の段階とのあいだの時間差（すなわち世代時間）だ。新しい病気の感染爆発の際には、これらの数値がわかっていることはめったにないので、推測してみるしかない。ところがネックノミネーションの場合、そうした情報がゲームの一部として開示されていた。各参加者はほかの2〜3人を指名し、指名された人は課題の遂行と次の人の指名を24時間以内に行わなければならない。２０１4年にこのゲームに関する予想をしたとき、僕は何も推測する必要がなかった。数値を直接、単純な疾病モデルに打ち込むことができたのだ。[63]

僕のシミュレーションは、ネックノミネーションの流行が長くは続かないと示唆していた。1週間かそこらで集団免疫が作動し、流行はピークに達して、衰え始めるだろう。それどころか、この単純な予想は伝播を過大評価している可能性もあった。現実の世界では友人同士は固まっている傾向がある。もしゲーム中に複数の人が同一人を指名すれば、再生産数が小さくなり、流行の規模も小さくなる。実際、ネックノミネーションへの関心は急速に衰えた。２０１4年2月初めの英国メディアの逆上ぶりにもかかわらず、その月の終わりにはすべて過ぎ去っていたのだ。その後のソーシャルメディアのゲームも、「ノーメイクの自撮り写真」から、大々的に宣伝された「アイス・バケツ・チャレンジ」まで、似たようなつくりを踏襲していた。ゲームの決まりをもとにした僕のモデルはそうしたゲームがすべて数週間以内にピークに達するだろうと予想し、実際にその通りになった。[64]

指名に基づくゲームは数週間後には消滅する傾向にあるとはいえ、ソーシャルメディアでの流行がいつも、人気の最初のピークのあとに姿を消すとは限らない。フェイスブック上で人気のある画像ミームを調べたジャスティン・チェンと同僚らは、約60％がどこかの時点で再登場することを発見した。平均して、人気の最初のピークと2番目のピークのあいだは1カ月を少し超えるくらいだった。ピークが2つだけなら、シェアの2番目のカスケードのほうが一般に短くて小さかった。多くのピークがある場合は、似たようなサイズが多かった[65]。

何がミームの人気を再び盛り上げるのだろうか？　チェンのチームは、最初のピークが大きいと、ミームが再び現れる可能性が低くなることに気づいた。「最もよく再登場するのは最も人気のあるカスケードではなく、中程度の人気のものだ」と彼らは記している。最初のカスケードが小さいと、まだそのミームを見ていない人がたくさん残っているため、そうなるのだろう。最初の流行が大きいと、伝播を維持するのに十分なほど、感受性のある人が残らない。カスケードの再登場には、広まっているミームのコピーがいくつかあることも役立つ。これは断続的な感染爆発についてすでに見たこととも一致する。火花がたくさんあれば、感染症がさらに遠くまで広がるのだ。

チェンが調べたのは人気のある画像だったが、ほかのタイプのコンテンツの場合はどうだろう？　２０１６年に僕はロンドンの王立研究所で一般講演を行った。その後2年ほどで、どうしたわけか講演の動画がユーチューブで１００万回を超える視聴回数を獲得した。２０１６年の同じ頃、僕はグーグルで同じようなテーマで話をし、それもユーチューブの似たような数の

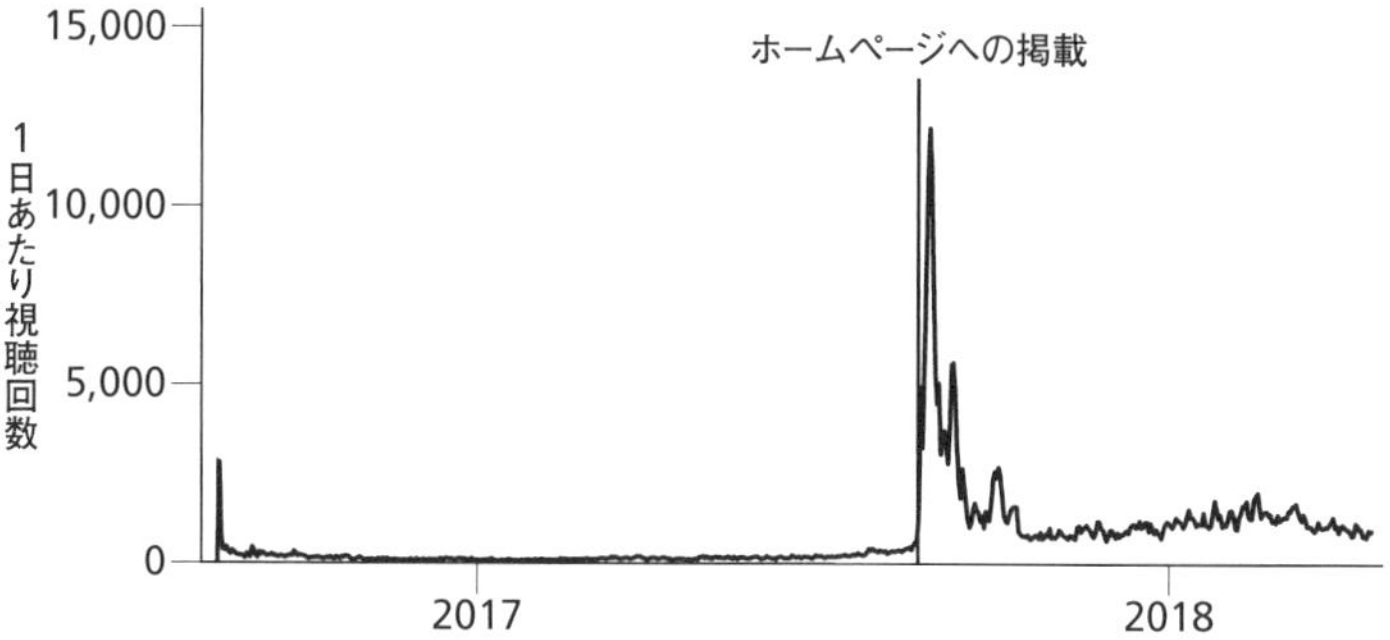

僕の2016年王立研究所講演のユーチューブでの１日あたり視聴回数。データ：王立研究所。

加入者のいるチャンネルに投稿された。こちらは同じ時期に１万回前後視聴された（本来なら、人気はこれとは逆になっているはずだった。グーグルではちょっとした失策をやらかしたからだ。同じような内容の講演の録画が２つあるとしたら、みんなが見たがるのはふつう、演者のマヌケぶりが見られるほうと相場が決まっている）。

王立研究所での講演にそれほどの注目が集まるとは予想もしていなかったが、本当に驚いたのは、視聴回数の蓄積の様子だった。オンラインに流れた最初の年、講演の動画はあまり関心をもたれず、１日あたりの視聴は１００回ほどだった。その後突然、わずか数日で、１年間に獲得したのよりも多くの注目を集めたのだ。

動画がオンラインでシェアされ始め、ウイルス化したのだろうか？　データを調べてみると、実はもっと簡単に説明がつくことがわかった。動画がユーチューブのホームページに取り上げられていたのだ。視聴回数が急増すると、ユーチューブのアルゴリズムがそれを、人気のある動画の横に現れる「お勧め動画」リストに追加する。講演の動画を見た人の90％近くが、ホームページかそうしたリストのひとつで、その動画を見つけていた。ひとつの発信源がほぼすべての視聴を生むという、典型的なブロードキャストイベントだったのだ。そしていったん人気が出ると、その人気がフィードバック効果を生んで、さらに関心を引き寄せた。動画がオンラインでの拡大からどれほど大きな恩恵を受けたかがよくわかる。まず王立研究所のおかげで最初の数千回の視聴を獲得し、次にユーチューブのアルゴリズムが遥かに大勢の聴衆を与えてくれたのだ。

動画の人気3タイプ

ユーチューブでの人気にはおもに3つのタイプがある。最初のタイプでは、高いレベルではないがコンスタントに動画再生数を獲得する。その数は日々ランダムに変動し、目立った増加も減少もない。ユーチューブの動画の90％前後はこのパターンをたどる。2番目のタイプでは、恐らくニュース報道に反応して、動画が突然ウェブサイトで取り上げられる。この場合、最初のピークの前にはほとんど何の動きもない。3番目のタイプでは、動画がオンラインのどこかでシェアされ、徐々に視聴回数が蓄積してピークに達し、再び減少する。これらの3つが混ざり合っている場合も見られ、僕の講演の動画のように、シェアされたものがどこかに取り上げられて勢いづき、その後低いレベルに戻ることもある。[66]

動画は特に持続性のあるメディア形態で、ニュース記事よりも関心がずっと長続きする傾向がある。ソーシャルメディアの典型的なニュースサイクルは約２日だ。記事の形で登場する大半のコンテンツでは、最初の24時間にシェアやコメントが相次ぐ。[67] とはいえ、ニュースがすべて同じ動向を示すわけではない。マサチューセッツ工科大学の研究者が、正確なニュースよりも誤ったニュースのほうが、より速く、より遠くまで広がりやすいことを発見している。もしかするとこれは、多くのフォロワーをもつ有名人はうそを拡散する傾向が強いせいなのだろうか？　研究者によれば、実は逆であることがわかった。誤ったニュースを広げていたのはたいてい、フォロワーの少ない人々だった。４つのＤＯＴＳという観点から伝染を考えると、これは、誤った情報が拡散するのは伝播の確率が高いからであって、拡散の機会が多いからではないことを意味する。なぜ、伝播の確率が高いのか？　新規さと関係があるかもしれない。人は新しい情報を広めるのが好きだが、誤ったニュースは正確なニュースよりも一般に目新しい。[68]

しかし、原因は新規性だけではない。オンラインでの拡散を理解するには、社会的強化についても考える必要がある。それは、複雑な伝染という概念にもう一度、目を向けることを意味する。場合によっては、あるアイディアをオンラインで受け入れるには、何度もそれに曝される必要がある。たとえば、僕たちはミームなら気軽にオンラインでシェアするのに、政治的なコンテンツは、ほかに数人がそうしているのを見ない限り、シェアしようとはしないという証拠がある。2013年初めに、フェイスブックのユーザーが同性婚への支持のためにプロフィール写真を「＝」記号に変えたことがあったが、それは、平均して友達の8人に1人が変えたのを見てからだった。フェイスブックやツイッター、スカイプなどさまざまなオンラインプラットフォームを初めて採用する際にも、同じような状況が見られる[69]。

複雑な伝染の意外な特徴に、緊密な共同体で最もよく広がるというのがある。人がたくさんの友人を共有していると、アイディアの採用に必要な多重曝露が生じるからだ。ただし、その後そうしたアイディアが友人の輪から抜け出してもっと広く拡散するのは、なかなか大変かもしれない[70]。デイモン・セントラによると、オンラインネットワークの構造は複雑な伝染の障害として作用することがある[71]。オンラインでの接触相手の多くは、密接につながった友人グループの一員ではなく、単なる知り合いだろう。僕たちは、もし友人の多くがそうしていれば、ある政治姿勢を取り入れるかもしれないが、単独の情報源から知っただけで取り入れることはありそうもない。

そのため、複雑な伝染をするもの――微妙なニュアンスがつきものの政治的見解など――は、インターネットでは極めて不利になる。オンラインでの交流はその構造上、挑戦しがいのある、社会的に複雑なアイディアの開発をユーザーに促しはしない。単純で容易に消化できるコンテンツに都合がよくできている。したがって、そういうものが好んで作成されるのは驚くにはあたらないのだろう。

測定値を評価することの罠

利用できるデータ量が21世紀初頭に増え始めたのに伴い、一部の人たちは、人間の行動の説明を追求する必要はもうないと指摘した。その1人が、『ワイアード』誌の当時の編集長で、2008年に有名な「理論の終焉」を宣言する論文を書いたクリス・アンダーソンだ。「人々がなぜ、ある行動をとるのかは、誰にもわからない。肝心なのは彼らがそうすることであり、我々はかつてない忠実さでその行動を追跡し測定することができる」と彼は書いている。[72]

僕たちにはいまや、人間活動に関する膨大な量のデータがある。世界のデジタル情報の量は2年ごとに倍増すると推定されており、その多くがオンラインで生み出されている。[73]それでも、依然としてなかなか測定できないものもたくさんある。あの肥満や喫煙の伝染の研究を考えてみれば、伝播プロセスの解明がどれほど難しいか、よくわかるだろう。行動を測定できないことだけが問題なのではない。クリックやシェアの世界では、僕たちは常に、自分が測っていると思っているものを測っているとは限らない。

一見、クリックはあるストーリーへの関心を定量化する合理的な方法に思える。クリックが多いほど、より多くの人がその記事を開き、たぶん読んでいるということだからだ。となると、クリックを多く獲得した書き手は、それに応じて見返りを与えられるべきなのだろうか？　そうとは限らない。「手段が目的となるとき、それはよい手段であることをやめる」。経済学者のチャールズ・グッドハートはかつてそう言ったと伝えられている。[74] 単純な業績測定基準をもとに成功報酬を与えると、フィードバックループが生じて、人はその測定基準が評価しようとしている質ではなく、測定基準自体を追求し始めるのだ。

それはどんな分野でも起こりうる問題だ。２００８年の金融危機が近づくにつれ、銀行は直近の利益率に基づいてトレーダーやセールスマンにボーナスを支給した。これは、将来にはほとんど関心を向けずに短期の利益獲得を目指すトレーディング戦略を勢いづけた。測定基準は文学にさえ影響を与えた。アレクサンドル・デュマが最初に連載形式で『三銃士』（竹村猛訳、ＫＡＤＯＫＡＷＡ）を書いたとき、出版社は1行幾らで料金を支払った。そこでデュマは、言葉数の少ないグリモーという召使いを登場人物に追加して、行数を稼いだ（その後、短い行は勘定に入れないと出版社に言われると、この登場人物を殺して排除した）。[75]

クリックや「いいね！」のような測定値に頼ると、人の本当の行動について間違った印象を抱いてしまうことがある。２００７〜２００８年にかけて、１１０万人以上がフェイスブックの「セーブ・ダルフール」運動に参加した。スーダンの紛争への注意喚起と支援金集めを目的とする運動だ。少数の新規参加者は寄付をしてほかの人を勧誘したが、大半は何もしなかった。参加した人のうち、誰かほかのメンバーを獲得したのは28％に過ぎず、寄付をしたのはわずか０・２％だった。[76]

測定にはこうした問題があるにもかかわらず、クリックされやすく、シェアされやすいストーリーの制作にますます関心が集中している。そうしたパッケージングには大きな力がある。コロンビア大学とフランス国立研究所の研究者がツイッターのユーザーによって言及された主流紙のニュース記事を調べたところ、リンクの60％近くが一度もクリックされていなかった。[77]それでも、一部のストーリーは拡散した。ユーザーはそうした一度もクリックされないリンクのひとつをテーマにした何千もの投稿をシェアしたのだ。どうやら、僕たちの多くは何かを読むよりシェアするほうが好きなようだ。

たぶん、そう驚くほどのことではないのだろう。ある種の行動には、その他の行動よりも努力が必要だからだ。フェイスブックで以前データ分析をしていたディーン・エクルスが、人を簡単なやり方でソーシャルメディアと交流させるのに、たいした努力はいらないと指摘している。「必要なのは、比較的簡単にできる行動だ」と彼は言う。[78]「その行動とは、君の友人が投稿に『いいね！』をつけるか、コメントをしてくれるかどうかだ」。大きな努力を要しないため、そうした行動をさせることは非常にたやすい。「軽くタッチするだけで、簡単に、何の労力もなしに遂行できる」

これはマーケティング担当者にとっては頭の痛い問題だ。宣伝キャンペーンは数多くの「いいね！」やクリックを生むかもしれないが、それは担当者が本当に関心をもっている行動ではない。彼らは単に自分たちのコンテンツと交流してほしいのではない。最終的な望みは、自分たちの製品を買ったり、メッセージを信じたりしてくれることなのだ。フォロワー数の多い人が大きなカスケードを生むとは限らないように、クリックやシェアの多いコンテンツが自動的に、より多くの収益や支持を生むわけではない。

行動の追跡とその価値

新しい疾病感染爆発に直面したとき、僕たちが知りたいことは一般に2つだ。伝播のおもな経路は何か。そして、感染を抑えるにはどの経路を標的とすべきか。マーケティング担当者も、キャンペーンの考案に際して似たような課題に直面する。まず、人々をメッセージに曝すにはどんな方法があるか知る必要がある。次に、そのうちのどのルートを標的にするか、決める必要がある。もちろん、保健機関が伝播の重要な経路を遮断するために資金を使うのに対して、広告代理店は伝播の拡大に資金を投入するという違いはある。

結局は、費用対効果の問題になる。対象が疾病の感染爆発だろうと販売キャンペーンだろうと、限られた予算を割り振る最善の方法を見つけたい。ところが困ったことに、昔から、どの経路がどの結末につながるのか、常に明確とは限らない。「わたしが宣伝に費やす資金の半分は無駄になる。問題は、それがどの半分かわからないことだ」。マーケティングの先駆者であるジョン・ワナメーカーがかつてそう言ったそうだ[79]。

現代のマーケティングは、人々が見る広告とその後の行動を関連づけることで、この問題に対処しようとしている。近年はおもなウェブサイトの大半が追跡型広告を採用している。そうしたウェブサイトに広告を出せば、企業は僕たちが広告を見たかどうかはもちろん、その後情報を閲覧したり何かを購入したりしたかどうかまで、把握できるようになっている。同じように、もし僕たちが彼らの製品に興味を示せば、インターネット上で僕たちをずっと追いかけて、もっと広告を見せることができる(80)。

ウェブサイトのリンクをクリックすると、僕たちはしばしば高速入札合戦の対象となる。0・03秒ほどのあいだに、そのウェブサイトのサーバーは僕たちについてもっているあらゆる情報を集め、それを広告プロバイダーに送る。するとプロバイダーはその情報を、広告主のために働く自動化されたトレーダーのグループに示す。さらに0・07秒後には、トレーダーが僕たちに広告を見せる権利に入札しているだろう。広告プロバイダーは落札したトレーダーを選び、僕たちのブラウザーに広告を送りつける。ブラウザーはスクリーンにウェブページが読み込まれるときに、広告をそこに割り込ませる(81)。

ウェブサイトがこのような働きをしていると、誰もがわかっているわけではない。2013年3月、英国労働党が、当時の教育大臣マイケル・ゴーヴを批判する新しいプレスリリースへのリンクをツイッターに載せた。保守党のある下院議員がこれを見て、労働党のウェブサイトに載った広告の選択についてツイートした。「資金不足はわかるが、労働党ともあろうものが、プレスリリースのトップページに『アラブ娘とのデート』へのお誘いを載せるとは」。議員にはあいにくなことに、ほかのユーザーから、労働党のページはターゲットに合わせた広告を使っているのだという指摘があった。表示された広告は恐らく、オンラインでのそれぞれのユーザーの活動によって決まるようになっていたのだ。[82]

最先端の追跡技術のなかには、僕たちが全然予想もしないようなところに顔を出すものがある。オンラインターゲティングの程度を調べるため、ジャーナリズム研究者のジョナサン・オルブライトが、2017年初めに100を超える急進的なプロパガンダウェブサイトを訪問した。陰謀説や疑似科学、極右政治思想などが満載の場所だ。大半のサイトは信じられないほど素人っぽく、初心者が手掛けたもののように見えた。ところが、その裏側を少し探ってみると、極めて高度なトラッキングツールが隠されているのがわかった。サイトは個人の身元や閲覧行動に関する詳細な情報を集めていたばかりか、マウスの動きさえ掴んでいたのだ。それによって、影響を受けやすいユーザーを把握し、さらに急進的なコンテンツを供給することが可能になる。そうしたウェブサイトにこれほど大きな影響力を与えているのは、ユーザーが見ることのできるコンテンツではなく、見ることのできないデータ収集のほうだったのだ。[83]

僕たちのオンラインデータには、実際にはどれくらいの価値があるのだろうか？　推定によれば、閲覧データの共有をオプトアウト（データ収集や第三者へのデータ提供を停止すること）しているユーザーは、フェイスブックの広告主にとって、約60％価値が低い。フェイスブックの2019年の収益をもとに計算すると、平均的なアメリカ人ユーザーの行動に関するデータは、少なくとも年に48ドルに相当する。その一方で、グーグルはアイフォンの2019年のデフォルト検索エンジンに採用してもらうため、アップル社に120億ドル支払ったと言われている。使用されているアイフォンが推定10億台だとすると、グーグルは僕たちの検索活動に1台あたり約12ドルの値をつけたことになる。[84]

人々を常にオンラインにさせるには

僕たちの注目がそれほど貴重であることを考えると、ハイテク企業には僕たちをオンライン状態にしておきたい大きな動機がある。僕たちが彼らの製品を使って過ごす時間が長いほど、彼らは多くの情報を集めることができ、それに合わせてコンテンツや広告をもっとうまく調整できるからだ。フェイスブックの初代CEOのショーン・パーカーは以前、初期のソーシャルメディアアプリをつくった人たちの考え方について話したことがある。「考えることといえば、『どうやって、我々が人々の時間と意識的な注意をできるだけ多く消費するか』だけだった」と2016年に語っている。[85]それ以来、その他の会社もこれに追随した。「我々は睡眠と競争しているんだ」と、ネットフリックスCEOのリード・ヘイスティングスが2017年に冗談を飛ばした。[86]

僕たちをあるアプリのとりこにする秘訣のひとつはデザインにある。デザインの倫理規範の専門家であるトリスタン・ハリスが、そのプロセスを手品のトリックになぞらえている。彼は、企業がしばしば、僕たちの選択を特定の結末へ向けて誘導しようとすることに気づいた。「手品師も同じことをする」と彼は書いている。「自分が注目してほしいと思うものに観客が目を向けやすいようにしてやり、注目してほしくないものに目を向けにくくしてやるのだ[87]」。手品のトリックは、僕たちの現状認識をコントロールすることによって効果を発揮する。ユーザーインターフェースにも同じことができる。

通知機能は僕たちを関与させ続けるための特に強力な手段だ。アイフォンの平均的なユーザーは1日に80回以上もロック解除をする[88]。ハリスによれば、この行動はギャンブル依存症による心理的影響と似ている。「ポケットから電話を取り出すとき、我々はどんな通知が来ているのか見るためのスロットマシンを動かしているのだ」と彼は指摘している。カジノは、非常に高額の払い戻しをごくまれに行うという戦略でお客の注意を引きつける。お客は時には褒美を得る。時には何も手に入らない。多くのアプリでは、僕たちがメッセージを読んだかどうか、送信者が見られるようになっていて、それが速やかな返信を促す。アプリと相互作用すればするほど、僕たちは相互作用を維持する必要に迫られる。ショーン・パーカーの言葉を借りれば、それは「ソーシャルバリデーションによるフィードバックループ」なのだ。「それこそまさに、僕のようなコンピュータマニアが思いつくたぐいのことだ。なにしろ、それは人間心理の脆弱性につけ込むことだからだ[89]」

コンテンツの視聴やシェアを続けさせるデザイン特性は、ほかにもいくつかある。２０１０年、フェイスブックは「無限スクロール」を導入して、ページを変えなければならない煩わしさを取り除いた。いまでは大半のソーシャルメディアフィードで、無限に続くコンテンツが当たり前になっている。２０１５年以降、ユーチューブでは、いま見ている動画が終わると自動的に別の動画が流れるようになった。またソーシャルメディアはシェアすることを中心に据えたデザインになっていて、他人が何をしているかを見ることなくコンテンツを投稿するのは難しい。

アプリの特性すべてがこれほどの依存性を最初から意図していたわけではないものの、アプリが行動にどれほど影響を与えうるか、人々は徐々に気づき始めている[90]。開発者でさえ、自分たちの発明品に対して慎重になってきた。ジャスティン・ローゼンスタインとリア・パールマンはフェイスブックに「いいね！」ボタンを導入したチームの一員だったが、伝えられるところによれば、近年、両者は通知機能の誘惑から逃れようとしているらしい。ローゼンスタインは助手のスマホにペアレンタルコントロール〔保護者による子供のスマホの管理・監督を可能とするアプリ〕を入れさせた。のちにイラストレーターになったパールマンは、ソーシャルメディア管理人を雇って、自分のホームページに目を配らせた[91]。

デザインは相互作用を促すだけでなく、妨害することもできる。広く普及している中国のソーシャルメディアアプリであるウィーチャットは、２０１９年には10億を超えるアクティブユーザーを擁していた。このアプリは幅広いサービスをひとつにまとめたもので、ユーザーは互いにメッセージを送ることはもちろん、ショッピングや支払い、旅行の予約もできる。友人と「モーメンツ」（画像やメディア）の共有もできるが、これはフェイスブックのニュースフィードによく似ている。ウィーチャットのユーザーは投稿に対する自分の友人のコメントだけを見ることができる。[92] つまり、もしあなたに友人が2人いて、その2人が友人同士でないなら、彼らは会話の全貌を見ることはできない。これは相互作用の性質を変える。「それはわたしが会話と呼ぶものが生まれるのを妨害する」とディーン・エクルスは言う。「何であれコメントを投稿する人は誰でも、それが完全に前後関係抜きで受け取られかねないと知っている。ほかの人が見るのはそのコメントだけで、そのスレッドでその前に何が起こったかは見ないかもしれないからだ」。フェイスブックやツイッターは、その下の何千もの一般のコメントも含め、投稿を広く共有している。それに引き換え、ウィーチャットでの討論の試みはどうしても断片的で混乱したものに見えるため、ユーザーはやってみようという気をなくす。

中国のソーシャルメディアは、政府の検閲官が意図的に設けた障壁など、いくつかの方法で集団行動を阻む。数年前、政治学者のマーガレット・ロバーツと同僚らが、中国の検閲の過程を再現しようと、新しいアカウントをこしらえ、さまざまなタイプのコンテンツを投稿して、どれが削除されるか追跡した。検閲の模様をつなぎ合わせると、指導者や政策への批判はブロックされないが、抗議活動や集会に関する話し合いはブロックされたことがわかった。ロバーツはのちに、オンライン検閲戦略を彼女の言う「３つのＦ」に分類している。洪水（Flooding）、恐怖（Fear）、摩擦（Friction）の３つだ。オンラインプラットフォームに反対意見を洪水のように溢れさせることで、検閲官は他のメッセージを圧倒することができる。規則違反には報復があるという脅しは、恐怖をもたらす。そしてコンテンツを除去したりブロックしたりして情報へのアクセスを遅くすることによって、摩擦を生じさせる。[93]

僕が初めて中国本土に旅行したとき、ホテルに着くなりＷｉ－Ｆｉに接続しようとした時のことを思い出す。実際にオンラインになっているとわかるのに、しばらくかかった。接続をチェックするためにいつもダウンロードするアプリ――グーグル、ワッツアップ、インスタグラム、ツイッター、フェイスブック、Ｇメール――がすべて、ブロックされていたのだ。中国のファイアウォールの威力を思い知らされただけでなく、アメリカのハイテク企業の影響力の大きさも実感させられた。僕のオンライン活動のほとんどが、たった３つの企業に握られているのだ。

僕たちはそうしたプラットフォームと膨大な量の情報を共有している。データテクノロジー企業がどれほど多くのデータを集められるかを一番よく表しているのは、たぶん２０１３年のフェイスブックの研究だろう。[94] フェイスブックでは、プラットフォーム上にコメントをタイプしたが投稿しなかったのは誰かを調べた。研究チームは、投稿の内容はフェイスブックのサーバーに返信されず、誰かがタイピングを始めたという記録だけが送られたと記している。もしかすると研究の狙いはその点を強調することにあったのかもしれない。「なかみは覗いていません」というわけだ。しかしそうは言っても、これは企業が僕たちのオンラインでの行動や交流をどの程度詳細に追跡できるかを示している。この場合は交流の欠如と言うべきかもしれないが。

ソーシャルメディア上のデータのもつ力を考えると、それにアクセスすることで組織は大きな恩恵を受けられるだろう。2012年の大統領選挙でオバマ陣営の選挙運動に参加していたキャロル・デイヴィッドセンによると、当時のフェイスブックのプライバシー設定では、プラットフォームで支持を表明した人全員の友人関係をダウンロードすることが可能だった。そうした友人関係は選挙運動に使える膨大な量の情報を与えてくれた。「わたしたちは事実上、フェイスブック上にある米国の全ソーシャルネットワークを取り込むことができました」と彼女はのちに語っている。[95]フェイスブックはやがて、友人関係に関するデータを集めるこの能力を削除した。デイヴィッドセンは、共和党がモタモタしていたため、民主党がお先に情報を利用しただけだと主張した。そうしたデータ分析はどんな規則にも違反していなかったが、この出来事は、情報をどう集め、誰が管理すべきかについての疑問を提起した。デイヴィッドセンの言葉を借りると、「あなたとわたしが友人だという事実は、いったい誰のものなの？」

当時は、オバマ陣営が選挙運動にデータを利用したことを革新的として称賛する声が多かった。[96]新しい政治の時代のための最新の方法と考えられたのだ。金融業界が1990年代に新しい住宅ローン商品に色めき立ったように、ソーシャルメディアは政治をよい方向に変えてくれるものとみなされた。しかし、そうした考え方は、あの金融商品と同じく長続きしなかった。

出会い系アプリと政治

「ヘイ、美人さん、選挙に行く？　誰に投票する？」。2017年の英国総選挙が近づくにつれ、ティンダーアプリでデート相手を探す何千人もの人々は、代わりに政治的な内容の口説き文句を受け取るようになった。ロンドンっ子のシャーロット・グッドマンとヤラ・ロドリゲス・ファウラーが、20代の仲間たちに労働党への投票を促したいという思いから、幅広い視聴者に届くチャットボットをデザインしたのだ。

ボランティアがボットをインストールすると、ボットは接戦の予想される選挙区のどこかに自分のティンダーロケーションを設定し、誰彼かまわず「イエス」とスワイプして、マッチした相手とチャットを開始する。もし最初のメッセージへの反応がよければ、ボランティアがあとを引き継いで実際のおしゃべりを始めてもいい。ボットが送ったメッセージは総数3万にのぼり、普通は選挙運動員が話しかけないような人々にも届いた。「せっかくマッチしたのに人間でなくボットと話すことになってがっかりした人もいたけど、否定的な反応はほとんどなかった」。グッドマンとロドリゲス・ファウラーはのちに書いている。「ティンダーはあまりにもくだけたプラットフォームなので、ユーザーは政治的な会話で言いくるめられたとは感じない」[97]

ボットは膨大な数の相互作用を同時に行うことを可能にする。ボットのネットワークを使えば、手作業ではとても実行できないようなスケールでの活動ができる。そうしたボットネットは、数百万とは言わないまでも数千のアカウントからなることもある。人間のユーザーのように、それらのボットもコンテンツを投稿し、会話をスタートさせ、考えを売り込むことができる。とはいえ、そうしたアカウントの機能に近年は厳しい目が向けられている。2016年、2つの投票結果が西欧諸国を震撼させた。6月には英国が投票でEUからの離脱を決め、11月にはドナルド・トランプが米国の大統領選に勝利を収めた。何がこれらの出来事を引き起こしたのだろう？　その後、これらの選挙中に誤った情報――多くがロシアと極右グループによってつくられた――が広く流布されたという疑惑が膨らんだ。英国の膨大な数の人々、次いで米国の膨大な数の人々が、ボットやその他の怪しげなアカウントから投稿された作り話にだまされたというのだ。

一見、データはこの説を裏づけるように思われた。2016年の選挙中に、1億人以上のアメリカ人が、背後にロシアがいるフェイスブックの投稿を見たらしいという証拠がある。そしてツイッターでは、米国の70万人前後の人々が、5万ものボットアカウントによって拡散されたロシアとつながりのあるプロパガンダに曝された。[98] 偽のウェブサイトや外国のスパイの投稿したプロパガンダに多くの有権者が引っ掛かったというのは、いかにも興味をそそる筋書きだ。

特に、ブレグジットやトランプに反対する政治的立場の人々が、この説に引きつけられた。しかし、証拠をもっと綿密に調べていくと、この単純な話は空中分解し始めた。

２０１６年の大統領選中にロシアとつながりのあるプロパガンダが流布されていたとはいえ、その他のコンテンツも数多くあったと、ダンカン・ワッツとデイヴィッド・ロスチャイルドが指摘している。フェイスブックのユーザーはロシアのコンテンツに曝されたかもしれないが、その期間中にアメリカ人ユーザーがフェイスブックで見た投稿は11兆件を超える。ロシアの投稿1件につき、平均して9万前後のその他のコンテンツに接していたことになる。一方ツイッターでは、選挙に関連したツイートのうち、ロシアとつながりのあるアカウントからのものは0・75％だった。「純粋に数字の上から言って、選挙運動期間中に有権者が曝された情報は圧倒的に、フェイクニュースサイトや、ましてやオルタナ右翼メディアではなく、よく知られたメディアによってつくられたものだった」とワッツとロスチャイルドは記している。[99]実際に、トランプは選挙運動の最初の年に、主流メディアによる約20億ドルにも相当する無料の報道を獲得したと推測される。[100]ふたりは、ヒラリー・クリントンのEメールにまつわる論争へのメディアの集中ぶりを、読者に何を知らせるかをメディアが選んでいる一例として、強調している。「たった6日間に『ニューヨーク・タイムズ』が報じたヒラリーのEメールについての記事は、選挙までの69日間に報じた政策についての記事すべてを合わせたのと同じくらいあった」

ほかの研究者たちも、２０１６年の虚偽のニュースソースによる影響の規模について、同じような結論に達している。ブレンダン・ナイハンと同僚らによると、米国の有権者のなかには怪しげなウェブサイトからのニュースを大量に吸収した人もいるものの、そうした人々は少数派だった。平均すると、誤ったニュースを広めるウェブサイトによってつくられた記事は、人々が見た記事のわずか3％だった。ブレンダンらはのちに2018年の中間選挙の追跡調査を発表している。それによると、この選挙期間中に怪しげなニュースが人々に到達した程度はさらに小さかった。英国でも、EUからの離脱を問う国民投票に向けて、ロシアのコンテンツがツイッターやユーチューブ上での会話を支配したという証拠はほとんどなかった[101]。

これは、ボットやいかがわしいウェブサイトについては心配しなくていいことを示唆しているように思われるかもしれないが、やはり、事はそう単純ではない。オンライン操作という点では、遥かに捉えにくく、そして遥かに厄介な事態が起こっている。

高度化するターゲティングによる拡散

ムッソリーニはかつて、「羊として100年生きるより、ライオンとして1日生きるほうがいい」と言った。しかしツイッターユーザーの@ilduce2016によれば、これは実はドナルド・トランプの言葉なのだという。もともとゴーカー社のジャーナリスト2人によってつくられたこのツイッターボットは、ムッソリーニの言葉をトランプのものとする誤ったツイートを何千通も発信している。やがて、投稿のひとつがトランプの目に留まり、２０１６年2月28日、共和党の第4回予備選挙の直後に、彼はライオンの引用をリツイートした[102]。

ソーシャルメディアボットの一部が大衆を標的にしているのに対して、もっと狭い範囲を相手にしているものもある。「ハニーポットボット」と呼ばれるものは、特定のユーザーの注意を引いて応答に誘い込むのが狙いだ[103]。ツイッターのカスケードが単独の「ブロードキャスト」イベントにどれほど依存しているか、覚えているだろうか？　もしあるメッセージを拡散したいなら、誰か有名人がそれを増幅してくれれば助かる。メッセージの多くは拡散のきっかけさえつかめないので、繰り返しトライできるボットがあることも役に立つ。@ilduce2016は２０００回以上も投稿して、トランプをついに引用のリツイートに誘い込んだ。ボットの制作者はこの手法がどれほど強力か、気づいているように思われる。ツイッターボットが２０１６～２０１７年にかけて怪しげなコンテンツを投稿したとき、彼らはもっぱら人気のあるユーザーを標的にしていた[104]。

こうしたターゲティング戦略を使うのはボットだけではない。２０１８年にフロリダ州パークランドのマージョリー・ストーンマン・ダグラス高校で銃乱射事件があったあと、犯人が州都のタラハシーに拠点を置く白人至上主義の小さなグループの一員だという報道が流れた。ところがそれはでっち上げだった。発端はネット掲示板の荒らし屋で、好奇心旺盛な記者を言いくるめて、本当の話だと信じさせたのだ。「記事がたったひとつあればいい」とあるユーザーが記している。「そうすればみんながその話を取り上げる(105)」

ワッツやナイハンのような研究者が、２０１６年に疑わしいオンラインソースから多くの情報が取り込まれたわけではないと指摘しているが、だからといって、問題がないということにはならない。「わたしは実に大きな問題だと考えるが、それは人々が思っているような理由からではない」とワッツは言う。過激派グループがツイッターに誤った意見や話を投稿するとき、彼らは必ずしも、大勢の聴衆に届けようとするわけではない。少なくとも最初はそうだ。代わりに、ソーシャルメディアで多くの時間を過ごしているようなジャーナリストや政治家を標的にすることが多い。そうした人たちがその意見を取り上げ、幅広い聴衆に広げてくれるのを望んでいるのだ。一例を挙げると、２０１７年にはジャーナリストたちが幾度となく、@wokeluisaという名のツイッターユーザーのメッセージを引用していた。この人物はニューヨーク出身の政治科学専攻の若い大学院生という触れ込みだった。ところが実は、そのアカウントはロシアの荒らしグループが使っていたもので、彼らは明らかにメディア各社を標的にし、信用させてメッセージを増幅させることを狙っていた(106)。これは意見を広めたいグループがよく使う戦術だ。「ジャーナリストは単に、メディア操作というゲームの駒のひとつというだけではない」と、シラキュース大学でオンラインメディアの研究をしているホイットニー・フィリップスが指摘している。「彼らはトロフィーなのだ(107)」

いったん1社がある話を取り上げると、フィードバック効果の引き金が引かれ、ほかのメディアも報道するようになる。数年前、僕はふとしたことから、身をもってこのメディアのフィードバックを体験することになった。発端は、僕が『タイムズ』紙の記者に新しい国営宝くじの数学的な抜け穴について情報を漏らしたことだった（当時僕は賭けの科学についての本『ギャンブルで勝ち続ける科学者たち』を書いたばかりだった）。2日後、その話は活字になった。するとその朝8時30分に、記事を見たITVの「ジス・モーニング」のプロデューサーからメッセージが届いた。10時30分には、僕は全国テレビに生出演していた。その後まもなく、BBCの「ラジオ4」からもメッセージが届く。やはり記事を読み、彼らの目玉番組であるランチタイムショーに出てほしいというのだ。さらに報道は続き、しまいには何百万という視聴者を獲得したが、それもみな、あのたったひとつの記事から始まったのだ。

僕の体験は、ウソみたいな話ではあるが害のない偶然の出来事だ。しかし、メディアのフィードバック効果を悪用しようと戦術を練っている人々もいる。だからこそ、たいていの市民は過激なウェブサイトを避けるという事実があるにもかかわらず、偽情報が広く拡散するのだ。一種の情報ロンダリングと言える。麻薬カルテルが収益金を合法ビジネスに流し込んで出所をごまかすように、オンライン操作者は信用のある情報源を使って自分たちのメッセージを増幅させ、拡散させる。そうすれば一般の人たちは無名のアカウントからではなくおなじみのパーソナリティーやメディアから、その意見を聞くことになる。

そうしたロンダリングが、何らかのテーマを巡る討論や報道に影響を及ぼすことを可能にする。綿密なターゲティングと増幅によって、操作者は特定の政策や候補者に幅広い支持が集まっているという錯覚をつくりだせる。マーケティングではこの戦略を「アストロターフィング」〔アストロターフは人工芝の商品名〕と呼ぶ。草の根の支持を人工的に演出するからだ。するとジャーナリストや政治家はその筋書きを無視しにくくなり、ついには本物のニュースになってしまう。

もちろん、メディアの影響力はいまに始まったことではない。ジャーナリストにニュースの生成・消滅を左右する力のあることは昔から知られていた。イーヴリン・ウォーが１９３８年に書いた風刺小説の『スクープ』には、ウェンロック・ジェイクスという名の花形記者の話が出てくる。革命の取材のために送り出された彼は不運にも列車で寝過ごして、間違った国で目を覚ます。間違いに気づかないまま、彼は「通りのバリケードや炎上する教会、タイプライターの音に呼応するかのような機関銃の掃射音」などについての作り話を書く。ほかの記者たちも後れを取るまいとして、似たような記事をでっち上げる。まもなく株価が急落し、その国は経済恐慌に見舞われて、非常事態宣言からついには革命に至る。

ウォーの物語はフィクションだが、話のもとになっているニュースフィードバックは、いまでも起こる。といっても、現代の情報にはいくつか大きな違いがある。ひとつは広がるスピードだ。数時間のうちに、取るに足りないミームが本流の話題へと成長しうる[108]。もうひとつの違いは伝染をつくりだすためのコストだ。ボットや偽のアカウントはかなり安くつくれるし、政治家や報道機関による大量増幅は基本的にタダだ。時には、人気のある偽記事が広告収入をもたらすことさえある。さらに、「アルゴリズムを使った操作」が起こる可能性もある。もし、あるグループが偽のアカウントを使って、ソーシャルメディアのアルゴリズムが高く評価するような反応――コメントや「いいね！」――をつくることができれば、たとえ実際には少数の人しか取り上げていなくても、はやりの話題に見せることができるだろう。

これらの新しいツールを使って、どのようなものの拡散が試みられているのだろう？　２０１６年以降、操作されたオンライン情報を指すのに「フェイクニュース」という言葉がよく使われるようになった。しかしこれは曖昧な言い方だ。最新技術研究者のルネ・ディレスタの指摘によれば、「フェイクニュース」には実は、クリックベイト、陰謀説、間違った情報、デマなど、いくつかの異なるタイプの内容が含まれる。よく見かけるクリックベイトは単にあるページを訪問したいと思わせるためのもので、リンクは本物のニュース記事につながることが多い。それに対して、陰謀説は現実の話に少々手を加えて「秘密の真実」を盛り込んだもので、拡散されるうちに、より大げさで精巧なつくりになっていく。そして間違った情報とは、ディレスタの定義によれば、偶然広く共有されるようになった虚偽情報を指す。ここには、もともとにせものとしてつくられたでっち上げや悪ふざけが、本当だと信じた人たちによって不用意に拡散されたものが含まれる。

最後に、フェイクニュースの最も危険な形態であるデマがある。デマというと普通は、何か間違ったことを信じさせようとすることだと考えがちだが、実はもっと狡猾なものだ。冷戦時代にKGBが対外工作員を訓練する際には、世論を分裂させ、正確なニュースへの信頼を損なわせる方法を教えた[109]。それがデマだ。作り話を真実だと説きつけるのではなく、真実という概念そのものを疑うように仕向ける。事実をあちこち移し替えて、何が現実か突きとめるのを難しくすることが狙いだ。それに、KGBが得意なのはデマをばらまくことだけではない。それを増殖させる方法も知っていた。ディレスタが言うには、「KGBのスパイがそうした戦術を用いていたあの異様な時代には、目標は主要なメディアに取り上げてもらうことだった。そうすれば、情報は本物と認められるうえ、拡散の面倒も見てもらえる[110]」

ミームの適者生存

この10年ほど、一握りのオンラインコミュニティが、自分たちのメッセージを取り上げてもらうことに特に成功している。初期の例のひとつが現れたのは2008年9月のことで、きっかけはオプラ・ウィンフリー・ショーのネット掲示板への投稿だった。そのユーザーは、会員「9000以上」の大規模な小児性愛者ネットワークの代表だと主張した。しかし投稿は見かけとはまったくの別物だった。「9000以上（over 9,000）」という語句――ドラゴンボールZのキャラクターが相手の戦闘力を大声で言う場面を彷彿とさせる――は、実は荒らし屋たちに人気のある匿名の画像掲示板である4チャンネルから生まれたミームだったのだ。4チャンネルのユーザーたちが喜んだことに、ウィンフリーはその小児性愛者の主張を真に受け、放送中にその語句を読み上げた。[111]

4チャンネルをはじめ、レディットやギャブのようなネット掲示板は事実上、伝染性のあるミームの培養器となっている。ユーザーが画像やスローガンを投稿すると、新しい変異型が大量に生まれる。その新しく変異したミームが掲示板に広がって競い合い、最も伝染力の強いものが生き残って、弱いものは消える。一種の「適者生存」で、生物の進化の過程で起こることと同じだ。[112] 病原体が何千年もかけて進化したのとはまったく違うものの、このクラウドソーシングによる進化もオンラインコンテンツに大きな恩恵をもたらす。

荒らし屋によって磨きをかけられ、進化上最も成功したトリックのひとつとなったものがある。ミームの見かけをぼかげたものまたは度を越したものにすることによって、真面目なのかそうでないのか、はっきりしなくしたことだ。一見皮肉な成り行きと言えるが、このトリックが、それがなければありえなかったほど遠くまで、不愉快な考え方が広がるのを助けている。ミームの製作者は、たとえユーザーが腹を立てたとしても、冗談だったと主張できる。もしユーザーがそれを冗談とみなせば、ミームは批判を受けずに済む。白人至上主義グループもこの戦術を採用している。デイリーストーマーというウェブサイトのためのスタイルガイドがリークされているが、そのなかで、読み手に嫌悪感を抱かせないように軽いタッチを心掛けることをライターに勧めている。「一般に、人種にまつわる中傷を用いるときは半分冗談のようにして持ち出すこと[113]」

その隆盛ぶりが目立つようになると、ミームはメディアを抜け目なく利用する政治家にとって魅力的な素材となった。2018年10月、ドナルド・トランプは「Jobs Not Mobs（暴徒の群れではなく仕事を）」というスローガンを採用し、共和党は移民より経済を大事にすると訴えた。ジャーナリストがそのスローガンの出所をたどると、ツイッター上で作成されたミームらしいとわかった。その後レディットのフォーラム上でしばらく進化を遂げ、その過程でもっと受けそうな語句になったあと、広く拡散していたのだ[114]。

ミームの利用価値に気づいたのは政治家だけではない。オンラインの噂や間違った情報が、スリランカやミャンマーの少数派に対する襲撃はもちろん、メキシコやインドでの暴力行為の蔓延に拍車を掛けている。その一方で、組織的なデマが、対立する両当事者の敵愾心をますます煽っている。2016年から2017年にかけて、ロシアの荒らし屋グループが極右グループとそれに反対するグループとに大掛かりな抗議活動を起こさせることを狙って、複数のフェイスブックイベントを作成したと報じられている[115]。ワクチン接種のような具体的なテーマを巡るデマも、幅広い社会不安をもたらす。科学への不信は政府や司法制度への不信に結びつきやすいからだ[116]。

有害な情報の拡散は新規な問題ではない。「フェイクニュース」という言葉さえ以前からあり、1930年代末に一時よく使われた[117]。しかし、オンラインネットワークの構造のせいで、この問題は、より速やかにしかも大規模に広がる、直感では理解しにくいものとなっている。情報も、ある種の感染性疾患のように、より効果的に広がるように進化できる。それに対して、僕たちにできることは何だろう？

東日本大震災でのデマ拡散はどうすれば減らせたのか

東日本大震災をもたらしたのは、日本史上最大の地震だった。地軸が十数センチずれるほどの威力があり、直後に高さ40メートルもの津波が襲った。そして噂が始まった。２０１１年３月11日の地震の３時間後にはツイッターに、ガスタンクの爆発により有害な雨が降るかもしれないという投稿が現れた。爆発は本当だったが、危険な雨のほうはうそだった。それでも、噂は止まらなかった。１日もたたないうちに、何千人もの人が間違った警告を目にし、シェアしていた。[118]

噂に対して、近くの千葉県浦安市は訂正のツイートをした。間違った情報のほうが先行していたものの、訂正がすぐに追いつき、翌日の夕方には、もとの噂より訂正をリツイートするユーザーのほうが多くなっていた。東京を拠点にする研究グループによれば、対応がもう少し速ければ、さらに効果的だったはずだ。数理モデルを使って推定したところ、訂正があと２時間早かっただけでも、噂の蔓延は25％少なく抑えられただろうという。

いくら迅速に訂正しても噂は止められないかもしれないが、拡散を遅くすることはできる。フェイスブックの研究者によれば、もしユーザーが、友達が作り話――たとえば手っ取り早い儲け話――をシェアしているとすぐに指摘すれば、友達は最大20％の確率で投稿を削除するという[119]。時には会社側がアプリの構造に手を加えて、伝播を故意に遅くすることもある。インドで虚偽の噂に関連した襲撃が相次いだあと、無料メッセージアプリのワッツアップは、ユーザーがコンテンツを送りにくくする措置を講じた。100人以上とメッセージを共有できたのを、わずか5人に制限したのだ[120]。

こうした対抗措置が、再生産数を決める4つの側面のうち、それぞれ異なる側面を標的に効果を発揮していることに注目してほしい。ワッツアップは伝播の機会を減らした。フェイスブックのユーザーは友達を説得して投稿を削除させたが、これは感染力の持続時間を減らす措置にあたる。浦安市役所は何千人もの人々を噂より前に正しい情報に曝すことによって、感受性を下げた。疾病の場合と同じく、標的にしやすい側面とそうでない側面がある。2019年、写真共有サイトのピンタレストが、反ワクチンコンテンツが検索結果に表示されないようにブロックする（つまり伝播の機会を除去する）と宣言したが、なかなか完全には除去できなかった。結局、除去に四苦八苦する過程で感染力の持続を抑えるにとどまった[121]。

そして、残る最後の側面が、意見そのものの伝染性だ。ここで思い出してほしいのだが、自殺のような事件の報道にはメディアのガイドラインが設けられていて、伝染性のある出来事が広がる可能性を抑えている。ホイットニー・フィリップスなどの研究者が、人を操る情報も同じようなやり方で扱い、問題をさらに広げるような報道は避けるべきだと指摘している。「あなたが特定の作り話や、その他何らかのメディア操作活動について報道したとたんに、あなたはそれを正当化したことになり、このさき誰かが人を説き伏せるために使う青写真を提供したことになるのです」と彼女は言う[122]。

最近の出来事からも、報道機関の一部にはまだまだ改善の余地があるとわかる。２０１９年にニュージーランドのクライストチャーチで起こったモスクでの銃乱射事件の直後、数社が、テロリストの襲撃の報道に際してすでに確立されているガイドラインを無視した。その多くが襲撃犯の氏名や詳細な政治思想を公表したばかりか、犯人の動画を流したり、声明へのリンクを載せたりした。厄介なことに、この情報は人々の興味を大いに掻き立てた。フェイスブックで広く共有されたニュースは、報道ガイドラインを遥かに逸脱していた可能性が高い[123]。

これは、悪意のある意見とどうつき合うか、そうした意見に僕たちが注目することで本当に得をするのは誰なのかを、もう一度考えてみる必要があることを示している。極端な考え方を大々的に取り上げる点については、たとえメディアによる増幅がなくても、どっちみち拡散するのだとよく言われる。しかし、オンラインでの伝染に関する研究では、逆であることがわかっている。増幅するブロードキャストイベントがなければ、コンテンツはめったに遠くまでは広がらない。もしある意見がはやるとすれば、それはたいてい、故意にせよ不注意にせよ、有名人やメディアが拡散を助けたからなのだ。

残念ながら、ジャーナリズムはその本質の変化に伴い、メディア操作に抵抗しにくくなっている。オンラインでのシェアやクリックへの願望が増すにつれ、多くのメディアが、伝染性のある意見とそれについてくる注目を供給できる人々につけこまれやすくなっているのだ。それが、荒らし屋や巧妙な操り手を引き寄せる。彼らはオンラインでの伝染を大半の人より遥かによく理解している。技術的な面から見れば、操り手の多くはシステムを悪用しているわけではない。システムの誘いに乗っているだけだ。「卑劣にも彼らはソーシャルメディアを、まさにそのデザイン上の用途通りに使って、悪事をなしているのです」とフィリップスは言う。研究の一環として彼女は何十人ものジャーナリストにインタビューしているが、その多くが、極端な意見を取り上げたニュースから自分たちが利益を得ていると知って、落ち着かない気分を味わっていた。「僕にとっては実に利益になるが、国にとっては実に好ましくないことだ」と、ある記者が彼女に語った。伝染の可能性を減らすため、ニュース内容だけでなく操作過程についても議論する必要があるとフィリップスは言う。「報道する際には、ニュースそのものが増幅連鎖に一枚かんでいること、そしてジャーナリストも読者も増幅連鎖の一部であることを明確に意識する――報道においては、何よりもこうしたことを頭に置く必要があります」

情報の突発的な拡散にはジャーナリストが大きな役割を演じるとはいえ、伝播の連鎖にはほかのつながりもある。特に目立つのがソーシャルメディアプラットフォームだ。しかし、そうしたプラットフォーム上での伝染を調べることは、疾病症例や発砲事件の連鎖を再現するほど簡単ではない。オンラインの生態系は膨大な数の次元からなり、無数の相互作用と大量の潜在的な伝播経路がある。けれどもそのような複雑さにもかかわらず、有害な情報への解決策として提案されるのは、何かをもっとする必要があるとか、それほどしないほうがいいとかいう一元的なものが多い。

複雑な社会問題なら何でもそうだが、この場合も、単純で決定的な答えはありそうもない。「わたしたちは、米国で麻薬との闘いに際して起こったのと同じ性質の変化を体験しているのだと思う」とブレンダン・ナイハンは言う[124]。「わたしたちの姿勢は、『これは解決しなければならない問題だ』から、『これは対処すべき慢性的な状態だ』へと移行しつつある。人間に誤った認識を起こさせがちな心理的脆弱性は消えてなくなりはしない。そうした認識の流布を助けるオンラインツールも、なくなることはない」

間違った情報に対抗していくために

それでも、僕たちにもできることはある。報道機関や政治団体、ソーシャルメディアプラットフォームに、操作への抵抗性をつけさせるよう努力するのだ。もちろん、僕たち自身にも。それにはまず、伝播過程をもっとよく理解する必要がある。少数のグループや国、あるいはプラットフォームにだけ注意を集中するのでは不十分だ。疾病の感染爆発と同じで、情報が境界線に配慮することはめったにない。1918年の「スペイン風邪」が、発症を報じた唯一の国だったという理由でスペインのせいにされたように、オンラインでの伝染も、僕たちが感染爆発をどこで目にするかで、全体像が歪められる恐れがある。フェイスブックのほうがツイッターの7倍ものユーザーがいるにもかかわらず、近年、ツイッターでの伝染に関する研究発表がフェイスブックのほぼ5倍に上っている[125]。これは、研究者にとって、公開されているツイッターのデータにアクセスするほうが、フェイスブックやワッツアップのような非公開アプリで何が繰り広げられているかを見るより、遥かに容易だからだ。

このような状況は変わるかもしれない。2019年、フェイスブックが、学術機関の研究者からなる12の研究グループと提携して、民主主義に対するプラットフォームの影響を研究すると宣言した――とはいえ、より幅広い情報生態系の理解への道は、まだまだ遠い[126]。オンラインでの伝染がこれほど研究しにくい理由のひとつは、ほかの人たちが実際にどんな情報に曝されているのか、僕たちにはほとんど知りようがないからだ。20年ほど前は、世間でどんなキャンペーンが行われているのか知りたければ、新聞を開くか、テレビをつければよかった。たとえ、そのキャンペーンの効果のほどはよくわからなくても、メッセージ自体は一目瞭然だった。感染爆発の用語を使うなら、どれほどの伝染が起こっているのか、あるいはどの感染症がどの感染源から来たのか、誰も本当のところは知らなかったにせよ、誰もが感染源を見ることができた。そうした状況と、ソーシャルメディアの隆盛や、特定のユーザーをインターネットで追いかける操作キャンペーンを対比させてみよう。意見を広めることに関して言えば、近年情報をばらまいているグループは伝播の経路を遥かによく理解しているが、感染源はほかの誰にも見えないようになっている[127]。

間違った情報やデマの拡散を明るみに出し、評価することは、効果的な対抗措置の策定に欠かせない。伝染を十分に理解しなければ、ちょうど病気を「悪い空気」のせいにしたように見当違いの感染源を責めるか、性感染症に対して禁欲を唱えるように、理論上は有効だが現実的ではない短絡的な戦略を提案する危険がある。伝播過程を明らかにすることによって、そうした疫学的な間違いを避けられる確率が増す。

波及効果もうまく使えば役に立つ。何かに伝染力があるとき、抑制手段を講じれば、直接・間接両方の効果がある。ワクチン接種を考えてみよう。誰かにワクチンを接種すれば、その人はもう感染しない。それが直接の効果だ。間接の効果としては、その人がほかの人にうつすことがなくなる。したがって、集団にワクチンを接種すると、直接・間接両方の効果の恩恵を受けられる。

オンラインでの伝染にも同じことが言える。有害なコンテンツに立ち向かえば、ある人がそれを見るのを防げるという直接的な効果があると同時に、その人が他人にそれを広げるのを防ぐという間接的な効果も得られる。つまり、優れたデザインの手段は予想以上の効果を上げるかもしれない。再生産数がわずかに小さくなっただけでも、感染爆発の規模の大きな低下につながる可能性がある。

2017年末に2人のフェイスブックユーザーが問いかけた。「ソーシャルメディアで時間を潰していると悪影響があるのでしょうか?」と。デイヴィッド・ギンズバーグとモイラ・バークが、ソーシャルメディアの利用が幸福にどう影響するかに関する証拠を比較評価している。結果はフェイスブックによって公開されたが、それによると、相互作用のすべてが有益とは限らない。たとえば、バークの以前の研究では、親しい友人から心のこもったメッセージを受け取るとユーザーの幸福度が増すようだが、「いいね!」のような気楽なフィードバックを受け取ってもそうした効果はないとわかった。「直接会う場合と同じように、大事に思う人との交流にはよい効果が期待できる」とギンズバーグとバークは指摘する。「しかし、傍観者の立場から他人を眺めているだけだと、嫌な気分になってくる[128]」

人間の行動に関して広く行き渡った理論を検証できることが、オンライン研究の大きな利点だ。この10年ほどのあいだに、情報の拡散に関して長年続いている考え方を膨大なデータセットを用いて検証する研究が行われている。この研究はすでに、オンラインでの影響や人気、成功などに関する誤解に異議を申し立てている。何かが「ウイルス化する」という考え方さえ、ひっくり返した。オンラインの手法は疾病分析にも利用されるようになっている。オンラインミームの研究に用いられる技術を応用することで、中央アメリカでのマラリアの広がりを追跡する新しい方法が発見された[129]。

ソーシャルメディアは、人々の交流の仕方が変化したことを一番目立つやり方で示しているかもしれないが、僕たちの生活で存在感を増しつつある唯一のネットワークではない。次の章で紹介するように、テクノロジーによるつながりはほかの面でも拡大しており、新たなつながりが僕たちの日常生活にも浸透している。そうしたテクノロジーは大きな恩恵をもたらすが、新たなリスクもつくりだす。感染爆発の世界では、新たなつながりはすべて、伝染の新たなルートとなる可能性がある。

第6章
コンピュータウイルスの感染

２０１６年にネットフリックスやアマゾン、ツイッターといった大きなウェブサイトが大規模なサイバー攻撃でダウンしたとき、湯沸かしポットや冷蔵庫、トースターなども攻撃を受けた。「ミライ（Mirai）」と呼ばれるソフトウェア〔マルウェア〕が、世界中の無数のスマート家電に感染したのだ。オンラインアプリを介して室温などをコントロールできるこうした家電が増えるにつれ、感染への脆弱性が高まっている。いったんミライに感染すると、そうした機器類がボットの広大なネットワークを形成し、オンラインの強力な武器となる[1]。

その年の10月21日、世界はその武器がいよいよ火を噴いたのを知った。ボットネットの背後にいるハッカーたちは、よく知られたドメインネームシステム会社であるダイン（Ｄｙｎ）を攻撃目標に選んでいた。ウェブを航行するには、おなじみのウェブアドレス――たとえばAmazon.com――を数字のＩＰアドレスに変換するこのようなシステムが欠かせない。あなたのコンピュータはＩＰアドレスを頼りに、ウェブ上のどこへ行けば目的のサイトが見つかるかを知る。ウェブサイト用の電話帳のようなものだ。ミライのボット群は不要なリクエストをダインに溢れさせて、システムを停止に追い込んだ。ダインはいくつかの有名なウェブサイトに対応していたため、コンピュータはそれらのサイトにどうアクセスすればいいかわからなくなってしまった。

ダインのようなシステムは毎日おびただしいリクエストを何の問題もなくさばいており、これを制圧するのはかなりの力仕事だ。ミライネットワークのスケールが、それを可能にした。ミライが史上最大の攻撃を仕掛けることができたのは、このソフトウェアの感染先がいつもの相手ではなかったからだ。従来、ボットネットを構成していたのはコンピュータやインターネットルーターだった。ところがミライは「モノのインターネット（ＩｏＴ）」を介して広がり、キッチン家電はもちろん、スマートテレビやベビーモニターのような機器にまで感染した。大規模なサイバー攻撃となると、こうした機器には明らかな利点がある。夜間、コンピュータの接続は切られるが、ほかの電子機器類はたいていつけっぱなしだ。「ミライの火力は常軌を逸した規模だった」とＦＢＩのある捜査官がのちに『ワイアード』誌に語っている。[2]

ミライ攻撃の規模は、人工的な感染がどれほど容易に広がるかをまざまざと示した。数カ月後、また別のよく知られた攻撃が起こった。２０１７年5月12日に、「ワナクライ（WannaCry）」と呼ばれるソフトウェア〔ランサムウェア〕が無数のコンピュータを人質に取り始めたのだ。まずユーザーをファイルから締め出し、３日以内に３００ドル相当のビットコインを匿名口座に送金するようにというメッセージを表示する。支払いを拒否すれば、ファイルは永遠にロックされる。ワナクライはやがて、広範囲に及ぶ混乱を引き起こすことになる。英国の国民健康保険システムのコンピュータがやられたときには、1万9000件もの予約が取り消される事態となった。わずか数日で100以上の国が影響を受け、被害額は10億ドルを超えた(3)。

拡大に数日または数週間かかる社会的伝染や生物学的感染と違って、人工的な感染はもっと短い時間枠で展開する。悪意あるソフトウェア、つまり「マルウェア」の感染爆発は、ほんの数時間のうちに拡大するのだ。初期段階では、ミライもワナクライも感染規模が80分ごとに倍になった。もっと急速に拡大するマルウェアもあり、数秒で倍増するものもある(4)。とはいえ、コンピュータによる伝染が常にそれほど急速なわけではない。

最初のコンピュータウイルス

史上初めて実験室ネットワークの外で「野放し」になったコンピュータウイルスは、悪ふざけから始まった。1982年2月、ペンシルベニアの15歳の高校生リッチ・スクレンタが、パーソナルコンピュータのアップルⅡを標的とするウイルスを作成した。そのウイルスは害を与えるというよりわずらわしい思いをさせるようにデザインされていて、感染したマシンにはスクレンタの自作の詩がときどき表示されるようになった(5)。

彼が「エルク・クローナ」と呼ぶそのウイルスは、コンピュータ間でゲームを交換する際に広がった。ネットワーク科学者のアレッサンドロ・ヴェスピニャーリによると、初期のコンピュータの大半はネットワーク化されていなかったため、コンピュータウイルスは生物学的な感染症によく似ていた。「それらはフロッピーディスクで広がった。人と人との接触パターンや人脈に依存していたわけだ。このような伝播方式のため、エルク・クローナはスクレンタの友人グループよりそれほど遠くまでは到達しなかった」[6]。ボルチモアのいとこを経て米国海軍所属のその友人に渡ったものの、そうした長距離移動はまれだった。

けれども、地域限定の比較的無害なウイルスの時代は長くなかった。「コンピュータウイルスはすぐに、完全な別世界に足を踏み入れた。変異するようになり、伝播経路も変わった」とヴェスピニャーリは言う。人間同士のつきあいに頼るのではなく、マシンからマシンへと直接広がることに適応したのだ。マルウェアが珍しくなくなるにつれ、新しい脅威のための新しい用語が必要になった。1984年、コンピュータ科学者のフレッド・コーエンがコンピュータウイルスの定義を初めて策定し、ちょうど生物学的ウイルスが宿主の細胞に感染して増殖するように、ほかのプログラムに感染して増殖するプログラムとした[7]。コーエンは生物学的なたとえをさらに続けて、コンピュータウイルスと「コンピュータワーム」を対比させ、後者はほかのプログラムに感染しなくても増殖し広がれるものと定義した。

オンラインワームが初めて一般に注目されるようになったきっかけは、1988年にコーネル大学の学生、ロバート・モリスがつくった「モリスワーム」だ。11月2日に放出されたこのワームは、初期のインターネットであるARPANETに瞬く間に広がった。静かに伝播させてネットワークの大きさを推定するのが目的だったとモリスは主張したが、コードに加えられたさささいなひねりが、大きな問題を引き起こすことになる。

モリスはもともと、ワームが新たなコンピュータに到達したら、まずそのマシンがすでに感染しているかどうかをチェックするように、プログラムのコードを書いていた。二重にインストールされるのを避けるためだ。ところが、こうした手法のおかげで、ワームが容易にブロックできるようになった。ユーザーは感染したフリをすることで、コンピュータをワームに対して「ワクチン接種」することができる。それを回避するため、モリスは、すでに感染しているマシンではワームが時折複製をつくるようにした。しかしその効果を過小評価していた。プログラムが放出されると、ワームがあまりにもすばやく広がって増殖したため、多くのマシンがクラッシュした[8]。

モリスワームは最終的に6000台のコンピュータに感染したと伝えられている。当時のインターネットの約10%にあたる。モリスと同年代のポール・グレアムによると、これは推定値に過ぎないにもかかわらず、すぐに広がった。「人は数字が好きだ。だからこの数字はいまではインターネットじゅうで複製されている。これ自体、小さなワームのようだ」とのちに彼は回想している[9]。

モリスワームの６０００台という数字がたとえ本当だとしても、現代のマルウェアに比べたらかわいいものだ。２０１６年8月に感染がスタートしたミライの場合、１日で6万５０００台近くが感染した。このボットネットはピーク時に50万台以上のマシンを擁するまでになったあと、２０１７年初めにサイズが縮小し始めた。

とはいえ、ミライとモリスワームには共通点がある。製作者はともに、それほど手に負えなくなるとは思っていなかった。ミライは、２０１６年10月にアマゾンやネットフリックスなどのウェブサイトに影響を及ぼした際にはトップ記事に取り上げられたものの、当初はもっとニッチな動機から設計された。ＦＢＩが起源をたどると、パラス・ジャーという名の21歳のカレッジ生とその友人２人、それにマインクラフトというコンピュータゲームから始まったことがわかった。

マインクラフトには全世界で５０００万人以上のアクティブユーザーがいて、広大なオンライン世界で一緒にプレーする。製作者はこのゲームで莫大な収益を上げ、２０１４年にマイクロソフトに売却したあと、７０００万ドルのマンションを購入した。[10]また、マインクラフトのさまざまなバーチャル空間を構築した独立サーバーを運営する人も、利益を得る。オンラインのマルチプレーヤーゲームの大半が中央組織によってコントロールされているのに対して、マインクラフトはいわば自由市場だ。人は好みのサーバーに対価を支払ってアクセスする。ゲームの人気が高まるにつれ、サーバーのオーナーのなかには年に数十万ドルも稼ぐ者も現れた。

多額の収益が見込めるようになったため、少数のオーナーは競争相手の排除に乗り出した。もしほかのサーバーに虚偽のアクティビティをたっぷり指示できれば――「分散型サービス妨害攻撃」（DDoS攻撃）と呼ばれる――、プレーしている人の接続が遅くなる。するとイライラしたユーザーは代わりのサーバーを探し始める。うまくいけば、攻撃を仕掛けた人が所有するサーバーに来るかもしれない。こうしてオンラインの兵器市場が出現し、欲得ずくの人々がますます高度なDDoS攻撃用武器を売るようになった。たいていはそれに対する防御手段も販売した。

そこにミライが登場する。このボットネットはあまりにも強力なため、そうしたことを企てる競争相手をことごとく打ち負かすことができた。しかしミライがマインクラフトの世界に長くとどまることはなかった。2016年9月30日、ダイン攻撃の数週間前に、ジャーと友人はミライのソースコードをあるインターネットフォーラムで公開した。これはハッカーがよく用いる戦術で、コードが一般に利用可能になれば、当局が製作者を突きとめにくくなる。誰かほかの人物――誰かはわからない――が、ジャーたちのコードをダウンロードして、ダインを標的にしたDDoS攻撃に使った[11]。

ミライのもともとの製作者たち――ニュージャージー、ピッツバーグ、ニューオーリンズを本拠地としていた――は結局、逮捕された。感染した機器をFBIが押収し、伝播の連鎖を感染源まで粘り強くたどった成果だ。2017年12月、3人はボットネットを制作した罪を認め、刑罰の一環として、将来の似たような攻撃を防ぐためにFBIに協力することに同意した。ニュージャージーの法廷はジャーに、賠償金860万ドルの支払いも命じた。[12]

ミライのボットネットはダインのウェブアドレスディレクトリを標的にすることによって、インターネットを停止に追い込んだが、ウェブアドレスシステムが攻撃をストップさせるのに役立ったこともある。2017年5月にワナクライの感染が拡大しているとき、英国のサイバーセキュリティ研究者のマーカス・ハッチンスがそのワームのコードを手に入れた。そこには長ったらしくてちんぷんかんぷんなウェブアドレス――iuqerfsodp9ifjaposdfjhgosurijfaewrwergwea.com――が含まれていた。ワナクライがアクセスを試みていたものらしい。ハッチンスはそのドメインが未登録であると気づき、10ドル69セントで購入した。そうすることで彼は偶然、攻撃を終わらせる「キルスイッチ」を作動させた〔マルウェアは自身の活動環境を確かめるために、未登録のアドレスにPINGを送り、返応が無ければ活動する。〕。「白状すると、ドメインの登録がマルウェアを止めるなんて、登録するまで知らなかった。つまりもともと予想外の成り行きだったんだ」。彼はのちにそうツイートしている。[13]「だから履歴書には、『国際的なサイバー攻撃を偶然止めた』と書き加えることしかできなかった」

マルウェアの諸症状

ミライやワナクライがこれほど大きく広がった原因のひとつは、これらのワームが脆弱なマシンを極めて効率よく見つけられたからだ。感染爆発の用語で言えば、現代のマルウェアは以前のものより、伝播の機会をはるかに多くつくりだすことができる。2002年にコンピュータ科学者のスチュアート・スタニフォードと同僚らが、「*How to Own the Internet in Your Spare Time*（余暇にインターネットを所有する方法）」と題する論文を書いた[14]（ハッカー用語で「own（所有する）」とは「完全にコントロールする」ことを言う）。彼らは、その前年に広がった「コードレッド」ワームが実はかなり遅いワームだったことを明らかにした。平均すると、感染したサーバーが1時間あたりに感染させたほかのマシンはわずか1・8台だった。といっても、最も感染力の強い人間の感染症であるはしかに比べれば、はるかに速い。感受性のある集団では、はしか患者は平均して1時間あたり0・1人に感染させる。[15]それでもコードレッドが遅いことに変わりはなく、人の感染症の感染爆発のように、本格的に始まるにはしばらくかかる。

スタニフォードと論文の共同執筆者たちは、より効率的な最新型のワームなら、もっと素早い感染爆発を起こせるだろうと指摘した。その仮想のワームをアンディ・ウォーホルの有名な言葉「15分間の名声」に因んで「ウォーホル型ワーム」と呼んだのは、15分もあれば大半の標的に到達できるだろうという思いからだった。しかしこの考えが長く仮説のままでいることはなかった。翌年、「スラマー」と呼ばれる世界初のウォーホル型ワームが現れ、7万5000台以上のマシンに感染した。[16]コードレッドの感染爆発では当初、37分ごとにサイズが倍増したのに対して、スラマーは8・5秒ごとに倍増した。

スラマーは最初こそ急速に拡大したが、感受性のあるマシンを見つけるのが難しくなって、すぐにみずから燃え尽きた。最終的な被害も限定的だった。その圧倒的威力で多くのサーバーの処理速度を遅くしたものの、デザイン自体は、感染したマシンに害を与えるようにはなっていなかった。これも、現実の世界の感染症のように、マルウェア感染にもさまざまな症状があることを示す一例だ。ほとんど目に見えなかったり、詩を表示したりするワームもあれば、マシンを人質に取ったり、ＤＤｏＳ攻撃を仕掛けたりするものもある。

ワームの需要

マインクラフトの独立サーバーへの攻撃で明らかになったように、強力なワームには大きな需要がある。そうしたマルウェアはたいてい、「ダークネット」マーケットのような隠れたオンラインマーケットで売られる。おなじみの目に見えるウェブサイトの外側で営業するマーケットで、通常の検索エンジンではアクセスできない。コンピュータセキュリティ会社のカスペルスキー・ラボがこうしたマーケットで手に入るオプションを調べたところ、5分間のＤＤｏＳ攻撃がたった5ドルで提供され、全日攻撃は４００ドル前後であることがわかった。カスペルスキーの計算によると、１０００台ほどのコンピュータからなるボットネットを組織するには、１時間あたり約7ドルのコストがかかる。売り手はこの長さの攻撃に平均して25ドルを請求しており、かなりの利鞘《りざや》を稼いでいることになる。[17] ワナクライ攻撃があった年には、ダークネットでのランサムウェアの市場規模が推定数百万ドルとなり、売り手のなかには6桁の報酬を手にした者もいた（もちろん非課税）。[18]

マルウェアは犯罪グループに人気があるが、最も高度なものはもともと政府のプロジェクトから生まれたのではないかと疑われている。ワナクライはソフトウェアのセキュリティホール（情報セキュリティ上の欠陥）を悪用して、コンピュータに感染した。セキュリティホールがまだ一般には知られておらず、対策が取られていないとき、ソフトウェアは攻撃に対して弱い。対策が講じられる1日目（ワンデイ）より前に攻撃が行われるため、ゼロデイ攻撃と呼ばれる。ワナクライが利用したセキュリティホールは、国家安全保障省が機密情報の収集に使っていたもので、そのホールの情報がどういうわけか、ほかの誰かの手に渡ったのだと言われている。[19] ハイテク企業はそうしたセキュリティホールをふさぐために喜んで大金を払う。2019年、アップルは、新しいアイフォンのオペレーティングシステムのハッキングに最大200万ドルの賞金を懸けた。[20]

ゼロデイ攻撃に使えるセキュリティホールがあると標的マシンの感受性が高まり、マルウェアによる感染爆発中の伝播が押し上げられる。2010年、イランのナタンズにある核施設が「スタックスネット」ワームに感染していることが発見された。のちの報告によると、これはウラン濃縮に欠かせない遠心分離機に被害を与えることを狙ったものだという。イランのシステムにうまく広がるために、ワームは20個のセキュリティホールを利用していたが、それは当時ほとんど知られていないものだった。攻撃の高度さから、メディアの多くが、ワームをつくったのは米国軍とイスラエル軍である可能性が高いと指摘した。たとえそうだとしても、最初の感染は何かごく単純なことから起こったのかもしれない。感染したUSBメモリを二重スパイが持ち込み、それを介して、ワームがシステムに進入したのではないかと言われている。[21]

コンピュータネットワークの強靭さを決めるのはそのなかの一番脆弱なリンクだ。スタックスネット攻撃の数年前、アフガニスタンにある厳重に護られた米国政府のシステムがハッカーに進入された。ジャーナリストのフレッド・キャプランによると、ロシアの諜報部員が、感染したUSBメモリをカブールのNATO本部近くの売店数カ所に供給していたのだという。やがてあるアメリカ兵がそのひとつを購入して、安全対策を講じてあるコンピュータで使用したのだろう。[22]セキュリティ上のリスク要因になるのは人間だけではない。2017年、米国のあるカジノが、フィンランドにあるハッカーのコンピュータにデータが流出していたことを発見して驚いた。しかし本当にショックだったのはその漏洩源だった。犯人は護りの固いメインサーバーは狙わず、インターネットに接続された「スマート水槽」を介して進入していたのだ。[23]

昔からハッカーの一番の興味は、コンピュータシステムに侵入したりちょっかいを出したりすることにあった。しかし、インターネットに接続したテクノロジーがますます増えるにつれ、コンピュータシステムを使ってほかの装置を支配することへの関心が高まっている。そこには極めてプライベートなテクノロジーも含まれる。ネヴァダで例のカジノの水槽が攻撃の標的となっていた頃、英国のセキュリティ会社ペン・テスト・パートナーズのアレックス・ローマスと同僚らは、ブルートゥース対応セックストイのハッキングが可能かどうか検討していた。すぐに、そうした装置の一部が攻撃に対して非常に脆弱であることがわかった。わずか数行のコードを使うだけで、理論上は、ハッキングして最大設定で振動させることができる。そして装置は一度にひとつの接続しかできないので、持ち主にはスイッチをオフにする方法がない(24)。

もちろん、ブルートゥースの通信範囲には限度がある。現実にハッキングなどできるのだろうか？　ローマスによれば、確実にできる。彼はベルリンの通りを歩きながら近くにあるブルートゥース機器をチェックしたことがある。スマートフォンに表示されたリストを見ていると、なじみのあるＩＤを見つけて驚いた。それはハッキング可能だと彼のチームが証明していたセックストイのひとつだった。たぶん、ハッカーに簡単にスイッチオンにされるとも知らずに、誰かが持ち歩いていたのだろう。

攻撃に感受性があるのはブルートゥース機器だけではない。ローマスのチームは、ほかにも脆弱な機器があることを見つけた。そのなかには、あるブランドのＷｉ－Ｆｉ対応カメラ付きのセックストイもあった。デフォルトのパスワードを変えないでいると、簡単にハッキングされ、ビデオストリームにアクセスされてしまう。ローマスは、チームが実験室外で機器にアクセスを試みたことは一度もないと強調している。それに、そうした機器の使用者に恥をかかせるために調査しているわけではないとも言う。まったく逆だ。人々がハッキングを恐れずにやりたいことがやれる世界を実現するために、問題提起を通じて業界に圧力をかけ、規格の改善を促したいのだという。

リスクに曝されているのはセックストイだけではない。ローマスは、自分の父親の補聴器にも、ブルートゥースを介したハッキングが可能なことを見つけている。もっと大きな標的もある。ブラウン大学のコンピュータ科学者が、普及しているロボットオペレーティングシステムのセキュリティホールのせいで、研究用ロボットにアクセスされる恐れがあることを発見した。2018年初めに、科学者チームはワシントン大学のマシンの支配権を握ることに何とか成功した（所有者の承諾のもとに）。また、脅威が家庭にも迫っていることも明らかになった。彼らの所有するロボットのうち2体——産業用ロボットとドローン——が外部からアクセス可能だったのだ。「どちらも公共のインターネットで使われることを意図したものではないし、もし不適切に使用されれば、どちらも身体的な被害を引き起こす恐れがある」と彼らは記している。調べたのはおもに大学で使用されているロボットだが、同様の問題はどこのマシンにも起こりうると警告している。「ロボットが実験室から出て産業界や家庭に入っていくにつれ、悪用される可能性のあるロボットの数が何倍にもなるのは避けられない」(25)

「モノのインターネット」は僕たちの生活のさまざまな側面を結びつける新しいつながりをつくりだしている。しかし多くの場合、そうしたつながりがどのような事態を招くか、僕たちはきちんと理解していない。この隠れたネットワークが、2017年2月28日の昼食時に露わになった。インターネットに接続した家に住む幾人かが、灯りをつけることができないのに気づいたのだ。オーブンを消すこともできない。ガレージにも入れない。

この厄介な事態のもとをたどると、アマゾンのクラウドコンピューティング部門を担う子会社のアマゾンウェブサービス（AWS）に行き着いた。スマート電球の点灯スイッチが押されると、たいてい、AWSのようなクラウドベースのサーバーに通知が行く。すると、何千キロも離れた場所にあるかもしれないそのサーバーが、点灯するための信号を電球に送り返す。ところがその2月の昼食時には、AWSサーバーのいくつかが短時間オフラインになってしまった。サーバーがダウンしたため、数多くの家庭用機器が操作に応答しなくなったのだ。[26]

AWSは一般に極めて信頼性が高い。会社はサーバーの作動時間を99・99%以上とすることを約束している。この信頼性こそが、クラウドコンピューティングサービスの人気を押し上げていると言える。実際、その人気のおかげで、最近はAWSだけでアマゾンの収益の4分の3近くを叩き出しているほどだ。[27]しかしながら、クラウドコンピューティングの使用の広がりとサーバーが停止した場合の影響の大きさを考え合わせると、AWSは「破綻が許されないほど大きくなり過ぎた」のかもしれないという指摘が出てきている。[28]大量のウェブがひとつの企業に依存していると、そこで生じた小さな問題が増幅され、大きな問題になりかねない。2018年にフェイスブックが、セキュリティ侵害により数百万人のユーザーが影響を受けたと発表したときにも、同様の懸念が表面化した。多くの人がフェイスブックのアカウントを使って他のウェブサイトにもサインインしているため、被害はユーザーが当初考えたより広範囲に及ぶかもしれない(29)。

隠れたリンクと高度に接続が集中したハブとの組み合わせに僕たちが遭遇したのは、これが初めてではない。2008年以前の金融システムを脆弱にしたのも、ネットワークのこのような欠点だった。それが、一見局所的な出来事に国際的な影響力をもたせてしまったのだ。ただしオンラインネットワークでは影響が極端な形で表れる。そしてかなり異常な感染爆発につながることがある。

生き残り続ける

「2000年問題」が過ぎてまもなく、「ラブバグ」が現れた。2000年5月初め、世界各地の人々に「ILOVEYOU」という件名のEメールが届く。メールには、ラブレターを含むテキストファイルに偽装したコンピュータワームが入っていた。開くと、ワームはそのコンピュータのファイルを破壊し、アドレス帳にある全員に自分のコピーをメールする。広範囲に広がって、英国議会を含むいくつかの機関のEメールシステムをクラッシュさせた。やがてIT部門が対抗手段を大々的に売り出し、コンピュータをワームから護った。ところがその後、何か奇妙な事態が起こった。ワームは消えず、生き残ったのだ。1年が過ぎても、依然としてインターネット上で最も活発なマルウェアのひとつとなっていた。[30]

コンピュータ科学者のスティーヴ・ホワイトは、ほかのコンピュータワームやウイルスでも同じことが起こっていることに気づいた。1998年、彼はそうしたバグがオンラインにしばしば長くとどまると指摘した。「これは謎だ。ウイルス事件に関する証拠からすると、いつかなるときも、世界のシステムのいくつかは感染していることになる」とホワイトは書いている。[31] 各種の対策にもかかわらずウイルスが長期間生き残るのは、感染力が強い証拠だ。ただし、感染するのは一般に比較的少数のコンピュータであることから、拡散はそれほど得意でないようだ。

この明らかな矛盾はどこから来るのだろうか？　ラブバグ攻撃の2カ月後、アレッサンドロ・ヴェスピニャーリと仲間の物理学者のロムアルド・パストール＝サトーラスが、ホワイトの論文を目にした。コンピュータウイルスが生物学的な伝染病のような挙動をするとは思えなかったため、ふたりは、ネットワークの構造に何らかの関係があるのではないかと考えた。その前年、ある研究で、ワールドワイドウェブでは人気に大きな差のあることが明らかになっていた。大半のウェブサイトはごく少数のリンクしかもたないのに対して、数多くのリンクをもつものもある。[32]

すでに見たように、性感染症の場合、性的パートナーの数に大きな差があると、再生産数が大きくなる。誰もが同じ行動をすれば消滅するはずの感染症でも、一部の人がほかの人より大幅に多くのパートナーをもっていると、長く残り続けるのだ。ヴェスピニャーリとパストール＝サトーラスは、コンピュータネットワークではさらに極端なことが起こりうると気づいた。[33] リンク数には非常に大きなばらつきがあるため、一見弱そうなマルウェアであっても生き残れる。なぜなら、この種のネットワークでは、コンピュータは接続が高度に集中するハブから数段階しか離れていないため、ハブはスーパースプレッディングによって感染を広範囲に広げることができる。これは２００８年に銀行が直面した問題がさらに大掛かりになったもので、少数の主要なハブが全体を感染に巻き込む。

感染爆発がスーパースプレッディング事例によって進む場合、伝播プロセスは極端に不安定になる。主要なハブがかかわらない限り、感染はそれほど遠くまでは広がらないだろう。それでも、スーパースプレッディングがあると感染爆発の予想も難しくなる。大半の感染爆発はそもそも始まることはないのだが、いったん始まると、驚くほど長期間、とぎれとぎれに進行する場合もある。一つひとつの伝染力はそれほど強くないにもかかわらず、一握りのコンピュータウイルスやワームが広がり続けるのも、それで説明がつく。ソーシャルメディア上の流行の多くについても、同じことが言える。奇妙なミームが拡散するのを見て、なぜそれほど長期間続いているのだろうと不思議に思ったことがあるかもしれない。それは恐らくコンテンツの質より、ネットワークそのものの性質に関係がある。[34] オンラインネットワーク特有の性質が、感染に対して、生活のほかの領域ではありえないような利点を与えているのだ。

コードシェアの問題

2017年3月22日、世界中のウェブ開発者は、アプリが正常に動いていないのに気づいた。フェイスブックからスポティファイまで、ジャバスクリプトのプログラミング言語を使用している会社は、ソフトウェアの各部分を稼働させられないことに気づいた。ユーザーインターフェースは壊れ、映像はダウンロードできず、アップデートのインストールもできない。

何が問題だったのか？　11行のコンピュータコード――たいていの人は存在さえ知らない――が突然消え失せたのだ。問題のコードはカリフォルニア州オークランドを本拠地とする開発者のアゼル・コチュルによって書かれたもので、「レフトパッド」と呼ばれるジャバスクリプトプログラムを構成していた。特に複雑なプログラムではなく、テクストのある部分の出だしにいくつかの文字をつけ加えるだけのものだ。数分もあればたいていのプログラマーが一からつくれるようなたぐいのプログラムだった。[35]

けれども、大半のプログラマーは何もかも一からつくったりはしない。時間の節約のため、他人が開発してシェアしているツールを使う。多くは、レフトパッドのような便利なコードを集めた「ｎｐｍ」というオンラインリソースから探す。場合によっては、そうした既存のツールを新しいプログラムに組み込んで、さらにシェアする。そのようなプログラムのなかにはその後さらに新しいプログラムに組み込まれるものもあり、それぞれが次のプログラムを支えるという依存関係の連鎖ができる。あるプログラムをインストールあるいはアップデートするときはいつも、依存関係の連鎖に含まれるものもすべてダウンロードする必要がある。そうでないと、エラーメッセージが出る。レフトパッドはそうした連鎖の奥深くに埋め込まれている。消える前の月に、そのコードは200万回以上もダウンロードされていた。

3月のその日、コチュルは商標に関する意見の衝突のあと、npmから自作のコードを引き上げた。別の企業からの苦情を受けて、npmはコチュルに彼のソフトウェアパッケージのひとつの名称変更を依頼していた。コチュルはこれに抗議して、結局、自作のコードをすべて、npmから取り除いたのだ。そこにはレフトパッドも含まれており、コチュルのツールに依存していたプログラムの連鎖がひとつ残らず、突然断たれた。連鎖のなかには非常に長いものもあったため、多くの開発者はその11行のコードにそれほどまでに依存していたことに気づいていなかった。

コチュルのコードは、思いもよらないほど遠くまで広がっているコンピュータコードのほんの一例に過ぎない。レフトパッド事件後まもなく、ソフトウェア開発者のデイヴィッド・ヘイニーはnpmの別のツール——1行のコードからなる——が、ほかの72のプログラムの不可欠な部分になっているのに気づいた。彼はほかにも、簡単なコード片に高度に依存しているソフトウェア７つを挙げている。「目を閉じていても書けるようなたった1行の機能のために開発者がそうした依存状態に甘んじているのを見ると、驚かずにはいられない」と彼は書いている。[36]借用したコード片は理解が及ばないほど遠くまで拡散することも多い。コーネル大学の研究者らが、普及している科学文書作成ソフトウェアのLa TeX（ラ・テックス）で書かれた論文を分析したところ、研究者がお互いのコードをしばしば使いまわしていることがわかった。ファイルのなかには、共同研究者のネットワークを通じて20年以上も拡散していたものもあった。[37]

ウイルスのようにコードも進化する

拡散するにつれ、コードは変化することもある。２０１６年9月末に例の学生３人がミライのコードをオンラインに掲載したあと、それぞれわずかに異なる特徴を備えた何十もの変種が現れた。誰かがコードを変えて大規模な攻撃を仕掛けるのは、時間の問題に過ぎなかった。ダイン事件の数週間前の10月初め、セキュリティ会社のＲＳＡはダークネットのマーケットに驚くべき主張を見つけた。あるハッカーグループが、毎秒１２５ギガバイトのアクティビティを標的に送りつける方法を提供するという。７万５０００ドル出せば、総数10万のボットネットへのアクセス権が購入できるというのだが、それはどうやら、ミライコードを編集したものに基づいているようだった。[38] とはいえ、ミライコードに手が加えられたのはこれが初めてではない。ミライの作り手たちは、明らかにボットネットの感染力を高めようとして、コード公開に先立つ数週間に20以上の修正を加えていた。そこには、ワームを検出されにくくするための特性はもちろん、感受性のある同じマシンを巡って競合するほかのマルウェアを撃退するための微調整も含まれていた。いったん野に放たれると、ミライはその先何年も変化し続け、２０１９年になっても新しい変種が出現していた[39]。

フレッド・コーエンは、１９８４年に初めてコンピュータウイルスについて書いたとき、マルウェアがしだいに進化して検出しにくくなるかもしれないと指摘した。コンピュータウイルスとウイルス対策ソフトウェアからなる生態系は、バランスの取れた平衡状態に落ち着くよりむしろ、絶えず移り変わるだろう。「進化が起これぱバランスが変化する。その結果どうなるかは、最も単純な状況を除き、はっきりしない。これは生物の進化に極めてよく似ており、疾病の遺伝学と深いつながりがあるかもしれない」と書いている[40]。

マルウェアに対する防御としては普通、ウイルス対策ソフトに既知の脅威を探させる方法が用いられる。たいていは、なじみのあるコード片を探す。脅威の正体が特定されれば、無力化できる[41]。僕たちが感染したり、ワクチンを接種したりしたときに人間の免疫系がすることとよく似ている。免疫細胞は僕たちが遭遇する個々の病原体の形を学習し、再び遭遇した場合には、素早く反応して脅威を無力化できる。ところが進化は時にこのプロセスを妨害することがある。よく知っていたはずの病原体が外見を変えて、検出を逃れるのだ。

その最も顕著で苛立たしい例が、インフルエンザの進化だ。生物学者のピーター・メダワーはかつてインフルエンザウイルスを、「タンパク質に包まれた悪いニュース」と呼んだ[42]。このウイルスの表面には、ヘマグルチニンとノイラミニダーゼ、略してHAとNAという2種類のタンパク質がある。HAはウイルスが宿主細胞に取りつくのを助け、NAは新しいウイルス粒子が感染細胞から放出されるのを助ける。タンパク質はいくつかの異なる形態を取ることができるので、それに応じてインフルエンザにもH1N1、H3N2、H5N1というように異なる名前がつけられている。

冬の流行を引き起こすのはたいてい、H1N1やH3N2だ。これらのウイルスは流行を起こすうちに徐々に進化し、タンパク質の形が変化する。すると僕たちの免疫系はもはや、進化したウイルスを脅威と認識しない。インフルエンザが毎年流行し、インフルエンザワクチンの接種が毎年呼びかけられるのは、要するに僕たちの体がインフルエンザウイルスと進化上のイタチごっこをしているからなのだ。

進化は人工的な感染症の存続も助ける。近年、マルウェアは自動的にみずからを変え始め、検出をいっそう難しくしている。たとえば2014年には「Beebone（ビーボーン）」ボットネットが世界中の無数のマシンを感染させた。ボットの背後にいるワームは日に数回も外見を変え、拡散するにつれ、何百万ものユニークな変種が生まれた。たとえ、ウイルス対策ソフトが現在のコードの外見を学習したところで、ワームはすぐに変身して、既知のどんなパターンとも違う形になってしまう。ビーボーンは2015年についにオフラインにされた。システムのなかで進化しない部分、すなわち、ボットネットの連繋に使用された不変のドメイン名を標的に、警察が捜査を行った結果だ。このほうが、変身するワームの特定を試みるより遥かに効率がいいことが証明された。(43)生物学者は、同じようにインフルエンザウイルスの変化しない部分を標的にすることによって、もっと効果的なワクチンを開発できるのではないかと考えている。(44)

検出を回避する必要に迫られて、マルウェアは進化し続けるだろう。そして取り締まる側は遅れずについていこうとする。伝播の経路も変わり続けるだろう。家庭用機器のような新たな標的を見つけるだけでなく、クリックベイトやソーシャルメディア上のオーダーメード型攻撃などを通じて、感染がますます広がっている。(45)カスタマイズされたメッセージを特定のユーザーに送りつけるという手口で、ハッカーはその人がリンクをクリックしてうっかりマルウェアを侵入させてしまう可能性をぐんと高めることができる。とはいえ、進化は感染がコンピュータからコンピュータへ、あるいは人から人へと効果的に広がるのを助けているだけではない。伝染に対処する新しい方法も教えてくれる。

第7章
感染を追跡する

情事は殺人の企てで幕を閉じた。ルイジアナ州ラフィエットの消化器専門医リチャード・シュミットは、10年以上前から、15歳年下の看護師ジャニス・トラハンと関係をもっていた。彼女は関係が始まったあとで夫と別れていたが、シュミットのほうは約束にもかかわらず、妻と3人の息子のもとを去ろうとはしなかった。トラハンは前にも関係を終わらせようとしたことがあったが、今度こそ、きっぱりけりをつけようとした。

彼女はのちに、その2週間ほどあとの1994年8月4日、就寝中にシュミットが家に来たと証言する。ビタミンB12の注射をしてやろうと思って来たのだと言う。前にも、元気が出るようにとビタミン注射をしてくれたことがあったのだ。今夜はいらないと断ったのに、止める間もなく注射針を突き刺され、これまでと違って腕全体に痛みが広がった。その時点でシュミットは、病院に用があるから帰らなければならないと言った。

一晩中続いた痛みは数週間経っても消えず、彼女はインフルエンザのような症状に悩まされた。数回受診したが、検査に次ぐ検査はすべて陰性だった。ある医師はＨＩＶを疑ったものの、検査はしなかった。あとで語ったところによれば、同僚——ほかならぬシュミット医師——から、トラハンはすでにHIVについては陰性の結果が出ていると言われたらしい。彼女の病気は一向によくならず、やがて別の医師が新たに一通り検査するよう命じた。1995年1月、トラハンはついに正しい診断を受けた。HIV陽性だった。

さかのぼって8月にトラハンは、「暗闇での注射」はビタミンB12でなかったように思うと同僚に話していた。HIV感染が最近のことなのは疑う余地がない。彼女は数回献血をしており、一番最近の献血は1994年4月だったが、そのときの検査では陰性だったのだ。地元のHIV専門医によると、症状の進み具合からして、8月初めに感染が起こったと考えておかしくない。警察がシュミットのオフィスを捜索したところ、8月4日、トラハンに注射をしたとされる数時間前に、HIV患者から採血していたことを示す証拠が見つかった。しかもその採血は通常のやり方で記録されていなかった。ところがシュミットは、彼女のところへ行ったことも、注射をしたことも否定した。[1]

ひょっとするとウイルス自体が、何が起こったかを解明する手がかりになるのではないだろうか？　当時すでに、DNA検査を使って容疑者と犯罪現場とを結びつける手法が普及していた。ただし、この事件の場合は問題があった。HIVのようなウイルスは比較的素早く進化するので、トラハンの血液中に見つかるウイルスが、彼女を感染させた血液中のウイルスと同一とは限らないのだ。第2級殺人を企てた罪で起訴されると、シュミットは、トラハンに感染しているウイルスはもともとの患者のウイルスとあまりにも違っていると反論した。患者のウイルスが彼女の感染源だとは考えにくいというのだ。ほかの証拠がすべて、シュミットが犯人であることを示していたため、検察は納得しなかった。ただ、それを証明する方法が必要だった。

進化の道筋をたどる

1837年6月20日、英国の王冠が王家の家系を下って、ウィリアム4世からヴィクトリア女王へと渡された。同じ頃、そこから歩いてすぐのソーホーでは若い生物学者も、家系について、ただし遥かに壮大なスケールで考えていた。英国艦船ビーグル号での5年に及ぶ航海を終えてイングランドに戻ったチャールズ・ダーウィンが、新しい皮表紙の手帳に独自の理論の概略を記そうとしていたのだ。考えを明確にする助けに、彼は単純化した「生命の樹」をスケッチした。さまざまな種のあいだの進化上の関係を分岐した枝で示そうというアイディアだった。ちょうど家系図のように、近い関係にある生物は互いに近い枝にあるのに対して、明確に異なる種は遠く離れた枝に位置する。それぞれの枝を下にたどると共通の根に至る。それが単一の共通祖先だ。

ダーウィンは身体的な特性などに基づいて進化の樹を描いた。ビーグル号の航海中に、くちばしの形や尾羽の長さ、羽毛の色といった特徴で鳥の種を分類していたのだ(2)。この研究分野は

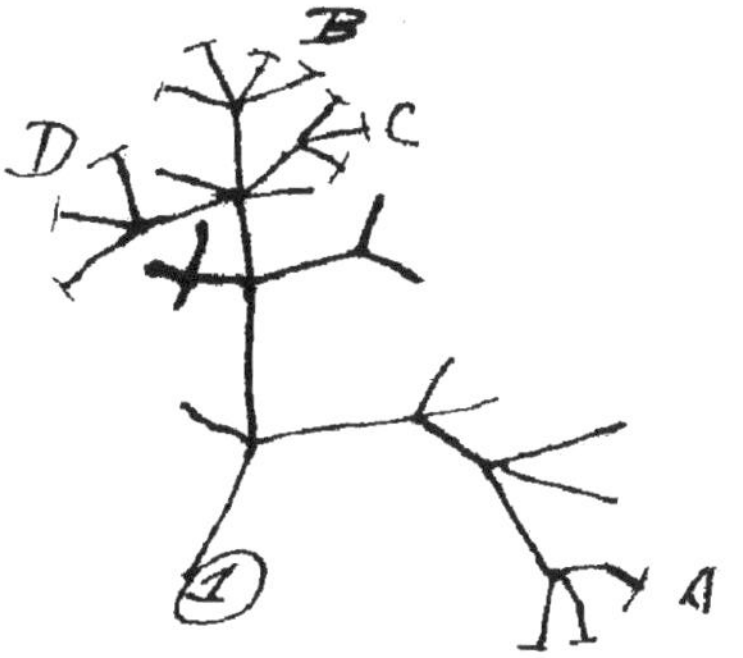

ダーウィンの生命の樹のオリジナルスケッチ。種Aは、互いに近い関係にあるB、C、Dの遠い親戚にあたる。図では、①と番号の振られたひとつの出発点から、あらゆる種が進化した。

やがて「系統学（phylogenetics）」として知られるようになる。古代ギリシャ語の「種」（phylo）と「起源」（genesis）に因んだ呼称だ。

進化に関する初期の分析はさまざまな種の外見を中心に行われたが、遺伝子配列の決定が盛んになったのに伴い、生物をもっと詳細に比較できるようになった。2つのゲノムがあれば、その配列をつくり上げている文字の重複の量をもとに、どれくらい近い関係にあるかを判断できる。重複が多いほど、片方の配列からもう片方の配列に至るのに必要な変異が少なくて済む。たとえば、塩基配列が「AACG」のものから「AACC」へ行くのは、「AACG」から「TTGC」へ行くのより簡単だ。もとの配列から文字がいくつ変わっているかをもとに、進化の過程がどれくらい長く進行したか、推測できるのだ。

この考え方とコンピュータの膨大な処理能力を使えば、さまざまな遺伝子配列を系統樹の形に配置して進化の道筋をたどることができる。進化上の重要な変化が起こったかもしれない時点も推測できる。これは感染症がどのように広がったのか知りたいときに役立つ。たとえば、2003年にSARSが大きな感染爆発を引き起こしたあと、ウイルスがマングースに似た小型動物のジャコウネコ（ハクビシン）の体内で確認された。SARSはジャコウネコのあいだで常に循環していて、それが人間の集団に飛び火したのだろうか？

それぞれのSARSウイルスの分析結果は、別のシナリオを示唆していた。ヒトとジャコウネコのSARSウイルスは近い関係にあり、両者がこのウイルスにとって比較的新しい宿主であることを示していた。恐らく、感染爆発の数カ月前にジャコウネコからヒトにジャンプしたのだろう。一方、このウイルスはコウモリのあいだでもっと長いあいだ循環していて、1998年頃にジャコウネコに入り込んだらしい。変異型から窺われるSARSウイルスの進化の歴史からすると、ジャコウネコは恐らく、ヒトに入り込むための短期の踏み石だったのだろう(3)。

リチャード・シュミットの審理中、検察側は同じような系統学的証拠を用いて、トラハンの感染がシュミットの診察を受けていたHIV患者に由来する可能性を示そうとした。進化生物学者のデイヴィッド・ヒリスと同僚らが、その2人から分離されたウイルスとラフィエット在住のほかのHIV患者から見つかったウイルスとを比較した。ヒリスは宣誓証言で、シュミットの患者のウイルスとトラハンから見つかったウイルスは「分析したなかで最も近い関係にある配列であり、2人の個人から分離されたウイルスとしては最大限、近い関係にある」と述べ

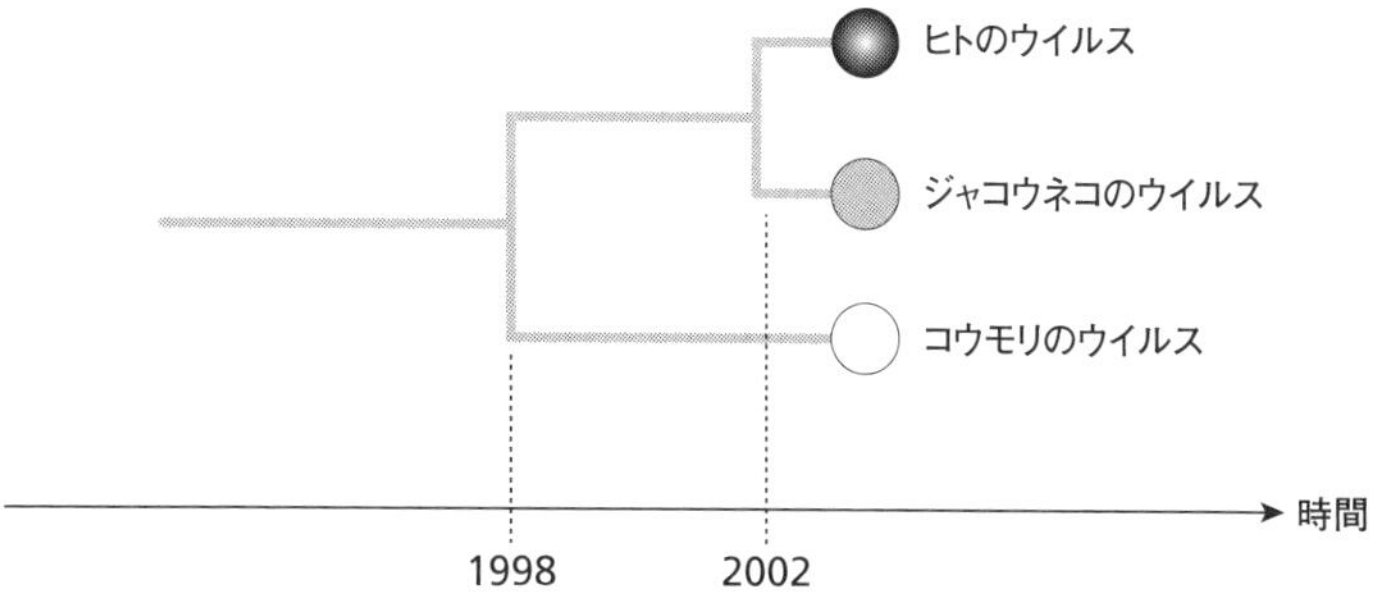

異なる種を宿主とするSARSウイルスの簡単な系統樹。点線は、ウイルスが互いに分岐して新たな宿主群に移った推定時期を示す。データ：Hon et al., 2008。

た。トラハンの感染がシュミットの患者に由来するという決定的な証拠ではなかったものの、両者には何の関係もないという弁護側の主張の土台を崩すには十分だった。最終的にシュミットは有罪の判決を受け、50年の服役が言い渡された。トラハンのほうは、再婚し、ＨＩＶを受け入れて生き続け、２０１６年に20回目の結婚記念日を祝った[4]。

シュミットの裁判は、米国で刑事事件の解明に系統学的分析が採用された初めてのケースとなった。それ以来、世界中でこの手法が使われている。スペインのバレンシアでＣ型肝炎患者が急増した際には、患者の多くと麻酔医のファン・マエソとを結びつけるのに役立った。系統学的分析によって彼が感染爆発の源らしいと確認され、注射器の使いまわしで何百人もの患者を感染させた罪で２００７年に有罪を宣告された[5]。遺伝学的データが無実の証明に役だったこともある。マエソの事件のあとまもなく、医師の一団がリビアの刑務所から釈放された。子供たちを故意にＨＩＶに感染させたとして告発され、８年間収監されていたのだが、系統学的分析のおかげもあって、感染の多くが、医師団がリビアに入る何年も前に起こっていたことが証明されたのだ[6]。

遺伝学的データからウイルスの時間と場所を特定する

系統学の手法を使えば、感染爆発の源を指し示すだけでなく、疾病がいつ、特定の場所に到達したかも明らかにすることができる。仮に、進化が比較的速く起こるＨＩＶのようなウイルスを調べているとしよう。もしある地域で流行しているＨＩＶウイルスが比較的似ているなら、進化のための時間がそう長くなかったということなので、感染爆発は恐らく、ごく最近起こったのだろう。逆に、流行しているウイルスのあいだの相違点が多いなら、進化する時間がたっぷりあったということなので、もとのウイルスはしばらく前に導入されたと考えられる。こうした手法がいまでは公衆衛生分野で広く用いられている。前のほうの章で、ジカ熱のラテンアメリカへの到達や、ＨＩＶの北米への到達をどう調べたかを思い出してほしい。いずれの場合も、調査チームは遺伝学的データを使って、ウイルス導入の時期を推定した。また、こうした考え方は新型インフルエンザから、院内感染を起こすＭＲＳＡ（メチシリン耐性黄色ブドウ球菌）のようなスーパー耐性菌まで、ほかの感染症にも適用されている[7]。

遺伝学的データにアクセスできれば、感染爆発が単独症例から始まったのか、それとも複数の導入で始まったのかも突きとめられる。僕たちのチームが2015年から2016年にかけてフィジーで分離されたジカウイルスを分析した際には、系統樹ではっきり区別できる2つのウイルスグループが見つかった。進化の速度をもとに考えると、片方のウイルスグループが2013年から2014年に首都スバに到達して、1年か2年、低レベルの流行を起こしたのに対して、国の西部でその後別個に感染爆発が始まったのだろう[8]。当時は知らなかったが、2015年の滞在中に僕がピシャッとやった蚊はたぶん、ジカウイルスに感染していたに違いない。

系統学的分析にはもうひとつ、感染爆発の最終段階での伝播を追跡できるという利点がある。2016年3月、エボラ患者の新しいクラスターがギニアに現れた。WHOが西アフリカでの流行の終息を宣言した3カ月後のことだった。ウイルスはその間ずっと、検出されることなく広がっていたのだろうか？　疫学者のブバカル・ディアロと共同研究者たちが新しいクラスターのウイルスの遺伝子配列を調べたところ、別の可能性に行き当たった。新しいウイルスは、2014年にエボラから回復した地元男性の精液中のウイルスと近い関係にあった。ウイルスはこの男性の体内で1年半近く生き残ったあと、性的パートナーに広がり、新たな感染爆発を引き起こしたのだ[9]。

遺伝子配列データは感染爆発分析の重要な一部になりつつあるが、進化するウイルスという概念は時に人騒がせな報道につながる。エボラやジカの流行中にいくつかのメディアが、ウイルスが進化しているという事実を大げさに書き立てた[10]。しかし、そうした事実は一般に思われるほど悪いニュースとは限らない。あらゆるウイルスは進化する。それは遺伝子配列が時とともに徐々に変化するという意味だ。時にはこの進化が、たとえばインフルエンザウイルスが外見を変えるように、僕たちにとって好ましくない違いをもたらす。しかし、目立たない場所に変化が起こっただけで、感染爆発には目に見える影響をもたらさない場合も多い。

ただし、進化の速度は感染爆発の分析の成否に影響を及ぼす。系統学的分析は、ＨＩＶやインフルエンザのようにかなり急速に進化する病原体を調べるときのほうが、効果を発揮する。病原体が人から人へ広がる際に遺伝子配列が変化するため、感染経路の推測が可能になるからだ。逆に、はしかのようなウイルスはゆっくり進化するため、人から人へうつってもあまり変異しない[11]。その結果、患者がどうつながっているのかを解明するのは、誰もが同じ姓をもつ国で家系図をまとめようとするのに似た作業になる。

遺伝子データ公開の障壁

系統学的手法には、生物学的な制約だけでなく、実務上の制約もある。西アフリカでのエボラ流行の初期段階に、ボストンのブロード研究所の遺伝学者パーディス・サベティが、シエラレオネで採取した99件のウイルスの遺伝子配列データを分析した。系統樹からすると、感染は２０１４年5月に、恐らくある葬儀を契機としてギニアからシエラレオネに広がったと推測された。感染爆発の深刻さにかんがみ、サベティと同僚らは新しい遺伝子配列をただちに公共のデータベースに追加した。こうして一気に大量のデータが公表されたあと、打って変わって沈黙の期間が続いた。ほかのいくつかのチームもウイルスサンプルを集めていたにもかかわらず、２０１４年8月2日から11月9日にかけては、誰も新しい遺伝子配列を発表しなかったのだ。この同じ期間に、西アフリカでは1万人以上のエボラ患者が報告され、流行は10月にピークに達した(12)。

遺伝子配列の公表の遅れについては、理由が2つほど考えられる。意地悪な説明は、新しいデータは研究者の世界では「貴重な通貨」だから、というもの。遺伝子配列を用いて感染爆発を調べた研究論文は、誰もがうらやむ科学雑誌に掲載される可能性が高い。となると、研究者には、重要な価値があるかもしれないデータの公表を遅らせる動機があることになる。とはいえ、この時期に研究者と身近に接していた僕に言わせれば、悪意から伏せていたというより、うっかり忘れていたというのが大半だろう。科学界の慣習は感染爆発のスケジュール表にはなじまない。科学者がいつもやっているのは、研究計画を立て、徹底的な分析を行い、使用した方法を書き出し、結果を提出して、科学者仲間による査読を受けることだ。このプロセスには、数年とは言わないまでも数カ月かかることもあり、昔から新しいデータの公表が遅れる原因となってきた。

こうした遅れは科学や医学の分野に共通する問題だ。ジェレミー・ファラーがウェルカム・

トラストの理事を2014年3月に引き継いだとき、『ガーディアン』紙に、臨床研究はあまりにも時間がかかり過ぎることが多いと語った。その後エボラの感染爆発が拡大した際に、その発言の真意が明らかになる。「我々が投入するシステムは、状況が急速に変化しているときには目的を果たせない。我々には、リアルタイムで応答するすべが何もないのだ」とファラーは語っている。[13]

この状況は徐々に変わりつつある。2018年半ばに、エボラのまた別の大きな感染爆発となるものがコンゴ民主共和国で始まった。このときは新しい遺伝子配列データが迅速に公表された。調査チームは4種類の試験的治療法の臨床試験も開始した。2019年8月には、抗エボラ免疫細胞をすぐに点滴すれば、それまで平均30％前後だった生存率を90％以上にまで上げられることが明らかになった。一方では、感染爆発の研究者による bioRxiv や medRxiv のようなウェブサイトへの論文草稿の投稿がますます増えている。新しい研究結果に査読の前の段階でアクセスできるようにすることを目指すサイトだ。[14]

シエラレオネでの活動中にサベティは、活動拠点のあった町の名前ケネマが、「川のように清らかで、誰の目にも透明で開かれている」という意味であることを知った。[15] この開放性が彼女のチームの仕事にも反映され、あの99件の遺伝子配列が感染爆発の早い段階で公表されたのだろう。こうした姿勢は広く感染爆発の研究者の世界にも根づいている。それを最もよく表しているのが、計算生物学者のトレヴァー・ベッドフォードとリチャード・ネーアーの始めたネクストストレイン（Nextstrain）プロジェクトだ。このオンラインプラットフォームは遺伝子配列を自動的に照合して、さまざまなウイルスがどの程度近縁か、どこから来た可能性があるかを示す。当初はおもにインフルエンザを対象としていたが、いまではジカ熱から結核まであらゆるものを追跡している。[16] ネクストストレインは強力なアイディアであることが明らかになっているが、それは単に利用可能なあらゆる配列を集めて可視化しているからではない。科学論文発表につきものの、遅くて競争心が支配するプロセスとは一線を画しているからでもある。

２０２０年初めにネクストストレインはリアルタイムでの重要な指摘を行い、ＣＯＶＩＤ－19が米国でも最初のデータから推測されたよりも大きな問題に発展していると述べた。[17] 2月27日、ベッドフォードの活動拠点であるシアトルに近いミルクリークで、ティーンエイジャー１人がこの病気と診断された。それまでにその州で報告された患者はほんの一握りだった。ミルクリークのコロナウイルスは診断から24時間以内に遺伝子配列が決定され、結果がオンラインに投稿されたため、その情報がネクストストレインのシステムに拾い上げられたのだ。最初に描かれた系統樹から、ＣＯＶＩＤ－19が検出されることなくしばらく前から広がっていたらしいとわかった。ベッドフォードがその分析に関するスレッドをツイッターに投稿したところ、広くシェアされることとなった。[18]「我々はすでにワシントン州でのかなりの規模の感染爆発に直面しているのだと思う。中国と直接行き来した人だけを対象とするような狭い判断基準のせいで、いままで実態が把握されていなかったのだ」と彼は結論づけている。その説の正しさが証明されるのに長くはかからなかった。それからほんの数日で、ワシントン州では患者や死者が急激に増え始めた。

病原体の遺伝子配列の決定が容易になるにつれ、系統学的手法を用いた疾病感染爆発の解明はいっそう進むだろう。系統学的手法は、感染が最初に起こったのはいつか、流行がどう拡大するか、そして伝播プロセスのどの部分を僕たちが見落とした可能性があるかを見つけるのに役立つ。この手法の登場は、もっと広く感染爆発分析全体の動向、すなわち、新しいデータ源を組み合わせて、従来は入手が困難だった情報を把握できるようになったことも示している。系統学を用いれば、患者情報と、その患者が感染したウイルスの遺伝子データを結びつけることで、流行の広がる様子が一目瞭然となる。この種の「データ連携」が、ものごとが集団のなかでどう変異し広がるかを解明する強力な手段となりつつある。しかも、予想外の分野でも使われている。

言語・文化への応用

ゴルディロックスはずるくて口汚い老婆で、お人よしの3匹のクマの家に押し入って盗みをはたらく。少なくとも、詩人のロバート・サウジーが1837年に初めてこの物語を発表したときにはそうだった。悪態をつきながら3つのボウルのおかゆを味見し、椅子を壊したあと、クマたちの帰宅を聞きつけて窓から逃げ出す。サウジーはこの老婆に名前も金髪の容姿も与えてはいない。そうした細部が付け足されたのは何十年かあと、悪役の老婆が手に負えない子供に、そして最終的に僕たちがよく知っているゴルディロックスに変わったときだ[19]。

クマたちの物語は昔からあった。サウジーが自分なりのストーリーを発表する数年前に、エレナー・ムレという女性が甥のために手作りの本を書いている。そこでは物語の終わりにクマが老婆をつかまえる。乱暴狼藉《ろうぜき》に怒ったクマは、老婆に火をつけたり、溺れさせようとしたりしたあげく、セントポール大聖堂の尖塔に串刺しにしてしまう。もっと昔の民話では、3匹のクマがいたずら好きなキツネを撃退する。

ダラム大学の人類学者、ジャミー・テヘラニによると、文化とは、人から人へ、世代から世代へと伝えられていくうちに変異する情報と考えることができる。したがって、文化の拡散や発展を理解したいなら民話が役に立つ。民話はその文化の主体である社会が生みだしたものだからだ。「本質的に、民話には権威ある単一のバージョンはない。共同体みんなのもので、いわば生き物のような性質を備えている」とテヘラニは言う[20]。

民話に関するテヘラニの研究は「赤ずきん」から始まった。西ヨーロッパに住んでいる人なら、19世紀にグリム兄弟によって語られた物語になじみがあるだろう。女の子がおばあさんの家を訪ねるが、おばあさんに化けたオオカミに出くわしてしまう。ただし、これが唯一の型というわけではない。ほかにも、似たような民話がいくつかある。東ヨーロッパや中東には「オオカミと子ヤギ」の物語があり、変装したオオカミが赤ちゃんヤギたちをだまして、家にはいり込む。東アジアには「トラおばあさん」の話があって、子供たちが親戚のおばあさんのふりをしたトラに遭遇する。

こうした物語は世界中に広がっているが、伝わった方向を知るのは難しい。歴史家のあいだでは、東アジア版がオリジナルで、ヨーロッパや中東の物語はそのあとにできたという説が一般的だ。しかし、「赤ずきん」や「オオカミと子ヤギ」は、ほんとうに「トラおばあさん」から生まれたのだろうか? 民話は昔から、書き留めるより話して聞かせるものだった。だから、記録として残っているものは底が浅く、継ぎはぎだらけだ。ある物語がいつどこで生まれたのかは、はっきりしないことが多い。

そこで、系統学的手法が役に立つ。「赤ずきん」とその変種の進化を調べるために、テヘラニはいろいろな大陸から、この物語のさまざまな型を60種近く収集した。そして遺伝子配列の代わりに、主人公のタイプ、主人公をだますのに使われるトリック、物語の結末など、72の特徴をもとにそれぞれの物語を要約し、それらの特徴がどのように進化したか推測して、各物語の関係を示す系統樹を作成した。[21] 結論は予想外のものだった。系統樹によると、「オオカミと子ヤギ」と「赤ずきん」が最初に現れたようだ。一般に信じられているのとは違って、「トラおばあさん」はどうやら既存の話を混ぜ合わせたものらしく、ほかの話のもととなった原型ではなかった。

言語や文化の研究には、進化論的な考え方の長い歴史がある。ダーウィンが生命の樹をスケッチする何十年も前に、言語学者のウィリアム・ジョーンズは言語がどのようにして現れるのかに興味をもった。「歴史言語学」と呼ばれる分野だ。1786年、ジョーンズはギリシャ語、サンスクリット語、ラテン語のあいだの類似に気づき、「この3つすべてを調べた歴史言語学者なら誰でも、これらが恐らくいまはもう存在しない何らかの共通の源から発生したと信じないわけにはいかないだろう」と述べた。[22] 進化論の用語を使うなら、それらの言語が単一の共通祖先から進化したと示唆したのだ。ジョーンズの考えはのちに多くの学者に影響を与えた。そこには研究熱心な言語学者だったグリム兄弟も含まれていた。彼らは民話のさまざまな変種を収集しただけでなく、言葉の使い方が時とともにどう変化したかも調べようとした。[23]

現代の系統学的手法を使えば、そうした物語の進化をもっと詳細に分析できる。「赤ずきん」の研究のあと、ジャミー・テヘラニはリスボン大学のサラ・グラカ・ダシルヴァとともにさらに幅広い物語を調べ、計275の民話の進化を追跡した。その結果、物語によっては長い歴史をもつことが明らかになった。「ルンペルシュティルツヒェン」や「美女と野獣」のような物語の原型は、4000年以上も前に生まれた可能性がある。つまり、インド－ヨーロッパ語と同じくらい古く、それらの言語を通じて広がったと考えられる。多くの民話はやがて広範囲に広がったものの、語り口には地域間のライバル意識の名残があることもわかった。「地理的な近さは物語の分散には逆効果となったようだ。隣接する共同体の物語を取り入れるより、排斥する傾向があったことが窺われる」と彼らは記している。[24]

民話は、たとえ起源は別の場所であっても、国のアイデンティティと結びついていることが多い。グリム兄弟は伝統的な「ドイツの」物語を編纂した際に、インドからアラブに至るほかの多くの文化の物語との類似性に気づいた。系統学的分析をすれば、ストーリーの拝借がどれくらいあったかを確認できる。「どれかひとつの国の口承文学に特有のものは多くはない。実際、非常にグローバル化されている」とテヘラニは言う。

そもそも、人間はなぜ、お話を語ることを始めたのだろうか？　物語は有用な情報の保存に役立つから、というのがひとつの説明だ。狩猟採集社会では語りは非常に価値のあるスキルだったという証拠がある。そのためすぐれた語り手はよい配偶者とみなされ、物語が人類史の早い段階で根づくことになったのだと指摘されている。[25]人類が物語に込められたどのような種類の情報を高く評価するように進化したのかについては、競合する2つの説がある。一部の研究者は、生存に関連する物語が最も重要だと指摘する。僕たちは心の底では、食物や危険がどこにあるかに関する情報を欲しているというのだ。嫌悪感のような反応を引き起こす物語がなぜ記憶に残りやすいか、それで説明がつく。自分を毒殺したいと思う人はいないからだ。また別の研究者は、人の生活は社会的な相互作用に支配されるので、社会的に重要な情報が最も役に立つと主張する。つまり、僕たちは社会規範を壊すような関係や行動についての詳細を優先的に思い出すというのだ。[26]

この2つの説を検証するため、テヘラニと同僚らが都市伝説の拡散を調べる実験をしたことがある。「伝言ゲーム」をまねて、話を人から人へと伝える。最終的に伝わった話を見れば、どれくらい記憶されたかがわかるというわけだ。その結果、生存または社会にかかわる情報のほうが中立的な情報より記憶に残りやすく、さらに社会的な物語が生存にかかわる物語より成績がよかった。

ほかにも、物語の成功を押し上げる要因がある。伝言ゲームの実験で、物語は伝わるにつれ短く単純になる傾向があることがわかった。要点は記憶されても、細かいことは忘れられてしまうのだ。驚きも役に立つ。直感に反するような考えが含まれていると、記憶に残りやすいという証拠がある。とはいえ、バランスも必要だ。物語にはある程度の意外性が必要だが、多すぎてはいけない。成功した物語は一般になじみ深い要素をふんだんに散りばめ、そこにばかばかしいひねりを多少効かせてある。ゴルディロックスのお話では、女の子が、母親と父親と赤ちゃんが暮らす家を探検する。ひねりはもちろん、それがクマの家族だという点だ。この語りのトリックは、陰謀論が魅力的なわけも教えてくれる。現実の出来事に意表を突くものの見方を加味してあるからなのだ(27)。

さらに、物語の構造も、ものを言う。ゴルディロックスのお話の人気のもとは、この女の子自身というより3匹のクマにある。この3匹が、物語を三つ組みの繰り返しという覚えやすい形にしている。ボウルのおかゆは熱すぎと冷たすぎとちょうどいい、ベッドは柔らかすぎと固すぎとちょうどいいと、どれも3種類ずつ並んでいる。この修辞学上のトリックは「三の法則」と呼ばれ、アブラハム・リンカーンからバラク・オバマまで、政治家の演説にはたびたび顔を出す。[28] 3つ並べたリストにはなぜ、それほど威力があるのだろう？ 三つ組みが数学的に重要な意味をもつことにいくらか関係があるかもしれない。一般に、パターンの確定（または破壊）には少なくとも、ひと続きになった3つのものが必要とされる。[29]

パターンは個々の言葉の拡散も助ける。言語が進化する際には、新しい言葉はすでになじみのある言葉と競争して取って代わらなければならない。そうした状況では一貫した法則にしたがう言葉のほうが好まれる。たとえば、英語の動詞の過去形は「...ed」で終わる場合が多い。したがって、昔から使われていた「smelt」が「smelled」に道を譲り、「wove」が次第に「weaved」に変わったのは当然の成り行きと言える。[30]

とはいえ、別の方向に進化した言葉もある。1830年代にはキャンドルに火をつけたとき「lighted」を使ったが、いまは「lit」と言う。こうした不規則な形の言葉が競争に勝ったのはなぜだろう？ ペンシルベニア大学の生物学者と言語学者のグループは、押韻に関係があるのではないかと考えている。彼らによると、20世紀半ばにアメリカ人は「dive」の過去形として「dived」ではなく「dove」と言い始めたが、同じ頃、普及し始めた自動車が「drive」や「drove」のような言葉の使用を促していた。同様に、立ち去ろうとしていることを「split」と言うのが好まれるようになった時期に、「lighted」や「quitted」の代わりに「lit」や「quit」が使われ出した。

「垂直伝播」と「水平伝播」

新しい言葉や物語が集団に広がるには、おもに2つの方法がある。1つは、世代から世代へと、恐らく多少の変異を取り入れながら伝えられるやり方で、「垂直伝播」と呼ばれる。もうひとつは、同一世代のあいだで共同体を越えて混合が起こるもので、「水平伝播」と呼ばれる。ダシルヴァとテヘラニは、民話の拡散には両方のタイプの伝播が影響しているものの、垂直伝播のほうが重要な場合がほとんどであることを発見した。もっとも、この世には水平伝播が優勢な領域もある。コンピュータプログラムの開発者はたいてい、既存のコードを再利用する。ちょうど必要としている機能がすでにあるとか、時間を節約したいとかいう場合だ。進化論の用語で言えば、そのコードは「タイムトラベル」する。つまり、古いプログラムや言語の一部が新しいもののなかに突然、出現する[31]。

物語やコンピュータコードの一部が同じ世代の中で混じり合うと、整然とした進化の樹を描くのは難しくなる。親が子に、昔から伝えられてきた家族の物語を話して聞かせ、子供がそこに友達の家族の物語からあちこち取り入れたとしたら、新しい物語はそうしたさまざまなストーリーの枝が融合したものとなってしまう。似たような問題は生物学者のあいだでもよく知られている。2009年の「ブタインフルエンザ」のパンデミックを考えてみよう。感染爆発が始まったのは、4つのウイルス——鳥インフルエンザウイルス1種、ヒトインフルエンザウイルス1種、そして2種のブタインフルエンザ——の遺伝子が、感染したメキシコのブタの体内でごちゃ混ぜになり、新しい雑種ウイルスができて、それが人間のあいだに広がったときだった。[32] 雑種のひとつの遺伝子はヒトインフルエンザウイルスと密接な関係があり、別の遺伝子は鳥のあいだで循環しているインフルエンザに類似しており、ほかはブタのウイルスに似ていた。それでいて全体として見ると、この新しいウイルスはほかのどんなインフルエンザウイルスとも違っていた。このような変化は、単純な樹のたとえの限界を示す。ダーウィンの生命の樹は進化の特徴の多くを捉えているものの、遺伝子が世代間だけでなく世代内でも渡されうるとなると、現実には、生命の樹はもっと奇妙な、乱れた生垣のような姿となる。[33]

伝播が水平か垂直かで、集団内での形質の広がり方に大きな違いが出ることがある。西オーストラリアのシャーク湾沖の水域で、少数のバンドウイルカが道具を使って食物をあさり始めた。海洋生物学者が初めてこの行動に気づいたのは1984年で、イルカたちはカイメンのかけらを折り取り、海底をかき回して魚を探す際にそれを防護マスクのように鼻先に装着した。しかし、シャーク湾のイルカがみな、カイメンを使い始めたわけではなく、このテクニックを取り入れたのは10頭に1頭にすぎなかった。[34] なぜ、この行動はもっと広がらなかったのだろう？　最初に観察されてから20年後、ある研究グループが遺伝学的データを用いて、このやり方がほぼ完全に垂直伝播することを明らかにした。イルカは社交的な動物として有名だが、この新しいやり方を1頭が身につけたあとは、家系を通じてしか広がらなかったように思われる。その家系と血縁でない個体はカイメンなしで食物あさりを続けた。つまり、そのイルカの家族は自分たちだけの伝統を創造したのだ。

生態学者のルーシー・アプリンによると、動物界では文化の水平および垂直伝播がどちらも起こりうる。「それは種によってほんとうにさまざまで、学習される行動によっても違います」。「たとえば、伝播のタイプは、新しい情報がどれくらい幅広く拡散するかに影響するという。「たとえば、学習のほとんどが垂直伝播で起こるイルカの場合を想像してください。学習されたことは家族特有の行動となり、集団に広く拡散するのは非常に困難です」。それにひきかえ、水平伝播は新しい技術をもっと素早く拡散させる。そうした伝播はシジュウカラのような鳥によく見られる。「彼らの社会的学習の多くは水平伝播によって起こります。親から子へ伝えられるのではなく、群れをつくる冬期に血縁でない個体の行動を見て学ぶのです」とアプリンは言う[35]。

動物によっては、伝播のタイプの違いが生存に重要な意味をもつことがある。人間が自然環境をどんどん変えていくにつれ、革新的な技術を効果的に伝えられる種のほうが、変化に適応するうえで有利になるだろう。「一部の種は環境の変化に対して高度な柔軟性を示すという証拠が増えてきています。そうした種は、人間によって変えられた生息環境や人間が導入した変化にうまく対処できるように思われます」とアプリンは語る。

効果的な伝播は、人間が起こす変化に生物が顕微鏡的なレベルで対抗するのも助ける。細菌のなかには抗生物質に抵抗できるようになる変異を獲得しているタイプもあるが、そうした遺伝子変異は、細菌が複製する際の垂直伝播によって広がるだけでなく、しばしば同一世代の中で水平に受け渡される。ソフトウェア開発者がファイル間でコードをコピー&ペーストするように、細菌は遺伝子の断片を互いにやり取りできるのだ。最近、この水平伝播が、薬剤に耐性のある性感染症はもちろん、MRSAのようなスーパー耐性菌の出現にも寄与していることが発見された。[36]細菌が進化するにつれ、ありふれた感染症の多くがしだいに治療不可能になるかもしれない。たとえば2018年、英国のある男性がいわゆる「スーパー淋病」と診断された。標準的な治療で用いられるあらゆる抗生物質に耐性を示したのだ。男性はアジアでこの感染症に罹っていたが、英国では翌年にもさらに2例見つかり、それはヨーロッパとつながりがあった。[37]こうした感染症の追跡と防止には、手にはいるあらゆるデータが必要になるだろう。

遺伝子データとプライバシー

遺伝子配列のような新しいデータ源が使えるようになったおかげで、さまざまな疾病や形質が集団にどのように広がるのか、いっそう解明が進んでいる。実際、21世紀医療の最大の変化のひとつは、ゲノムを迅速にかつ低コストで解析できるようになったことだろう。それを使えば、感染爆発の解明はもちろんのこと、ヒトの遺伝子がアルツハイマー病からガンに至る多様な病気にどのような影響を与えているのかも研究できる(38)。遺伝学には社会的な用途もある。ゲノムを解析すれば家系のような特性も明らかにできるので、遺伝子検査キットは家族の歴史に関心のある人への贈り物として人気が出てきている。

とはいえ、そうしたデータが入手できるとなると、思わぬプライバシー侵害につながる場合もある。僕たちは非常に多くの遺伝的特性を親族と共有しているため、検査を受けていない人の情報まで、知られてしまう可能性があるのだ。たとえば2013年に『タイムズ』紙が、母親側の遠い親戚2人を調べた結果、ウィリアム王子にインド人の祖先がいるとわかったと報じた。すぐに遺伝学の研究者たちから、本人の同意なしに個人情報を暴露したと批判の声が上がった(39)。時には、血縁関係が明らかになったことで破壊的な結果がもたらされる場合もある。秘密にしていた養子縁組や不貞がクリスマスプレゼントの血統検査でばれてしまい、家庭不和に陥った家族の例がいくつか報告されている(40)。

すでに見たように、僕たちのオンラインでの行動に関するデータが収拾・共有され、企業の標的型広告に利用されている。マーケティング担当者は広告をクリックした人数をただ数えているわけではない。クリックしたのはどういう種類の人で、どこからその広告にたどりつき、次に何をしたかまで、把握できる。そうしたデータセットを組み合わせることで、あることが別のことにどう影響するかを明らかにするのだ。同じ方法はヒトの遺伝子データを分析するときにもよく使われる。遺伝子配列を一つひとつ別々に調べるのではなく、民族的背景や病歴といった情報と照らし合わせる。異なるデータセットをつなぐパターンを明らかにするのが狙いだ。そのパターンがわかれば、遺伝子コードから民族や疾病リスクなどを予測できる。23andMeのような遺伝子検査会社が多くの投資家を引きつけている理由はそこにある。会社は単に顧客の遺伝子データを収集しているだけでなく、どんな人物かに関する情報も集めている。それがあれば、健康に関する状況をもっと深く知ることができる。(41)

そのようなデータセットを蓄積しているのは営利企業だけではない。2006年から2010年にかけて、英国バイオバンクプロジェクトに50万人が自発的に参加した。プロジェクトの目的は、その先数十年にわたって、遺伝的特徴と健康におけるパターンを調べることだった。データセットが充実すれば世界中の研究チームがアクセスできるようになり、貴重な科学的資源となるだろう。2017年以降、疾病、傷害、栄養、健康、メンタルヘルスなどの研究計画をもつ無数の研究者が、データへのアクセス権を登録している。(42)

健康情報を研究者と共有することには大きな利点がある。しかし、データセットに多くのグループがアクセスできるようにするつもりなら、人々のプライバシーをどう保護するか、考える必要がある。プライバシー侵害のリスクを減らす方法のひとつは、個人の特定に使える情報の削除だ。たとえば、研究者が医療データセットにアクセスする際には、住所・氏名などの個人情報は削除されていることが多い。ただし、そうしたデータがなくても、個人が特定できてしまうかもしれない。ラターニャ・スウィーニーはマサチューセッツ工科大学の大学院生だった１９９０年代半ばに、もしある米国市民の年齢、性別、郵便番号がわかれば、多くの場合、該当する人物をたった１人にまで絞り込めるのではないかと考えた。当時、いくつかの医療データベースにはその３つの情報が含まれていた。それらと選挙人名簿を組み合わせれば、目の前にあるのが誰の医療記録か、たぶん割り出せるはずだとスウィーニーは考えた[43]。

そこで、彼女は実際にやってみた。「わたしの仮説を検証するため、データにある誰かを調べる必要がありました」と彼女はのちに回想している[44]。マサチューセッツ州はその頃、研究者が自由に利用できる「匿名化」通院・入院記録を作成していた。患者のプライバシーは保護されていると州知事のウィリアム・ウェルドは豪語していたが、スウィーニーの分析は違う結果を示唆した。彼女は20ドルを支払ってウェルドが住むケンブリッジの有権者名簿にアクセスし、彼の年齢、性別、郵便番号を病院のデータセットと相互参照した。すぐに彼の医療記録が見つかったので、コピーして彼に郵送した。この実験が一躍注目を浴びた結果、米国での医療情報の保管と共有の仕方が大きく変わることになった[45]。

データがひとつのコンピュータから別のコンピュータに拡散すると、データから窺われる人々の人生の情報も拡散する。注意しなければならないのは医療や遺伝の情報だけではない。一見問題がなさそうなデータセットであっても、驚くほど個人的な情報が含まれている場合がある。２０１４年3月、クリス・ウォンという名の自称「データ中毒者」が、情報自由法を使って、ニューヨーク市の前年のあらゆるイエロータクシー乗車の詳細情報を請求した。ニューヨーク市タクシーおよびリムジン委員会がデータセットを開示したとき、そこには乗車と降車の時間と場所、運賃、チップ額が含まれていた[46]。合計1億7300万回分のデータがあり、各タクシーはナンバープレートの番号ではなく、一見ランダムな一連の数字で区別されていた。ところが、乗車記録は匿名性とはほど遠いことが判明する。データセットの開示から3カ月後、コンピュータ科学者のヴィジェイ・パンドゥランガンがタクシーコードの解読法を明らかにし、暗号化した数字をもとのナンバーに転換した。次いで、大学院生のアンソニー・トッカーがブログで、ほかにどんなことが見つかるかを説明した。単純な裏技を少々使うだけで、ファイルから大量の微妙な情報が取り出せることを発見していたのだ[47]。

トッカーがまず示したのは、セレブのストーキング法だった。彼は「2013年、マンハッタンでタクシーに乗るセレブ」の画像を何時間も検索するうちに、ナンバープレートが写り込んだ写真を数枚見つけた。これをセレブのブログや雑誌と照らし合わせて、乗車地点または目的地を割り出し、匿名化されているという触れ込みのタクシーデータセットで一致するものを見つけた。また、セレブのうち何人がチップを渡したか――あるいは渡さなかったか――も知ることができた。「まあ、これは比較的害のない情報だし、そもそも1年前のものだ。それでも僕は、これまでは公開されていなかった情報をあばいたのだ」とトッカーは書いている。

こうした分析を見てもたいして心配しない人がほとんどだと、トッカーは知っていた。そこでもう少し掘り下げてみようと、今度はヘルズキッチン界隈のストリップクラブに目をつけ、早い時間帯のタクシーの乗客を探した。すぐに常連客を特定し、逆にたどって住所を突きとめた。彼らをオンラインで見つけるのに長くはかからず、ソーシャルメディア上でざっと調査すると、その男性の外見や自宅の資産価値、既婚か独身かなどを知ることができた。トッカーはこうした情報を一切公表しないことにしたが、誰であれ、たいした努力なしに同じ成果を手にできるはずだ。「この分析の重大性はどんなに強調しても、しすぎることはない」とトッカーは記している。

高性能GPSのデータがあれば、人の特定は非常に簡単だ[48]。僕たちのGPS発信機は、どこに住んでいるか、どのルートで通勤するか、どんな予約があって誰と会うかをあっさりばらしてしまう。ニューヨークのタクシーのデータ同様に、そうした情報がストーカーや泥棒、脅迫者にとって宝の山となりうることは想像に難くない。2014年のある調査によると、米国の家庭内暴力被害者用シェルターの85%は、GPSを介したストーキングから被害者を守る対策を講じているという[49]。一般消費者向けGPSデータによって軍事作戦が危険に曝されることさえある。2017年、将校団が着けていた市販のフィットネストラッカーのせいで、基地の正確な配置が漏れるという事件があった。ランニングやサイクリングのルートをアップロードした際に、意図せずして漏らす結果となったのだ[50]。

こうしたリスクはあるものの、移動データの利用によって貴重な科学的知見が得られる場合もある。ウイルスが次にどこに広がるかを推測する、緊急援助チームが自然災害の避難民を支援する、都市計画を立てる際に市の輸送ネットワークの改善法を考えるなど、さまざまな場面で役立つだろう[51]。高性能GPSのデータを使えば、特定のグループのあいだの相互作用さえ、分析できる。たとえば、社会的な差別や政治的なグループ分け、不平等などを携帯電話の情報を使って追跡する研究は、米国から中国までいろいろな国で行われている[52]。

前述の内容を読んで少し嫌な気分になったかもしれないが、そう感じるのはあなただけではない。デジタルデータが手軽に利用できるようになるにつれ、プライバシーに関する懸念も大きくなりつつある。不平等のようなことがらは大きな社会的課題であり、研究する価値があることは疑いの余地がない。しかし、そうした研究が僕たちの収入や政治的見解、社会生活などの詳細にどこまで立ち入るべきかを巡っては、激しい議論が交わされている。人間の行動を理解するためということになると、僕たちはしばしば決断を迫られる。知識の対価として、どれくらいまでなら受け入れられるだろう?

GPSデータのブローカー

僕と共同研究者が移動データのかかわる研究を行う場合、プライバシーは常にたいへん大きな問題だ。一方では、できるだけ役に立つデータを集めたい。特に、共同体を感染爆発から守るのに役立つ可能性のあるデータの場合、その思いは強くなる。また一方では、その共同体の個人の私生活を守る必要がある。たとえそのために、収集したり発表したりする情報が制限されることになっても仕方がない。インフルエンザやはしかのような病気の場合には、特に厄介な問題に直面する。感染のリスクが高いのは子供だが、調査対象となることで害をこうむりやすい年齢層でもある。[53]社会的行動に関する有用で興味深いことがらを教えてくれそうな研究はたくさんあるが、プライバシーを侵害する可能性を考えると、実施を正当化することは難しいだろう。

まれに僕たちのチームが実際に外に出てＧＰＳデータを収集する場合、協力者からはあらかじめ同意を取り付け、位置情報にしかアクセスしないことを知らせておく。しかし、プライバシーに関して誰もが同じ姿勢というわけではない。仮に、あなたの携帯電話から、聞いたこともない会社に絶えずＧＰＳデータが漏れていた場合を想像してほしい。これはあなたが思うよりもよくある。近年、一般にはほとんど知られていないが、ＧＰＳデータのブローカーのネットワークが現れている。それらの会社は人々がＧＰＳへのアクセスを許可した何百というアプリから移動データを買い取り、それをマーケティング担当者や研究者、その他のグループなどに売っている。[54]多くのユーザーは、フィットネスや天気予報、ゲームなどのそうしたアプリをインストールしたことをとっくに忘れているかもしれない。まして、継続的な追跡に同意したことなど、全然頭にないだろう。２０１９年、米国のジャーナリストのジョセフ・コックスが、バウンティ・ハンターを雇って、間接的に入手した位置データによる電話の追跡をさせたと報告した。[55] 報酬は300ドルだったという。

位置データに簡単にアクセスできるようになったことで、新しいタイプの犯罪も現れている。人を引っかける「フィッシング」メッセージを送りつけて重要な情報を引き出そうとする詐欺は以前からあったが、いまや、ユーザー固有のデータを組み込んだ「スピアフィッシング」攻撃まで開発されている。2016年、米国のペンシルベニア州の住民数人が、最近起こしたスピード違反の反則金の支払いを促すEメールを受け取った。そこに記されたスピードも場所も正確だったが、メールは偽物だった。警察によると、詐欺師連中はアプリから漏れたデータを取得し、それを使って地元の道路でスピードを出し過ぎた人を特定したのではないかという。[56]

移動に関するデータセットには並外れた威力のあることが明らかになりつつあるものの、限界もある。どんなに詳しい移動情報があっても、計測がほぼ不可能なタイプの相互作用がひとつあるのだ。それは、短く、しばしば目に見えない、感染爆発の初期には特に捉えにくい出来事だ。医学史上、極めて悪名高い事件のいくつかのきっかけとなったものでもある。

疲れの溜まる1週間を終え、医師は香港のメトロポールホテルの911号室にチェックインした。気分がすぐれなかったにもかかわらず、中国南部から3時間もバスに揺られて、週末に行われる甥の結婚式にやってきたのだ。数日前にインフルエンザのような症状で倒れて以来、完全によくなっていなかった。それどころか、もっとひどくなろうとしていた。24時間後、彼は集中治療室に入れられ、10日もしないうちに亡くなる。[57]

それが2003年2月21日のことで、この医師は香港でのSARS患者第1号だった。やがて、メトロポール関連でほかに16名のSARS患者が出る。医師の部屋の向かいや隣、廊下沿いの部屋に滞在していた人々だ。病気が広がるにつれ、原因となっている新しいウイルスを早急に突きとめる必要が出てきた。感染から症状が現れるまでの時間（潜伏期間）といった基本的な事実さえ、不明だった。東南アジア一帯に患者が現れるに及んで、インペリアルカレッジロンドンの統計学者クリストル・ドネリーと同僚らは、香港の協力者とともに重要な情報の評価に乗り出した。[58]

潜伏期間を割り出すといっても、実際に感染が起こる瞬間が目撃されることはめったにない。僕たちが目にするのは、もっと後になって、発症した人々が現れ始める段階だ。そこで、平均潜伏期間を推測したいなら、感染してからの時間がはっきりしている患者を見つける必要がある。たとえば、メトロポールホテルに滞在中のあるビジネスマンは、香港での第一号患者である中国人医師と1日だけ滞在が重なっていた。その6日後にSARSを発症したことから、彼の場合はこの日数が潜伏期間だったに違いない。ドネリーと同僚らはこのような例を集めようとしたが、それほど多くはなかった。4月末までに香港で報告のあったSARS患者1400名のうち、ウイルスへの曝露時期を明確に特定できたのはわずか57名だった。これらの例を総合した結果、潜伏期間は平均6・4日となった。それ以来、2009年の新型インフルエンザ、

2014年のエボラ、2020年のCOVID－19など、その他の新しい感染症の潜伏期間を推測する際にも、同じ方法が使われている[59]。

禁断の実験

もちろん、潜伏期間の算出にはほかのやり方もある。誰かに故意に病原菌を与え、どうなるか見るのだ。その恥ずべき例のひとつが、1950年代から1960年代にかけてのニューヨークで起こった。スタテン島にあるウィローブルック州立学校には、知的障害のある子供6000人以上が暮らしていた。過密で不潔なこの学校では肝炎の流行がたびたび起こっていたことから、小児科医のソール・クルーグマンは肝炎を研究するプロジェクトを思い立つ[60]。共同研究者のロバート・マッカラムおよびジョーン・ジャイルズとともに行った調査研究には、子供たちを故意に肝炎に感染させて、その進行や拡散の様子を解明することも含まれていた。彼らは潜伏期間を測定しただけでなく、自分たちが相手にしているのが2つの異なるタイプの肝炎ウイルスであることも発見した。片方は、いまはA型肝炎とよばれているもので、人から人へ広がる。もう片方のB型肝炎は血液によって感染する。

この研究は発見だけでなく論争ももたらした。1970年代初めには批判が大きくなって、実験は結局中止になった。研究チームは、プロジェクトには倫理上の問題はなかったと主張した。いくつかの倫理委員会から承認され、子供たちの親からは同意を得ていたうえ、学校の劣悪な環境からして、子供たちの多くはいずれ肝炎に罹っていただろうというのだ。これに対して批判者たちは、何よりも同意書自体、何が行われるのか詳しく触れていないうえ、子供たちが何もしなくても感染する可能性をクルーグマンは大げさに述べていると反論した。「これまでに米国で子供を対象に実施された最も反倫理的な医学実験だ」と、ワクチン開発のパイオニアであるモーリス・ハイルマンは断言した。(61)

これは、そのようにして得られた知識をどうするべきかという疑問を提起する。ウィローブルック研究の論文は何百回も引用されているが、そのような承認行為に誰もが賛成しているわけではない。「クルーグマンとジャイルズの研究が参考文献として言及されるたびに、その一見立派な倫理性が補強される。わたしの考えでは、そうした言及はやめるか、少なくとも厳しく制限すべきだ」と、医師のスティーブン・ゴールドビーが1971年に『ランセット』誌に投稿した手紙で書いている。(62)

不快感を与えるような起源をもつ医学的知識は、ほかにもたくさんある。19世紀初頭の英国ではメディカルスクールの数が増え、解剖学実習に使う死体が大量に必要になった。法律に則った供給には限りがあることから闇市場が現れ、墓場から死体が盗まれて講師に売られる事件が頻発するようになった。(63)とはいえ、一番ショッキングなのは生体実験だ。第二次世界大戦中、ナチスの医師たちはアウシュビッツで人々を故意にチフスやコレラといった病気に感染させ、潜伏期間などを測定した[64]。戦後、医学界はニュルンベルク綱領を策定し、研究倫理のための大まかな原則を定めた。それでもなお、論争の原因となるような研究は続いた。チフスに関する僕たちの知識の多くは、1950年代と1960年代に米国の囚人を用いた研究によって得られたものだ[65]。それにもちろん、ウィローブルックの件がある。その研究のおかげで、僕たちの肝炎に関する知識は一変した。

身の毛もよだつような人体実験の歴史にもかかわらず、意図的な感染を含む研究は増えている[66]。世界中で、マラリアやインフルエンザ、デング熱などの研究にボランティアが登録しており、2019年にはそうした研究が数十件も進行中だった。一部の病原体はあまりにも危険すぎ、エボラなどは明らかに問題外だとはいえ、感染実験のもたらす社会的・科学的恩恵が被験者へのささやかなリスクを上回る場合もあるのだ。現代の感染実験には遥かに厳しい倫理指針が設けてあり、特に被験者に情報を提供して同意を得ることについては厳格な決まりがある。それでも、恩恵とリスクを慎重に秤にかける必要がある。生活のほかの領域でも、難しいバランスが求められる状況がますます目立つようになっている。

第8章 感染の法則を生かすために

誰かから折りたたんだメモを手渡されたのは、グレンヴィル・クラークが議長席に腰を下ろそうとしていたときだった[1]。弁護士出身のクラークのお膳立てで、新しくつくられた国際連合の将来を話し合う会議が開かれようとしていた。目指すは世界平和だ。60人の代表がすでにプリンストン大学の会場に到着していたが、もう1人、参加を希望する者がいた。メモは、隣接するプリンストン高等研究所に籍を置くアルベルト・アインシュタインからのものだった。

時は1946年1月、物理学者の多くは最近の広島と長崎への原爆投下に果たした役割を気に病んでいた[2]。アインシュタインは昔から平和主義者だった――そして爆撃には反対していた――ものの、彼が1939年に手紙でルーズベルト大統領にナチスの原子爆弾開発の可能性を警告したことが、米国の核開発計画の引き金を引いたのだ[3]。プリンストン大学での会議中、ある出席者がアインシュタインに、人類には新しい技術を管理する能力がないのではないかと訊ねた[4]。人間の頭脳には原子の構造を発見するほどの力があるのに、なぜ我々は原子が我々人間を破滅させないようにしておく政治的手段を考え出すことができていないのか？　「そのわけは簡単さ、わが友よ」とアインシュタインは答えた。「政治は物理学より難しいからだよ」

核物理学は「軍民両用技術」の最も顕著な例と言える。[5] 核物理学の研究は非常に大きな科学的・社会的恩恵をもたらしているが、極めて有害な用途も発見されてしまった。これまでの章で、好ましい用途と好ましくない用途の両方に使える技術の例を、ほかにもいくつか見てきた。ソーシャルメディアは、古い友達や新しい有益な知識との橋渡しをしてくれる。しかしながら、デマやその他の有害なコンテンツも拡散させる。犯罪の突発的増加を分析すれば、危険に曝される恐れのある人が特定でき、犯罪の伝播の阻止が可能になる。しかし、マイノリティーグループに過度に照準を合わせるような、偏った警察活動のアルゴリズムを生むこともある。大規模なGPSデータは、大災害に効果的に対応したり、輸送システムを改善したり、新しい病気の広がりを予測したりするのに役立っている。[6] しかし一方では、知らないうちに個人情報が洩れ、プライバシーや安全までも危険に曝されるリスクをもたらす。

2018年3月、『オブザーバー』紙が、選挙コンサルティング会社のケンブリッジ・アナリティカが何百万人ものフェイスブックユーザーのデータをひそかに収集していたと報じた。目的は米国および英国の有権者の心理学的プロファイルの構築だという。[7] そのようなプロファイリングの有効性には統計学者が疑問を呈していたとはいえ、[8] このスキャンダルはテクノロジー企業に対する一般の人々の信頼を著しく損なった。ソフトウェアエンジニアでかつて物理学者だったヨナタン・ズンガーによると、この話は核物理学とか医学といった分野ですでに経験済みの倫理論争の現代版なのだという。[9]「コンピュータ科学は他の科学分野と違って、その分野を実践する者のやった仕事が深刻な悪影響をもたらしたという事態にまだ直面したことがない」と、当時彼は書いている。新しい技術の登場に際しては、他の分野の研究者たちがすでにつらい経験を通して学んだ教訓を忘れてはならない。

データがあっても常に問題を解決できるわけではない

「ビッグデータ」という言葉が21世紀初頭の流行語となったとき、さまざまな用途に使える可能性があるとして、楽観的な見通しが支配的だった。ひとつの目的のために集められたデータが、生活のほかの領域における懸案事項に取り組むのにも役立つだろうと期待された。それを最もよく示す例が、グーグルのインフルトレンド（GFT）だ。[10]何百万人ものユーザーの検索パターンを分析することで、インフルエンザの流行状況をリアルタイムで予測できるだろうと研究者たちは指摘した。公式な米国疾病統計の発表を1週間も2週間も待たなくていいのだ。[11]GFTの最初の版は2009年初めに公表され、その結果には期待がもてそうだった。しかし、批判が頭をもたげるのに長くはかからなかった。

GFTプロジェクトにはおもに3つの限界があった。まず、予測が常にそううまくいくとは限らなかった。2003年から2008年にかけての米国の季節性冬期インフルエンザのピークは再現できたが、2009年春に予想外のパンデミックが始まったときには、その規模を大幅に小さく見積もった。[12]「GFTの最初の版は、インフルエンザ検出器として作用した場合もあったものの、単に冬が来たという事実の検出器に過ぎない場合もあった」。ある研究グループがそう表現している。[13]

2番目の問題は、予測が実際にどのようにして行われるのか、明確でないことだった。GFTは基本的に中が見えない機械のようなもので、片方の端から検索データを入れると、反対側から予測が出てくる。グーグルは生《なま》のデータや予測方法を部外者には提供しなかったので、ほかの研究者が分析を詳しく調べて、ある状況ではアルゴリズムが好成績を出すのにほかの状況ではだめなのはなぜか、突きとめるのは不可能だった。

最後の、そしてたぶん最大の問題は、GFTがそれほど意欲的な企てとは思えないことだった。インフルエンザは毎冬流行するが、それはウイルスが進化して、いまあるワクチンではあまり効果がなくなるからだ。同じく、将来の新型インフルエンザウイルスに政府が神経をとがらせるおもな理由は、新しい型のウイルスに効果のあるワクチンを手にできそうもないからだ。パンデミックが起こった場合、ワクチン開発には6カ月かかる。[14]その頃にはウイルスが広く拡散してしまっているだろう。インフルエンザの感染爆発の形を予測するには、ウイルスがどう進化し、人々がどう相互作用し、集団がどう免疫を獲得するかをもっとよく理解する必要がある。[15]この途方もなく困難な状況に対して、GFTが目指すのは単に、いずれほかから発表されるインフルエンザの流行状況を1週間かそこら早く報告することだけなのだ。データ分析という点では興味あるアイディアだったが、感染爆発に対処するという点では、画期的とは言えなかった。

これは、研究者や企業が大きなデータセットを生活の広範な側面に適用することについて語る際に陥りやすい落とし穴だ。これほど多くのデータがあるのだから、ほかにも、これで答えの出る重要な疑問があるに違いないと思い込む。事実上、解決策が先にあって、それに合う問題を探すということになってしまうのだ。

２０１６年末、疫学者のキャロライン・バッキーはハイテク企業が主催する資金調達のための催しに参加して、自分の研究をシリコンバレーの関係者に売り込んでいた。バッキーには、最先端技術を用いて感染爆発を研究した豊富な経験があり、近年はＧＰＳデータを使ってマラリアの伝播を調べる研究をいくつか行っていた。しかし彼女はそうした技術の限界にも気づいていた。資金調達の催しでは、十分な資金とプログラマーをもってすれば企業は世界の医療問題を解決できるという態度が幅を利かせていることを、苛立たしく感じた。「テクノロジー企業の大物が研究のおもな資金提供者となっている世界では、現代テクノロジーに精通していさえすれば、大学を出たての若者でも単独で公衆衛生上の問題をコンピュータ上で解決できるという考え方がまかり通っている。そんな甘い考えに惑わされてはならない」と、のちに彼女は書いている。(16)

最先端技術を用いた手法の多くは、実行可能でもなければ持続可能でもない。バッキーの指摘によれば、伝統的な手法を「粉砕する」という期待のもとに行われた最先端技術の試験運用、つまりそうした技術を用いたアプリの試みの多くが失敗に終わっている。いいアイディアが有望な新規事業のように自然に出現すると想定するのではなく、保健対策が実際にどの程度成果をあげるか評価する必要がある。「パンデミックに備えるには、政治的に複雑で多くの次元にわたる問題への長期の関与が求められる――粉砕ではなく」と彼女は述べている。

それでも、最先端技術が現代の感染爆発分析に重要な役割を果たしているのは確かだ。研究者は日常的に、数理モデルを使って抑制策を考案したり、スマートフォンを使って患者データを集めたり、病原体の遺伝子配列を用いて感染の広がりを追跡したりしている。[17] とはいえ、最大の難問はコンピュータ関連というより実務にかかわる問題である場合が多い。データを集めて分析できることと、感染爆発を見分け、それについて何かをするために資源を振り向けることとは別ものだ。エボラが2014年に最初の大きな流行を引き起こしたとき、伝播の中心となったシエラレオネ、リベリア、ギニアは、世界の最貧国に位置づけられる3カ国だった。次に大きな流行が始まったのは2018年で、場所はコンゴ共和国の北東部にある紛争地帯だった。2019年7月には患者が2500人に達してなおも増加中となり、WHOが「国際的に懸念される公衆衛生上の緊急事態」を宣言した。[18] 医療上の対応能力の世界的な不均衡は専門用語にさえ表れている。2009年の新型インフルエンザウイルスが最初に現れたのはメキシコだったが、正式名称は「A/California/7/2009（H１N１）」となっている。新しいウイルスが最初に同定されたのが、カリフォルニアにあるラボだったからだ[19]。

困難な状況で最大限にデータを活かすために

こうした人的・物的資源の供給上の難問があるため、新規の感染爆発に後れを取らないように調査研究をするのはなかなか大変だ。２０１５年から２０１６年にかけてジカ熱が大きく広がり、研究者たちは追い立てられるようにして、大規模臨床研究やワクチンの治験の計画を立てた[20]。ところが多くの研究の開始準備が整ったとたんに、患者の発生が止まった。感染爆発の調査ではこうした挫折をよく経験する。感染がやむ頃になっても、伝染に関する基本的な疑問に答えが出ていないことがある。だからこそ、長期にわたって研究を続けられる体制を整えておくことが欠かせない。僕たちのチームはフィジーでのジカ熱の感染爆発の際に大量のデータを生みだすことができたが、それはデング熱の調査のためにたまたまそこにいたからに過ぎない。同様に、ジカ熱に関する最高のデータの一部は、カリフォルニア大学バークレー校のエヴァ・ハリスの主導で長く続いているニカラグアのデング熱の研究から生まれた[21]。

ほかの分野の感染爆発についても、研究は後手に回っている。２０１６年の米国大統領選中のデマに関する研究の多くは、２０１８年または２０１９年まで発表されなかった。選挙妨害を調査するその他のプロジェクトは開始さえおぼつかないありさまで、一部はいまとなっては不可能だ。ソーシャルメディア企業が、不注意から、あるいは故意に、必要なデータを消去してしまったからだ[22]。同じように、断片的で信頼性のないデータソースが、金融危機や銃による暴力、オピオイド使用などの調査を妨げている[23]。

けれども、データ入手の可否は問題の一部でしかない。感染爆発の最高のデータにさえ、ごまかしや但し書きが含まれ、それが分析の邪魔になる。放射線照射とガンの関係を追究したアリス・スチュワートは、疫学者には完璧なデータセットを手にする贅沢などめったに許されないと気づいた。「汚点、つまりトラブル発生地点を、染みひとつない場所で探すのではなく、とても汚い場所で探すようなものです」と彼女は言う[24]。友達関係のデータから肥満の拡散を推測する、オピオイドの蔓延から薬物使用のパターンを明らかにする、情報の影響を異なるソーシャルメディアプラットフォームにまたがって追跡する、といったほかの多くの試みでも同じ問題が顔を出す。人生は乱雑で複雑なものであり、そこから生まれるデータセットも、そうなのだ。

感染という現象をもっとよく捉えたいなら、そのダイナミックな性質を考慮に入れる必要がある。それはすなわち、研究をさまざまな感染爆発に合わせて調整し、研究結果をできるだけ役立てられるように素早く動き、情報をつなぎ合わせる新しい方法を見つけることを意味する。たとえば、疾病調査官はいまや、症例、人の行動、集団免疫、病原体の進化などに関するデータを組み合わせて、捉えどころのない感染爆発の実態に迫ろうとする。一つひとつを見れば、どのデータセットにもそれなりの瑕疵はあるが、まとめれば、伝染の姿をより完璧に描き出すことができるのだ。そうした手法を描写する際にキャロライン・バッキーは、「真実は、さまざまな誤りをたくさん並べてみてはじめて手にはいる」というヴァージニア・ウルフの言葉を引用している[25]。

用いる手法を改良するだけでなく、ほんとうに大事な疑問に的を絞ることも必要だ。社会的な伝染を例に取ろう。いま僕たちが利用できるデータの量を考えると、さまざまな見解がどのように拡散するかに関する理解には、まだ明らかに限界がある。ひとつには、僕たちが関心をもつ成果と、テクノロジー企業が優先する成果とが必ずしも同じではないからだ。彼らの望みは結局のところ、広告収入をもたらすようなやり方でユーザーが彼らの製品と相互作用してくれることであり、オンラインでの伝染に関する僕たちの態度にも、それが色濃く反映されている。僕たちが一番気にするのはソーシャルメディア企業が考案した測定基準（どうすれば、「いいね！」をもっと獲得できるか？　どうすれば、この投稿を拡散させられるか？）であって、実際に自分の健康や幸福感を高めたり、成功をもたらしたりするかなどは二の次になっている。

大規模なデータ収集とその分析をどう進めるか

問いが的確でありさえすれば、現代のコンピュータ関連ツールで、人間の社会的行動をこれまでになく深く知ることができるだろう。もちろん、あいにくなことに、僕たちが一番関心のある問いは異論を呼びそうな問いでもある。フェイスブック上での感情の拡散を調べた例の研究を思い出してほしい。人々のニュースフィードに手を加えて、より楽しそうな、あるいはより悲しそうな投稿に見えるようにした実験だ。調査の内容や実施法には批判があったものの、研究チームは重要な問いを発していた。ソーシャルメディアで目にするコンテンツは、感情の状態にどのような影響を及ぼすのだろう?

感情や個人の性格はまさにその名のとおり、感情に訴える個人的なテーマだ。2013年に心理学者のミハウ・コジンスキーと同僚らは、性格特性——たとえば外交性や知性——を、フェイスブックのページの好みから予測できるとする研究結果を発表した。[26] ケンブリッジ・アナリティカがのちに似たようなアイディアを用いて有権者をプロファイリングし、広範な批判を招いている。[27] 最初に研究手法を公表したとき、コジンスキーのチームはそれが好ましくない目的に使われる可能性に気づいていた。オリジナルの論文で彼らは、テクノロジー企業に対する反発が高まる可能性さえ予想している。自分たちのデータから何が抜き取られるかをもっとよく知れば、デジタルテクノロジーに完全に背を向けてしまう人も出てくるのではないかと考えたのだ。

ユーザーがデータの使いみちを正確に知れば不快に感じるというなら、研究者や企業には２つの選択肢がある。ひとつは単に、知らせないことにする。プライバシーに関する懸念を突きつけられると、多くのハイテク企業はデータ収集や分析の範囲を控えめに述べる。否定的な報道やユーザーの反発を恐れるからだ。その一方で、データブローカー（僕たちのほとんどは存在すら知らない）が、データ（僕たちが知らないうちに抜き取られた）を外部の研究者（そんなものを分析しているとは知らなかった）に売って、金を稼いでいる。このようなケースでは、人々のデータで何をしているのか教えてしまうとやらせてもらえないだろうという前提のもとに、事が進められているようだ。ヨーロッパの「一般データ保護規則」やカリフォルニア州の「消費者プライバシー法」のような新しいプライバシー法令のおかげで、そうした活動の一部は困難になりつつある。しかしもし研究チームが自分たちの分析の倫理面を軽視し続けるなら、さらなるスキャンダルや信用の失墜に見舞われるだろう。ユーザーは、たとえ有意義な研究のためであってもデータの共有をいっそう渋るようになり、研究者は分析の苦労と論争を考えて尻込みするようになるだろう。[28]その結果、行動についての理解――そしてそのような洞察からもたらされる社会的利益や健康上の恩恵――は停滞するだろう。

もうひとつの選択肢は透明性を高めることだ。人々の生活を無断で分析するのではなく、恩恵とリスクの比較検討を彼ら自身の手に委ねる。議論に参加させ、過ちを許してもらうという態度ではなく許可を得るという考え方で臨むのだ。狙いが社会的利益なら、研究を社会全体の取り組みにする。英国の国民医療サービスが2013年に「患者情報共有計画」を発表したとき、データの共有が進めば保健研究も進むだろうと期待された。3年後、計画は中止された。一般の人々に加え医師たちまでが、データの使われ方に不信を抱くようになったのだ。理論上は、この計画で得られるデータには途方もない恩恵をもたらす可能性がある。しかし患者はそのしくみも知らなければ、信用もしていなかったようだ[29]。

ほんとうに行われていることが何なのかを知れば、誰もデータ集約型の調査になど同意しないのだろうか？　僕の経験からすると、必ずしもそうとは限らない。この10年、僕と共同研究者たちは、伝染調査と、感染爆発やデータ、倫理についての討論とを組み合わせた「市民科学」プロジェクトをいくつか実行してきた。そして、相互作用のネットワークがどう見えるか、社会的行動が時とともにどう変化するか、それが感染パターンにどんな意味をもつかを研究した[30]。2017年から2018年にかけてBBCと協力して大量のデータを集めたのが、僕たちの一番意欲的なプロジェクトだ[31]。一般視聴者に、1㎞以上の移動を1日じゅう追跡するスマートフォンアプリをダウンロードするよう頼み、人との接触回数も集計するよう頼んだ。研究が完了すれば、データセットは研究者が自由に利用できるリソースの形成に役立てる。驚いたことに、直接の見返りが何もないにもかかわらず、何万人もの人々が自発的にプロジェクトに参加した。たったひとつの研究ではあるが、大規模なデータ分析を、透明性を確保し社会的利益をもたらすやり方で実行できることを証明できたのだ。

２０１８年3月、ＢＢＣが「伝染！」と題する番組を放送し、僕たちが集めた最初のデータセットを紹介した。その週メディアに登場した大規模データ収集についての報道は、ほかにもあった。数日前にケンブリッジ・アナリティカのスキャンダルが発覚していたのだ。僕たちのチームが、自発的にデータを提供して疾病感染爆発の解明を助けてくれるよう人々に頼んだのに対して、ケンブリッジ・アナリティカは、伝えられるところによれば、有権者の行動を左右しようとする政治家を助けるために大量のフェイスブックのデータをユーザーに無断で収集したという[32]。ここに、行動に関する2つの研究、2つの膨大なデータセット、そしてふたつの非常に異なる結末がある。その対比に気づいた幾人かのコメンテーターのなかにジャーナリストのヒューゴ・リフキンドもいて、『タイムズ』紙のテレビ番組評で次のように述べている。「データ並びにインターネット調査が（ここで、軽蔑を示す「ブー」とか「シッシッ」というヤジ）世界を破壊しつつあると誰もが認めざるを得ないような出来事があったその同じ週に、破壊するだけでなくちょっぴり救いもすることを思い出させてくれた『伝染！』に感謝したい[33]」

新たな感染に対応するために

そのほぼ2年後の２０２０年2月29日、サリー州のハルスミアという町で、ＣＯＶＩＤ－19

の英国で初めての国内感染例が報じられた[34]。偶然にも、それは僕たちの「伝染！」プログラムで架空のパンデミックの震源地として選んでいた町だった。そのため、次に何が起こるか、僕たちにはわかっていた。ハルスミアで伝染が起こったなら、おそらく1週間かそこらで、ロンドンでの感染爆発が始まる。案の定、10日もしないうちに、議会のメンバーが感染していたというニュースが流れたが、それは急速に拡大しつつある流行の初期の徴候となった。その後の何カ月か、僕と同僚たちはBBCのデータセットを使って、新しい接触追跡法の有効性からロックダウン下の国民の社会行動変化まで、英国での伝染のいくつかの側面を精査した[35]。

流行を止めるには人々の接触について知ることが重要なのだが、COVID－19への対応に関しては、データやプライバシーを巡る考察のいたるところに、ケンブリッジ・アナリティカのスキャンダルがもたらした重苦しい影が顔を出した。接触追跡アプリや、バーやレストランへの入店の際の記名義務など、どういった疾病監視形態を許容範囲とみなすべきかの議論に影響を及ぼしたのだ。その一方で、2010年代に政治的なコンテンツや反ワクチン運動のなかで磨きをかけられたオンライン操作戦術が、極端に重なりの少ないベン図（集合の関係を円の重なりで表した図）さながらに社会的分断が進行した世界でのパンデミックに、おあつらえ向きの活躍の場を見出した。世界中で、ウイルスそのものと並行して広がる誤情報やデマによって、人々の反応が形作られ——そしてしばしば抑えつけられた。疫学より政治のほうが厄介に思えるほどだった。

あなたがこの本を読み終えるまでの時間で、約３００人がマラリアで死ぬ。エイズによる死者は５００人以上、はしかでは約80人。そのほとんどは子供だ。さらに、きっとあなたが聞いたこともない細菌感染症の類鼻疽は、60人以上を殺すだろう[36]。

感染症はいまだに世界中で膨大な被害を引き起こしている。既知の脅威に加え、新しいパンデミックのリスクが常に存在し、薬剤に耐性をもつ感染症の出現も増えている。とはいえ、伝染に関する知識の向上に伴い、感染症は全体として減少傾向にある。感染症による世界全体での死亡率は、過去20年で半分になった[37]。

感染性疾患の勢いが衰えるにつれ、関心は次第にその他の脅威に移っているが、その多くもまた伝染力がある。１９５０年代、英国の30代男性の死因の第1位は結核だった。１９８０年代以降、それが自殺になっている[38]。近年、シカゴの若者の死因の首位は殺人だ[39]。さらに、伝染はもっと広い意味でも、社会的な負担となっている。僕が２０１４年にネックノミネーションを分析したとき、オンラインでの伝播は自分とは無関係な珍奇な現象のように思われたものだ。その3年後、この問題は新聞の1面を飾り、偽情報の拡散――それにソーシャルメディアの役割――に関する懸念から、政府機関による複数の調査が行われるまでになった[40]。

伝染という現象に対する認識が高まるにつれ、いまでは感染性疾病の研究で磨かれたアイディアの多くが、ほかのタイプの感染爆発向けに書き換えられている。２００８年の金融危機のあと、中央銀行はネットワーク構造が伝染を増幅しうることに気づいたが、それは1980年代および1990年代に性感染症の研究者が初めて提唱した理論だった。暴力を単に「悪い人たち」がもたらすものとしてではなく伝染病として扱う最近の取り組みは、1880年代から1890年代にかけて、病気が「悪い空気」によって起こるという考えが退けられたことを彷彿《ほうふつ》とさせる。再生産数のような概念が新規な見解やオンラインコンテンツの拡散を定量化するのに役立つ一方で、病原体の遺伝子配列の決定に用いられる手法が文化の伝播や進化を明らかにしつつある。その過程で、有益な考え方を促進し、有害な考え方を鈍化させる新しい方法が見つかっている。ロナルド・ロスが1916年に望んだように、現代版「出来事の理論」がいま、疾病や社会的行動から政治や経済に至るあらゆるものの分析に役立っているのだ。

その結果、感染爆発についての一般に流布している考え方の多くが根本から覆されることとなった。ちょうど、マラリアを制御するには蚊を一匹残らず駆除する必要があるとか、伝染病を防ぐには全員にワクチンを接種する必要があるという考え方が覆されたように。あるいは、銀行システムは本来安定したものだとか、オンラインコンテンツは非常に伝染力があるという思い込みが一掃されたように。また、新しい説明の探求も盛んになっている。ギランバレー症候群がなぜ、太平洋の島々に現れたのか、コンピュータウイルスはなぜ、これほど長く生き残るのか、なぜ多くの見解は疾病のようにやすやすと広がることができないのか。

感染爆発の分析において最も重要な瞬間は、自分たちの正しさが証明されるときではない。

間違っていたと悟るときだ。それは、何かがしっくりしないとき、あるパターンが僕たちの目を捉え、当たり前と思っていた規則を例外が壊すときだ。新規な考えの拡散を望むのであれ、感染症の終息を望むのであれ、そのような地点にできるだけ早く到達する必要がある。その瞬間、伝播の連鎖のなかの弱い輪、欠けている輪、通常とは違う輪を探す努力が報われ、伝播の連鎖の全貌が明らかになる。そのとき後ろを振り返れば、過去の感染爆発が実際にはどのように起こったのかが解明できる。そして前に目を転じれば、将来どのように起こるかを変えることができるだろう。

謝辞

本書の執筆のための調査にあたって、豊富な専門知識と経験で僕を助けてくださった方々――ルーシー・アプリン、ニム・アリナミンパシー、ウェンディ・バークレイ、バーバラ・カーズ、ニコラス・クリスタキス、トビー・デイヴィーズ、ディーン・エクルス、ポール・ファイン、ジェンマ・ゲーガン、アンディ・ホールデン、ヘイディ・ラーソン、ロザリー・リカード・パクラ、クリスチャン・ラム、ブレンダン・ナイハン、アンドリュー・オドリツコ、ホイットニー・フィリップス、ジョン・ポタラ、チャーリー・ランズフォード、ゲイリー・スラトキン、ブリオニー・スワイヤ＝トンプソン、ジャミー・テヘラニ、メリッサ・トレイシー、アレックス・ヴェスピニャーリ、シャーロット・ワッツ、ダンカン・ワッツにお礼を述べたい。また、歴史的データや文書の出典をたどる際にお力添えいただいた、ロンドン大学衛生熱帯医学大学院（ＬＳＨＴＭ）図書＆記録保管所のヴィクトリア・クラナとアリソン・フォルセイ、王立研究所のリーナ・ハルトグレン、ジョン・スノウ・アーカイブ・アンド・リサーチ・コンパニオンのピーター・ヴィンテン＝ヨハンセンにも、お礼申し上げる。本書にもし誤りがあれば、非はすべて僕にある。

これまでに幾人もの良き師に恵まれて幸いだった。ケンブリッジ大学のジュリア・ゴグ、インペリアル・カレッジ・ロンドンのスティーブン・ライリー、ＬＳＨＴＭのジョン・エドマンズといった方々には、研究者としての成長を助けていただいたのはもちろん、より幅広い世界とのかかわりを大事にするよう励ましていただいた。そのほか、長年ともに仕事をし、学ぶことの多かった大勢の共同研究者や同僚のみなさんにも感謝したい。特に、本書で紹介したさまざまな考えは、直接、間接に、ＬＳＨＴＭ感染症数理モデル化センターの優秀な同僚たちとの討論から生まれたものだ。ポピュラーサイエンスのライターなら誰でもそうだろうが、僕も、世の中には優れた研究がありすぎて、とても一冊の書物には収めきれないという現実に直面した。執筆や編集の段階で幾人かの人々やプロジェクトを割愛せざるを得なかったが、もちろんこれはそれらの研究の質に対する僕の見解を反映したものではない。

執筆のプロセスにかかわってくださった方全員にも感謝申し上げる。卓越した編集者であるプロファイルのセシリー・ゲイフォードとウェルカムコレクションのフラン・バリーからは、終始、貴重な意見と助言をいただいた。ジョー・ステインズにも、原稿の整理・編集の仕事に対してお礼を言いたい。僕のエージェントであるピーター・タラックには、この数年の支援と助言に感謝したい。最初の草稿にいろいろなコメントをしてくれた僕の両親、それに前半の章に対する評価を寄せてくれたクレア・フレイザー、レイチェル・ハンビー、ムニル・ジャハンギール、スティーブン・ライス、グラハム・ウィーラーにも感謝している。最後に、僕に元気をくれるすばらしい妻、エミリーに感謝したい。前著の執筆中に出会えて幸運だった。そして本書の執筆中に結婚できて、またまた幸運だった。

36. 読書時間を6時間と想定（毎分225ワード）。データ：World Health Organization. http://www.who.int, 2018; Dance D.A. et al., 'Global Burden and Challenges of Melioidosis', *Tropical Medicine and Infectious Disease*, 2018.

37. 1990年の人口10万当たり291人から、2016年の154人へと低下した。典拠：Ritchie H. et al., 'Causes of Death', *Our World in Data*, 2018.

38. UK Government, *Health profile for England: 2017*. https://www.gov.uk.

39. Harper-Jemison D.M. et al., 'Leading causes of death in Chicago', Chicago Department of Public Health Office of Epidemiology, 2006; 'Illinois State Fact Sheet', National Injury and Violence Prevention Resource Center, 2015.

40. Information Commissioner's Office, 'Investigation into the use of data analytics in political campaigns', *ICO report*, 11 July 2018; DiResta R. et al., 'The Tactics & Tropes of the Internet Research Agency', *New Knowledge*, 2018.

'Facebook, Twitter slammed for deleting evidence of Russia's US election mischief', *The Register*, 13 October 2017.

23. Haldane A.G., 'Rethinking the Financial Network', Bank of England speech, 28 April 2009; Editorial Board, 'A fractured reporting system stymies public-safety research', *Bloomberg*, 25 October 2018.

24. Greene G., *The Woman Who Knew Too Much: Alice Stewart and the Secrets of Radiation* (University of Michigan Press, 2001).

25. Presentation at Epidemics6 conference, 2017.

26. Kosinski M. et al., 'Private traits and attributes are predictable from digital records of human behavior', *PNAS*, 2013.

27. Cadwalladr C. et al., 'Revealed: 50 million Facebook profiles harvested for Cambridge Analytica in major data breach', *The Guardian*, 17 March 2018. 手法には明らかな類似があるにもかかわらず、ケンブリッジ・アナリティカがコジンスキーとともに研究を行ってはいないことに注目。

28. Alaimo K., 'Twitter's Misguided Barriers for Researchers', *Bloomberg*, 16 October 2018.

29. Godlee F., 'What can we salvage from care.data?', *British Medical Journal*, 2016.

30. Kucharski A.J. et al., 'School's out: seasonal variation in the movement patterns of school children', *PLOS ONE*, 2015; Kucharski A.J. et al., 'Structure and consistency of self-reported social contact networks in British secondary schools', *PLOS ONE*, 2018.

31. http://www.bbc.co.uk/pandemic.

32. Information Commissioner's Office, 'Investigation into the use of data analytics in political campaigns', *ICO report*, 11 July 2018.

33. Rif kind H., TV review, *The Times*, 24 March 2018.

34. BBC News Online. 'Coronavirus: Latest patient was first to be infected in UK', 29 February 2020.

35. Kucharski A. J. et al., 'Effectiveness of isolation, testing, contact tracing and physical distancing on reducing transmission of SARSCoV-2 in different settings: a mathematical modelling study', Lancet Inf Dis, 2020; Jarvis C. I. et al., 'Quantifying the impact of physical distance measures on the transmission of COVID-19 in the UK', BMC Medicine, 2020.

11. Ginsberg J. et al., 'Detecting influenza epidemics using search engine query data', *Nature*, 2009.

12. Olson D.R. et al., 'Reassessing Google Flu Trends Data for Detection of Seasonal and Pandemic Influenza: A Comparative Epidemiological Study at Three Geographic Scales', *PLOS Computational Biology*, 2013.

13. Lazer D. et al., 'The Parable of Google Flu: Traps in Big Data *Analysis,' Science*, 2014.

14. World Health Organization, 'Pandemic influenza vaccine manufacturing process and timeline', *WHO Briefing Note*, 2009.

15. Petrova V.N. et al., 'The evolution of seasonal influenza viruses', *Nature Reviews Microbiology*, 2017; Chakraborty P. et al., 'What to know before forecasting the flu', *PLOS Computational Biology*, 2018.

16. Buckee C., 'Sorry, Silicon Valley, but "disruption" isn't a cure-all', *Boston Globe*, 22 January 2017.

17. Farrar J., 'The key to fighting the next "Ebola" outbreak is in your pocket', *Wired*, 4 December 2016; other references covered in earlier chapters.

18. World Health Organisation, 'Ebola outbreak in the Democratic Republic of the Congo declared a Public Health Emergency of International Concern', WHO newsroom, 17 July 2019; Silberner J., 'Congo's fight against Ebola stalls after epidemiologist is shot dead', *British Medical Journal*, 2019.

19. Ginsberg M. et al., 'Swine Influenza A (H1N1) Infection in Two Children – Southern California, March–April 2009, *Morbidity and Mortality Weekly Report*, 2009.

20. Cohen J., 'As massive Zika vaccine trial struggles, researchers revive plan to intentionally infect humans', *Science*, 12 September 2018; Koopmans M. et al., 'Familiar barriers still unresolved – a perspective on the Zika virus outbreak research response', *The Lancet Infectious Diseases*, 2018.

21. Gordon A. et al., 'Prior dengue virus infection and risk of Zika: A pediatric cohort in Nicaragua', *PLOS Medicine*, 2019.

22. Grinberg N. et al., 'Fake news on Twitter during the 2016 U.S. presidential election', *Science*, 2019; Guess A. et al., 'Less than you think: Prevalence and predictors of fake news dissemination on Facebook', *Science Advances*, 2019; Lazer D.M.J. et al., 'The science of fake news', *Science*, 2018; Wagner K., 'Inside Twitter's ambitious plan to change the way we tweet', *Recode*, 8 March 2019; McCarthy K.,

ver: A review of the historical role of human challenge studies', *Journal of Infection*, 2014.

66. 現代の生体感染研究に関する背景:Cohen J., 'Studies that intentionally infect people with disease-causing bugs are on the rise', *Science*, 18 May 2016; https://clinicaltrials.gov; Nordling L., 'The Ethical Quandary of Human Infection Studies', *Undark*, 19 November 2018.

8章　感染の法則を生かすために

1. Peterson Hill N., *A Very Private Public Citizen: The Life of Grenville Clark* (University of Missouri, 2016).

2. Ham P., 'As Hiroshima Smouldered, Our Atom Bomb Scientists Suffered Remorse', *Newsweek*, 5 August 2015.

3. Ito S., 'Einstein's pacifist dilemma revealed', *The Guardian*, 5 July 2005; 'The Einstein Letter That Started It All; A message to President Roosevelt 25 Years ago launched the atom bomb and the Atomic Age', *New York Times*, 2 August 1964

4. Clark G., Letters to the Times, *New York Times*, 22 April 1955.

5. Harris E.D. et al., 'Governance of Dual-Use Technologies: Theory and Practice', *American Academy of Arts & Sciences*, 2016.

6. Santi P. et al., 'Quantifying the benefits of vehicle pooling with shareability networks', *PNAS*, 2014; その他の参考資料はこれより前の章で紹介済み。

7. Cadwalladr C. et al., 'Revealed: 50 million Facebook profiles harvested for Cambridge Analytica in major data breach', *The Guardian*, 17 March 2018.

8. Sumpter S., *Outnumbered: From Facebook and Google to Fake News and Filter-bubbles – The Algorithms That Control Our Lives* (Bloomsbury Sigma, 2018) [邦訳『アルゴリズムはどれほど人を支配しているのか?:数学者が検証!:あなたを分析し、操作するブラックボックスの真実』(千葉敏生・橋本篤史訳、光文社、2019年)]; Chen A. et al., 'Cambridge Analytica's Facebook data abuse shouldn't get credit for Trump', *The Verge*, 20 March 2018.

9. Zunger Y., 'Computer science faces an ethics crisis. The Cambridge Analytica scandal proves it', *Boston Globe*, 22 March 2018.

10. Harkin J., '"Big Data", "Who Owns the Future?" and "To Save Everything, Click Here"', *Financial Times*, 1 March 2013; Harford T., 'Big data: A big mistake?', *Significance*, 1 December 2014; McAfee A. et al., 'Big Data: The Management Revolution', *Harvard Business Review*, October 2012.

through scientific engagement', *Proceedings of the Royal Society B*, 2010.

54. GPSブローカーに関する背景：Harris R., 'Your Apps Know Where You Were Last Night, and They're Not Keeping It Secret', *New York Times*, 10 December 2018; Signoret P., Teemo, 'la start-up qui traque 10 millions de Français en continu', *L'Express L'Expansion*, 25 August 2018; 'Is Geospatial Data a $100 Billion Business for SafeGraph?' *Nanalyze*, 22 April 2017.

55. ただし、標的は自分たちの電話の追跡を許可していた。典拠：Source: Cox J., 'I Gave a Bounty Hunter $300. Then He Located Our Phone', *Motherboard*, 8 January 2019.

56. スカムアラート：スピード違反切符スカムメール、2016年3月23日、トレディフリン警察。

57. SARSの導入に関する背景：'SARS Commission Final Report', Government of Ontario, 2005; Tsang K.W. et al., 'A Cluster of Cases of Severe Acute Respiratory Syndrome in Hong Kong', *The NEJM*, 2003.

58. Donnelly C.A. et al., 'Epidemiological determinants of spread of causal agent of severe acute respiratory syndrome in Hong Kong', *The Lancet*, 2003.

59. WHO Ebola Response Team, 'Ebola Virus Disease in West Africa – The First 9 Months of the Epidemic and Forward Projections', *NEJM*, 2014; Assiri A. et al., 'Hospital Outbreak of Middle East Respiratory Syndrome Coronavirus', *NEJM*, 2013; WHO Consultation on Clinical Aspects of Pandemic (H1N1) 2009 Influenza, 'Clinical Aspects of Pandemic 2009 Influenza A (H1N1) Virus Infection', *NEJM*, 2010.

60. ウィローブルックに関する背景：Rothman D.J., *The Willowbrook Wars: Bringing the Mentally Disabled into the Community* (Aldine Transaction, 2005); Fansiwala K., 'The Duality of Medicine: The Willowbrook State School Experiments', *Medical Dialogue Review*, 20 February 2016; Watts G., 'Robert Wayne McCollum', *The Lancet*, 2010.

61. もともとの引用はOffit P., *Vaccinated: One Man's Quest to Defeat the World's Deadliest Diseases* (Harper Perennial, 2008) 所収。

62. Goldby S., 'Experiments at the Willowbrook state school', *The Lancet*, 1971.

63. Gordon R.M., *The Infamous Burke and Hare: Serial Killers and Resurrectionists of Nineteenth Century Edinburgh* (McFarland, 2009).

64. Transcript for NMT1: Medical Case, 9 January 1947. Harvard Law School Library Nuremberg Trials Project.

65. Waddington C.S. et al., 'Advancing the management and control of typhoid fe-

43. 1990年の国勢調査のデータをもとに国民の87%を特定できるとスウィーニーは推測した。その後の研究でこの数値は、1990年および2000年のデータをもとに61〜63%に下方修正された。背　景:Sweeney L., 'Simple Demographics Often Identify People Uniquely', Carnegie Mellon University, Data Privacy Working Paper, 2000; Ohm P., 'Broken Promises of Privacy: Responding to the Surprising Failure of Anonymization', *UCLA Law Review*, 2010; Sweeney L., 'Only You, Your Doctor, and Many Others May Know', *Technology Science*, 2015.

44. Sweeney L., 'Only You, Your Doctor, and Many Others May Know', *Technology Science*, 2015.

45. Smith S., 'Data and privacy', *Significance*, 3 October 2014.

46. タクシーデータに関する背景:Whong C., 'FOILing NYC's Taxi Trip Data', 18 March 2014. https://chriswhong.com; Pandurangan V., 'On Taxis and Rainbows', 21 June 2014. https://tech.vijayp.ca

47. 背景と引用:Tockar A., 'Riding with the Stars: Passenger Privacy in the NYC Taxicab Dataset', 15 September 2014 https://research.neustar.biz.

48. De Montjoye Y.A., 'Unique in the Crowd: The privacy bounds of human mobility', *Scientific Reports*, 2013.

49. Shahani A., 'Smartphones Are Used To Stalk, Control Domestic Abuse Victims', National Public Radio, 15 September 2014.

50. Hern A., 'Fitness tracking app Strava gives away location of secret US army bases', *The Guardian*, 28 January 2014.

51. Watts A.G. et al., 'Potential Zika virus spread within and beyond India', *Journal of Travel Medicine*, 2018; Bengtsson L. et al., 'Improved Response to Disasters and Outbreaks by Tracking Population Movements with Mobile Phone Network Data: A Post-Earthquake Geospatial Study in Haiti', *PLOS Medicine*, 2011; Santi P. et al., 'Quantifying the benefits of vehicle pooling with shareability networks', *PNAS*, 2014.

52. Chen M.K. and Rohla R., 'The effect of partisanship and political advertising on close family ties', *Science*, 2018; Silm S. et al., 'Are younger age groups less segregated? Measuring ethnic segregation in activity spaces using mobile phone data', *Journal of Ethnic and Migration Studies*, 2017; Xiao Y. et al., 'Exploring the disparities in park access through mobile phone data: Evidence from Shanghai, China', *Landscape and Urban Planning*, 2019; Atlas of Inequality, https://inequality.media.mit.edu.

53. Conlan A.J.K. et al., 'Measuring social networks in British primary schools

programming languages', *Journal of the Royal Society Interface*, 2015.

32. Svinti V. et al., 'New approaches for unravelling reassortment pathways', *BMC Evolutionary Biology*, 2013.

33. Sample I., 'Evolution: Charles Darwin was wrong about the tree of life', *The Guardian*, 21 January 2009.

34. スポンジ装着に関する背景:Krützen M. et al., 'Cultural transmission of tool use in bottlenose dolphins', *PNAS*, 2005; Morell V., 'Why Dolphins Wear Sponges', *Science*, 20 July 2011.

35. 背景と引用は2017年8月に著者が行ったルーシー・アプリンのインタビューより。

36. Baker K.S. et al., 'Horizontal antimicrobial resistance transfer drives epidemics of multiple Shigella species', *Nature Communications*, 2018; McCarthy A.J. et al., 'Extensive Horizontal Gene Transfer during Staphylococcus aureus Co-colonization In Vivo', *Genome Biology and Evolution*, 2014; Alirol E. et al., 'Multidrug-resistant gonorrhea: A research and development roadmap to discover new medicines', *PLOS Medicine*, 2017.

37. Gallagher J., 'Man has "world's worst" super-gonorrhoea', BBC News Online, 28 March 2018; Gallagher J., 'Super-gonorrhoea spread causes "deep concern"', BBC News Online, 9 January 2019.

38. 2015年4月、遺伝子検査に関するアルツハイマー協会の見解。https://www.alzheimers.org.uk/about-us/policy-and-influencing/what-we-think/genetic-testing; ガンのリスクを知るための遺伝子検査。Cancer Research UK. https://www.cancerresearchuk.org/about-cancer/causes-of-cancer/inherited-cancer-genes-and-increased-cancer-risk/genetic-testing-for-cancer-risk

39. Middleton A., 'Attention The Times: Prince William's DNA is not a toy', *The Conversation*, 14 June 2013. 研究者らはこの話のもととなった科学的分析も批判している。典拠:Kennett D.A, 'The Rise and Fall of Britain's DNA: A Tale of Misleading Claims, Media Manipulation and Threats to Academic Freedom', *Genealogy*, 2018.

40. Ash L., 'The Christmas present that could tear your family apart', BBC News Online, 20 December 2018.

41. Clark K., 'Scoop: 23andMe is raising up to $300M', PitchBook, 24 July 2018; Rutherford A., 'DNA ancestry tests may look cheap. But your data is the price', *The Guardian*, 10 August 2018.

42. Cox N., 'UK Biobank shares the promise of big data', *Nature*, 10 October 2018.

17. Doughton S., '250,000 people now follow this Fred Hutch scientist on Twitter. We talk to this leading voice of the coronavirus pandemic', Seattle Times, 1 June 2020.

18. https://twitter.com/trvrb/status/1233970271318503426?s=20

19. Owlcation, 'The History Behind the Story of Goldilocks', 22 February 2018, https://owlcation.com/humanities/goldilocks-and-three-bears

20. 背景と引用は2017年10月に著者が行ったジャミー・テヘラニのインタビューより。

21. Tehrani J.J., 'The Phylogeny of Little Red Riding Hood', *PLOS ONE*, 2013.

22. Van Wyhe J., 'The descent of words: evolutionary thinking 1780–1880', *Endeavour*, 2005.

23. Luu C., 'The Fairytale Language of the Brothers Grimm', *JSTOR Daily*, 2 May 2018.

24. Da Silva S.G. and Tehrani J.J., 'Comparative phylogenetic analyses uncover the ancient roots of Indo-European folktales', *Royal Society Open Science*, 2015.

25. Smith D. et al., 'Cooperation and the evolution of hunter-gatherer storytelling', *Nature Communications*, 2017.

26. 背景:Stubbersfield J.M. et al., 'Serial killers, spiders and cybersex: social and survival information bias in the transmission of urban legends', *British Journal of Psychology*, 2015. 電話を使用したほかの研究でも同様のパターンが発見されており、伝播という点では社会的情報が一見有利なようだ。

27. 意表を突く要素に関する背景:Mesoudi A. and Whiten A., 'The multiple roles of cultural transmission experiments in understanding human cultural evolution', *Philosphical Transactions of the Royal Society B*, 2008; Stubbersfield J. and Tehrani J., 'Expect the Unexpected? Testing for Minimally Counterintuitive (MCI) Bias in the Transmission of Contemporary Legends: A Computational Phylogenetic Approach', *Social Science Computer Review*, 2013.

28. Dlugan A., 'How to Use the Rule of Three in Your Speeches', 27 May 2009. http://sixminutes.dlugan.com/rule-of-three-speechespublic-speaking

29. 「三の法則」はコメディにもよく見られ、意外な三つ目のものがジョークのオチとなる。

30. Newberry M.G. et al., 'Detecting evolutionary forces in language change', *Nature*, 2017.

31. Valverde S. and Sole R.V., 'Punctuated equilibrium in the largescale evolution of

4. Forensic File Update on Janice Trahan Case, CNN, 14 March 2016.

5. González-Candelas F. et al., 'Molecular evolution in court: analysis of a large hepatitis C virus outbreak from an evolving source', *BMC Biology*, 2013; Fuchs D., 'Virus doctor jailed for 1,933 years', *The Guardian*, 16 May 2007.

6. Oliveira T. et al., 'HIV-1 and HCV sequences from Libyan outbreak', *Nature*, 2006; 'HIV medics released to Bulgaria', BBC News Online, 24 July 2007.

7. Köser C.U. et al., 'Rapid Whole-Genome Sequencing for Investigation of a Neonatal MRSA Outbreak', *NEJM*, 2012; Fraser C. et al., 'Pandemic Potential of a Strain of Influenza A (H1N1): Early Findings', Science, 2009.

8. Kama M. et al., 'Sustained low-level transmission of Zika and chikungunya viruses following emergence in the Fiji Islands, Pacific', *Emerging Infectious Diseases*, 2019.

9. Diallo B. et al., 'Resurgence of Ebola virus disease in Guinea linked to a survivor with virus persistence in seminal fluid for more than 500 days', *Clinical Infectious Diseases*, 2016.

10. Racaniello V., 'Zika virus, like all other viruses, is mutating', *Virology Blog*, 14 April 2016.

11. Beaty B.M. and Lee B., 'Constraints on the Genetic and Antigenic Variability of Measles Virus', *Viruses*, 2016.

12. 遺伝子配列の利用可能状況の背景:Gire S.K. et al., 'Genomic surveillance elucidates Ebola virus origin and transmission during the 2014 outbreak', *Science*, 2014; Yozwiak N.L., 'Data sharing: Make outbreak research open access', *Nature*, 2015; Gytis Dudas, https://twitter.com/evogytis/status/1065157012261126145

13. Sample I., 'Thousands of lives put at risk by clinical trials system that is "not fit for purpose"', *The Guardian*, 31 March 2014.

14. Callaway E., 'Zika-microcephaly paper sparks data-sharing confusion', *Nature*, 12 February 2016; Maxmen, A., 'Two Ebola drugs show promise amid ongoing outbreak,' *Nature*, 12 August 2019; Johansson M.A. et al., 'Preprints: An underutilized mechanism to accelerate outbreak science', *PLOS Medicine*, 2018; https://nextstrain.org/community/inrb-drc/ebola-nord-kivu

15. Sabeti P., 'How we'll fight the next deadly virus', *TEDWomen* 2015.

16. Hadfield J. et al., 'Nextstrain: real-time tracking of pathogen evolution', *Bioinformatics*, 2018.

36. Haney D., 'NPM & left-pad: Have We Forgotten How To Program?' 23 March 2016, https://www.davidhaney.io

37. Rotabi R. et al., 'Tracing the Use of Practices through Networks of Collaboration', *AAAI*, 2017.

38. Fox-Brewster T., 'Hackers Sell $7,500 IoT Cannon To Bring Down The Web Again', *Forbes*, 23 October 2016.

39. Gallagher S., 'New variants of Mirai botnet detected, targeting more IoT devices', *Ars Technica*, 9 April 2019.

40. Cohen F., 'Computer Viruses – Theory and Experiments', 1984.

41. Cloonan J., 'Advanced Malware Detection – Signatures vs. Behavior Analysis', *Infosecurity Magazine*, 11 April 2017.

42. Oldstone M.B.A., *Viruses, Plagues, and History* (Oxford University Press, 2010).

43. ビーボーン（Beebone）の背景：Goodin D., 'US, European police take down highly elusive botnet known as Beebone', *Ars Technica*, 9 April 2015; Samani R., 'Update on the Beebone Botnet Takedown', *McAfee Blogs*, 20 April 2015.

44. Thompson C.P. et al., 'A naturally protective epitope of limited variability as an influenza vaccine target', *Nature Communications*, 2018.

45. 'McAfee Labs 2019 Threats Predictions Report', McAfee Labs, 29 November 2018; Seymour J. and Tully P., 'Weaponizing data science for social engineering: Automated E2E spear phishing on Twitter', Working paper, 2016.

7章　感染を追跡する

1. シュミット裁判の背景：Court of Appeal of Louisiana, Third Circuit. STATE of Louisiana v. Richard J. SCHMIDT. No. 99-1412, 2000; Miller M., 'A Deadly Attraction', *Newsweek*, 18 August 1996.

2. Darwin C., *Journal of researches into the natural history and geology of the countries visited during the voyage of H.M.S. Beagle round the world, under the command of Capt. Fitz Roy, R.N.* (John Murray, 1860)［邦訳『ビーグル号航海記』（荒俣宏訳、平凡社、2013年）］

3. Hon C.C. et al., 'Evidence of the Recombinant Origin of a Bat Severe Acute Respiratory Syndrome(SARS)-Like Coronavirus and Its Implications on the Direct Ancestor of SARS Coronavirus', *Journal of Virology*, 2008.

24. 背景と引用：Lomas A., 'Screwdriving. Locating and exploiting smart adult toys', *Pen Test Partners Blog*, 29 September 2017; Franceschi-Bicchierai L., 'Hackers Can Easily Hijack This Dildo Camera and Livestream the Inside of Your Vagina (Or Butt)', *Motherboard*, 3 April 2017.

25. DeMarinis N. et al., 'Scanning the Internet for ROS: A View of Security in Robotics Research', *arXiv*, 2018.

26. AWS機能停止の背景：Hindi R., 'Thanks for breaking our connected homes, Amazon', *Medium*, 28 February, 2017; Hern A., 'How did an Amazon glitch leave people literally in the dark?', *The Guardian*, 1 March 2017.

27. AWSの業績の背景：Amazon Compute Service Level Agreement. https://aws.amazon.com, 12 February 2018; Poletti T., 'The engine for Amazon earnings growth has nothing to do with e-commerce', *Market Watch*, 29 April 2018.

28. Swift D., '"Mega Outage" Wreaks Havoc on Internet, is AWS too Big to Fail?', *Digit*, 2017; Bobeldijk Y., 'Is Amazon's cloud service too big to fail?', *Financial News*, 1 August 2017.

29. Barrett B. and Newman L.H., 'The Facebook Security Meltdown Exposes Way More Sites Than Facebook', *Wired*, 28 September 2018.

30. ラブバグの背景：Meek J., 'Love bug virus creates worldwide chaos', *The Guardian*, 5 May 2000; Barabási A.L., *Linked: the New Science of Networks* (Perseus Books, 2003).

31. White S.R., 'Open Problems in Computer Virus Research', *Virus Bulletin Conference*, 1998.

32. Barabási A.L. and Albert R., 'Emergence of Scaling in Random Networks', *Science*, 1999.

33. Pastor-Satorras R. and Vespignani A., 'Epidemic Spreading in Scale-Free Networks', *Physical Review Letters*, 2 April 2001.

34. Goel S. et al., 'The Structural Virality of Online Diffusion', *Management Science*, 2016.

35. レフトパッドの背景：Williams C., 'How one developer just broke Node, Babel and thousands of projects in 11 lines of JavaScript', *The Register*, 23 March 2016; Tung L., 'A row that led a developer to delete a 17-line JavaScript module has stopped countless applications working', *ZDNet*, 23 March 2016; Roberts M., 'A discussion about the breaking of the Internet', *Medium*, 23 March 2016.

8. モリスワームの背景はSeltzer L., 'The Morris Worm: Internet malware turns 25', *Zero Day*, 2 November 2013; UNITED STATES of America, Appellee, v. Robert Tappan MORRIS, Defendant-appellant. 928 F.2D 504, 1990より。

9. Graham P., 'The Submarine', April 2005. http://www.paulgraham.com

10. Moon M., '"Minecraft" success helps its creator buy a $70 million mansion', *Engadget*, 18 December 2014.

11. DDoSの背景:'Who is Anna-Senpai, the Mirai Worm Author?', *Krebs on Security*, 18 January 2017; 'Spreading the DDoS Disease and Selling the Cure', 19 October 2016.

12. 「ラトガース大学に攻撃を行ったコンピュータハッカーに賠償金860万ドルの支払いを命令」2018年10月26日、ニュージャージー地区、米連邦検事局

13. @MalwareTechBlog, 13 May 2017.

14. Staniford S. et al., 'How to own the Internet in Your Spare Time', *ICIR*, 2002.

15. 再生産数が20で感染性持続期間が8日だとすると、1時間当たり0.1人に感染させることになる。

16. Moore D. et al., 'The Spread of the Sapphire/Slammer Worm', *Center for Applied Internet Data Analysis* (CAIDA), 2003.

17. 「カスペルスキー・ラボの調査でDDoS攻撃のコストと利益率が判明」2017年3月23日、カスペルスキー・ラボ。

18. Palmer D., 'Ransomware is now big business on the dark web and malware developers are cashing in', *ZDNet*, 11 October 2017.

19. Nakashima E. and Timberg C., 'NSA officials worried about the day its potent hacking tool would get loose. Then it did', *Washington Post*, 16 May 2017.

20. Orr A., 'Zerodium Offers $2 Million for Remote iOS Exploits', *Mac Observer*, 10 January 2019.

21. スタックスネットの背景:Kushner D., 'The Real Story of Stuxnet', *IEEE Spectrum*, 26 February 2013; Kopfstein J., 'Stuxnet virus was planted by Israeli agents using USB sticks, according to new report', *The Verge*, 12 April 2012.

22. Kaplan F., *Dark Territory: The Secret History of Cyber War* (Simon & Schuster, 2016).

23. Dark Trace. Global Threat Report 2017. http://www.darktrace.com

脱に賛成のキャンペーン団体）のデジタルのやり取りやデータサイエンスのほぼすべてが不可視だった」引用元：Cummings D., 'On the referendum #20', Dominic Cummings's Blog, 29 October 2016.2018年10月にフェイスブックは政治広告の公共アーカイブを設置した。重要な変化だが、まだ情報発信の最初のステップにたどりついたにすぎない。典拠：Cellan-Jones R., 'Facebook tool makes UK political ads "transparent"', BBC News Online, 16 October 2018.

128. Ginsberg D. and Burke M., 'Hard Questions: Is Spending Time on Social Media Bad for Us?' Facebook newsroom, 15 December 2017; Burke M. et al., 'Social Network Activity and Social Well-Being', *Proceedings of the 28th International Conference on Human Factors in Computing Systems*, 2010; Burke M. and Kraut R.E., 'The Relationship Between Facebook Use and Well-Being Depends on Communication Type and Tie Strength', *Journal of ComputerMediated Communication*, 2016.

129. Routledge I. et al., 'Estimating spatiotemporally varying malaria reproduction numbers in a near elimination setting', *Nature Communications*, 2018.

6章　コンピュータウイルスの感染

1. ミライの背景はAntonakakis M. et al., 'Understanding the Mirai Botnet', *Proceedings of the 26th USENIX Security Symposium*, 2017; Solomon B. and Fox-Brewster T., 'Hacked Cameras Were Behind Friday's Massive Web Outage', *Forbes*, 21 October 2016; Bours B., 'How a Dorm Room Minecraft Scam Brought Down the Internet', *Wired*, 13 December 2017より。

2. Bours B., 'How a Dorm Room Minecraft Scam Brought Down the Internet', *Wired*, 13 December 2017中の引用。

3. ワナクライの背景は'What you need to know about the WannaCry Ransomware', *Symantec Blogs*, 23 October 2017; Field M., 'WannaCry cyber attack cost the NHS £92m as 19,000 appointments cancelled', *The Telegraph*, 11 October 2018; Wiedeman R., 'The British hacker Marcus Hutchins and the FBI', *The Times*, 7 April 2018より。

4. Moore D. et al., 'The Spread of the Sapphire/Slammer Worm', *Center for Applied Internet Data Analysis* (CAIDA), 2003.

5. エルク・クローナの背景はLeyden J., 'The 30-year-old prank that became the first computer virus', *The Register*, 14 December 2012より。

6. 引用は2018年5月に著者が行ったアレッサンドロ・ヴェスピニャーリのインタビューより。

7. Cohen F., 'Computer Viruses – Theory and Experiments', 1984.

115. 現実の世界での波及効果に関する背景はO'Sullivan D., 'Russian trolls created Facebook events seen by more than 300,000 users', *CNN*, 26 January 2018; Taub A. and Fisher M., 'Where Countries Are Tinderboxes and Facebook Is a Match', *New York Times*, 21 April 2018より。#BlackLivesMatterのオンラインでの動きの分析で、ロシアのアカウントが討論の両サイドに加担していたことも明らかになった:Stewart L.G. et al., 'Examining Trolls and Polarization with a Retweet Network', *MIS2*, 2018.

116. Broniatowski D.A. et al., 'Weaponized Health Communication: Twitter Bots and Russian Trolls Amplify the Vaccine Debate', *American Journal of Public Health*, 2018; Wellcome Global Monitor 2018, 19 June 2019.

117. Google Ngram.

118. Takayasu M. et al., 'Rumor Diffusion and Convergence during the 3.11 Earthquake: A Twitter Case Study', *PLOS ONE*, 2015.

119. Friggeri A. et al., 'Rumor Cascades'. *AAAI Publications*, 2014.

120. 'WhatsApp suggests a cure for virality', *The Economist*, 26 July 2018.

121. McMillan R. and Hernandez D., 'Pinterest Blocks Vaccination Searches in Move to Control the Conversation', *Wall Street Journal*, 20 February 2019.

122. 引用は2018年10月に著者が行ったホイットニー・フィリップスのインタビューより。

123. Baumgartner J. et al., 'What we learned from analyzing thousands of stories on the Christchurch shooting', *Columbia Journalism Review*, 2019.

124. 引用は2018年11月に著者が行ったブレンダン・ナイハンのインタビューより。

125. 典拠:Web of Science. Search string: (<plarform> AND (contagio* OR diffus* OR transmi*). 説明または比較のための例としてのみプラットフォームに言及している研究や、プラットフォームを介した拡散というよりプラットフォーム自体の採用に注目した研究は除外した。合計すると、ツイッターの研究391件とフェイスブックの研究85件が2016〜2018年に行われた。2019年のユーザー数はツイッターの3億3000万人に対してフェイスブックは24億人。ユーザーデータの典拠:https://www.statista.com/

126. Nelson A. et al., 'The Social Science Research Council Announces the First Recipients of the Social Media and Democracy Research Grants', *Social Sciences Research Council Items*, 29 April 2019; Alba D., 'Ahead of 2020, Facebook Falls Short on Plan to Share Data on Disinformation', *New York Times*, 29 September 2019.

127. 「キャンペーン中のニュース記事やコラムをひとつ残らず読んでいたとしても、あるいはこれまでに出版された書籍をすべて読んでいたとしても、Vote Leave(訳注:英国の欧州連合離

100. Confessore N. and Yourish K., '$2 Billion Worth of Free Media for Donald Trump', *New York Times*, 16 March 2016.

101. 典 拠:Guess A. et al., 'Selective Exposure to Misinformation: Evidence from the consumption of fake news during the 2016 U.S. presidential campaign', 2018; Guess A. et al., 'Fake news, Facebook ads, and misperceptions: Assessing information quality in the 2018 U.S. midterm election campaign', 2019; Narayanan V. et al., 'Russian Involvement and Junk News during Brexit', *Oxford Comprop Data Memo*, 2017.

102. Pareene A., 'How We Fooled Donald Trump Into Retweeting Benito Mussolini', *Gawker*, 28 February 2016.

103. Hessdec A., 'On Twitter, a Battle Among Political Bots', *New York Times*, 14 December 2016.

104. Shao C. et al., 'The spread of low-credibility content by social bots', *Nature Communications*, 2018.

105. Musgrave S., 'ABC, AP and others ran with false information on shooter's ties to extremist groups', *Politico*, 16 February 2018.

106. O'Sullivan D., 'American media keeps falling for Russian trolls', *CNN*, 21 June 2018.

107. Phillips W., 'How journalists should not cover an online conspiracy theory', *The Guardian*, 6 August 2018.

108. メディア操作に関する背景はPhillips W., 'The Oxygen of Amplification', *Data & Society Report*, 2018より。

109. Weiss M., 'Revealed: The Secret KGB Manual for Recruiting Spies', *The Daily Beast*, 27 December 2017.

110. DiResta R., 'There are bots. Look around', *Ribbon Farm*, 23 May 2017.

111. 'Over 9000 Penises', *Know Your Meme*, 2008.

112. Zannettou S. et al., 'On the Origins of Memes by Means of Fringe Web Communities', *arXiv*, 2018.

113. Feinberg A., 'This is the Daily Stormer's playbook', *Huffington Post*, 13 December 2017.

114. Collins K. and Roose K., 'Tracing a Meme From the Internet's Fringe to a Republican Slogan', *New York Times*, 4 November 2018.

87. デザインに関する背景はHarris T., 'How Technology is Hijacking Your Mind – from a Magician and Google Design Ethicist', *Medium*, 18 May 2016より。

88. Bajarin B., 'Apple's Penchant for Consumer Security', *Tech.pinions*, 18 April 2016.

89. Pandey E. and Parker S., 'Facebook was designed to exploit human "vulnerability"', *Axios*, 9 November 2017.

90. いまはソーシャルメディアの主要な特徴となっている「いいね!」ボタンだが、起源はオンラインの年表で言えばいまとはまったく異なる時代にある。典拠:Locke M., 'How Likes Went Bad', *Medium*, 25 April 2018.

91. Lewis P. '"Our minds can be hijacked": the tech insiders who fear a smartphone dystopia', *Guardian*, 6 October 2017.

92. 'Who can see the comments on my Moments posts?', WeChat Help Center, October 2018.

93. 検閲に関する背景はKing G. et al., 'Reverse-engineering censorship in China: Randomized experimentation and participant observation', *Science*, 2014; Tucker J., 'This explains how social media can both weaken – and strengthen – democracy', *Washington Post*, 6 December 2017より。

94. Das S. and Kramer A., *Self-Censorship on Facebook, AAAI*, 2013.

95. Davidsen C., 'You Are Not a Target', 7 June 2015. Full video: https://www.youtube.com/watch?v=LGiiQUMaShw&feature=youtu.be

96. Issenberg S., 'How Obama's Team Used Big Data to Rally Voters', *MIT Technology Review*, 19 December 2012.

97. 背景と引用はRodrigues Fowler Y. and Goodman C., 'How Tinder Could Take Back the White House', *New York Times*, 22 June 2017より。

98. Solon O. and Siddiqui S., 'Russia-backed Facebook posts "reached 126m Americans" during US election', *The Guardian*, 31 October 2017; Statt N., 'Twitter says it exposed nearly 700,000 people to Russian propaganda during US election', *The Verge*, 19 January 2018.

99. Watts D.J. and Rothschild D.M., 'Don't blame the election on fake news. Blame it on the media', *Columbia Journalism Review*, 2017. See also: Persily N. and Stamos A., 'Regulating Online Political Advertising by Foreign Governments and Nationals', in McFaul M. (ed.), 'Securing American Elections', Stanford University, June 2019.

74. この形で、グッドハートの言葉として広く伝えられている。もとの発言:「観察された統計的規則性はどんなものであれ、操作しようと圧力をかければ崩壊しがちだ」Goodhart C., 'Problems of Monetary Management: The U.K. Experience', in Courakis, A. S. (ed.), *Inflation, Depression, and Economic Policy in the West* (Springer 1981).

75. Small J.P., *Wax Tablets of the Mind: Cognitive Studies of Memory and Literacy in Classical Antiquity* (Routledge, 1997).

76. Lewis K. et al., 'The Structure of Online Activism', *Sociological Science*, 2014.

77. Gabielkov M. et al., 'Social Clicks: What and Who Gets Read on Twitter?', ACM SIGMETRICS, 2016.

78. 引用は2017年8月に著者が行ったディーン・エクルスのインタビューより。

79. 彼の発言とされているが、明確な一次資料はない。

80. 追跡型広告のよく知られた例として、フェイスブックのピクセルがある。典拠:'Conversion Tracking', Facebook for Developers, 2019. https://developers.facebook.com/docs/facebook-pixel

81. 時系列はLederer B., '200 Milliseconds: The Life of a Programmatic RTB Ad Impression', Shelly Palmer, 9 June 2014より。

82. Nsubuga J., 'Conservative MP Gavin Barwell in "date Arab girls" Twitter gaffe', *Metro*, 18 March 2013.

83. Albright J., 'Who Hacked the Election? Ad Tech did. Through "Fake News," Identify Resolution and Hyper-Personalization', *Medium*, 30 July 2017.

84. 米国およびカナダにおけるフェイスブックの2019年第一四半期の広告収入はユーザー当たり30ドルで、年間にすれば120ドルとなる。ブラウザのデータなしだとユーザーの価値が60%低いとすると、平均データ価値は(少なくとも)120×0.6=72ドルとなる。推定値はFacebook Q1 2019 Results, http://investor.fb.com; Johnson G.A. et al., 'Consumer Privacy Choice in Online Advertising: Who Opts Out and at What Cost to Industry?', *Simon Business School Working paper*, 2017; Leswing K., Apple makes billions from Google's dominance in search – and it's a bigger business than iCloud or Apple Music', *Business Insider*, 29 September 2018; Bell K., 'iPhone's user base to surpass 1 billion units by 2019', *Cult of Mac*, 8 February 2017より。

85. Pandey E. and Parker S., 'Facebook was designed to exploit human "vulnerability"', *Axios*, 9 November 2017.

86. Kaf ka P., 'Amazon? HBO? Netflix thinks its real competitor is ... sleep', *Vox*, 17 April 2017.

62. 概略：'Neknomination Outbreak', BBC World Service Online, 22 February 2014.

63. Kucharski A.J., 'Modelling the transmission dynamics of online social contagion', *arXiv*, 2016.

64. ウォーリック大学の研究者らがほぼ同程度の予測可能性を見出している。彼らはネックノミネーションの動態に基づいて、数カ月後に現れたアイス・バケツ・チャレンジの持続期間を、出現後すぐに4週間と正しく予想した。Sprague D.A. and House T., 'Evidence for complex contagion models of social contagion from observational data', *PLOS ONE*, 2017.

65. Cheng J. et al., 'Do Cascades Recur?', *Proceedings of the 25th International Conference on World Wide Web*, 2016.

66. Crane R. and Sornette D., 'Robust dynamic classes revealed by measuring the response function of a social system', *PNAS*, 2008.

67. Tan C. et al., 'Lost in Propagation? Unfolding News Cycles from the Source', *Association for the Advancement of Artificial Intelligence*, 2016; Tatar A. et al., 'A survey on predicting the popularity of web content', *Journal of Internet Services and Applications*, 2014.

68. Vosoughi S. et al., 'The spread of true and false news online', *Science*, 2018.

69. 例：Romero D.M., 'Differences in the Mechanics of Information Diffusion Across Topics: Idioms, Political Hashtags, and Complex Contagion on Twitter', *Proceedings of the 20th International Conference on World Wide Web*, 2011; State B. and Adamic L.A., 'The Diffusion of Support in an Online Social Movement: Evidence from the Adoption of Equal-Sign Profile Pictures', *Proceedings of the 18th ACM Conference on Computer Supported Cooperative Work & Social Computing*, 2015; Guilbeault D. et al., 'Complex Contagions: A Decade in Review', in Lehmann S. and Ahn Y. (eds.), *Spreading Dynamics in Social Systems* (Springer Nature, 2018).

70. Weng L. et al., 'Virality Prediction and Community Structure in Social Networks', *Scientific Reports*, 2013.

71. Centola D., *How Behavior Spreads: The Science of Complex Contagions* (Princeton University Press, 2018).

72. Anderson C., 'The End of Theory: The Data Deluge Makes the Scientific Method Obsolete', *Wired*, 23 June 2008.

73. 'Big Data, for better or worse: 90 per cent of world's data generated over last two years', *Science Daily*, 22 May 2013.

emerging human viruses', *PNAS*, 2016.

48. García-Sastre A., 'Influenza Virus Receptor Specificity', *American Journal of Pathology*, 2010.

49. Adamic L.A. et al., 'Information Evolution in Social Networks', *Proceedings of the Ninth ACM International Conference on Web Search and Data Mining (WSDM'16)*, 2016.

50. Cheng J. et al., 'Do Diffusion Protocols Govern Cascade Growth?', *AAAI Publications*, 2018.

51. 初期のバズフィードの伝染に関してはRice A., 'Does BuzzFeed Know the Secret?', *New York Magazine*, 7 April 2013より。

52. Watts D.J. et al., 'Viral Marketing for the Real World', *Harvard Business Review*, 2007. 読みやすさを考え、本文中では「<」記号を「未満」に置き換えている。

53. Guardian Datablog, 'Who are the most social publishers on the web?', *The Guardian Online*, 3 October 2013.

54. Salmon F., 'BuzzFeed's Jonah Peretti Goes Long', *Fusion*, 11 June 2014.

55. Martin T. et al., 'Exploring Limits to Prediction in Complex Social Systems', *Proceedings of the 25th International Conference on World Wide Web*, 2016.

56. Shulman B. et al., 'Predictability of Popularity: Gaps between Prediction and Understanding', *International Conference on Web and Social Media*, 2016.

57. Cheng J. et al., 'Can cascades be predicted?', *Proceedings of the 23rd International Conference on World Wide Web*, 2014.

58. Yucesoy B. et al., 'Success in books: a big data approach to bestsellers', *EPJ Data Science*, 2018.

59. McMahon V., '#Neknominate girl's shame: I'm sorry for drinking a goldfish', *Irish Mirror*, 5 February 2014.

60. ネックノミネーションの動画はYouTubeで見ることができる。Fricker M., 'RSPCA hunt yob who downed NekNomination cocktail containing cider, eggs, battery fluid, urine and THREE goldfish', *Mirror*, 5 February 2014.

61. 新聞報道の例:Fishwick C., 'NekNominate: should Facebook ban the controversial drinking game?', *The Guardian*, 11 February 2014; '"Neknomination": Facebook ignores calls for ban after two deaths', *Evening Standard*, 3 February 2014.

肢は無害で研究が倫理的にデザインされていても、多くの人に不快感を抱かせるように思われることは注目に値する。2019年のある研究は、「人々は、テストもせずにAまたはBを広く使用することを適切とみなすのに、ふたつの方策または治療法のどちらが効果的かを決めるためにデザインされたA/Bテストを不適切と評価することが多い」ことを見出した。典拠:Meyer M.N. et al., 'Objecting to experiments that compare two unobjectionable policies or treatments', *PNAS*, 2019.

35. Berger J. and Milkman K.L., 'What Makes online Content Viral?', *Journal of Marketing Research*, 2011.

36. Heath C. et al., 'Emotional selection in memes: the case of urban legends', *Journal of Personality and Social Psychology*, 2001.

37. Tufekci Z., 'YouTube, the Great Radicalizer', *New York Times*, 10 March 2018.

38. Baquero F. et al., 'Ecology and evolution of antibiotic resistance', *Environmental Microbiology Reports*, 2009.

39. 背景はDe Domenico M. et al., 'The Anatomy of a Scientific Rumor', *Scientific Reports*, 2013より。

40. Goel S. et al., 'The Structural Virality of Online Diffusion', *Management Science*, 2016.

41. Goel S. et al., 'The Structure of Online Diffusion Networks', *EC'12 Proceedings of the 13th ACM Conference on Electronic Commerce*, 2012; Tatar A. et al., 'A survey on predicting the popularity of web content', *Journal of Internet Services and Applications*, 2014.

42. Watts D.J. et al., 'Viral Marketing for the Real World', *Harvard Business Review*, 2007.

43. 方法はBlumberg S. and Lloyd-Smith J.O., *PLOS Computational Biology*, 2013より。この計算はたとえスーパースプレッディング事例の可能性があっても有効である。

44. Chowell G. et al., 'Transmission potential of influenza A/H7N9, February to May 2013, China', *BMC Medicine*, 2013.

45. Watts D.J. et al., 'Viral Marketing for the Real World', *Harvard Business Review*, 2007. e-メールキャンペーンに伴う技術的問題が、タイドの再生産数を人為的にある程度引き下げる結果になったかもしれないことに注意。

46. Breban R. et al., 'Interhuman transmissibility of Middle East respiratory syndrome coronavirus: estimation of pandemic risk', *The Lancet*, 2013.

47. Geoghegan J.L. et al., 'Virological factors that increase the transmissibility of

British Medical Journal, 2018.

23. Bakshy E. et al., 'Exposure to ideologically diverse news and opinion on Facebook', *Science*, 2015; Tufekci Z., 'How Facebook's Algorithm Suppresses Content Diversity (Modestly) and How the Newsfeed Rules Your Clicks', *Medium*, 7 May 2015.

24. Flaxman S. et al., 'Filter bubbles, echo chambers and online news consumption', *Public Opinion Quarterly*, 2016.

25. Bail C.A. et al., 'Exposure to opposing views on social media can increase political polarization', *PNAS*, 2018.

26. Duggan M. and Smith A., 'The Political Environment on Social Media', Pew Research Center, 2016.

27. boyd dm., 'Taken Out of Context: American Teen Sociality in Networked Publics', University of California, Berkeley PhD Dissertation, 2008.

28. 初期の例:'Dead pet UL?' Posted on alt.folklore.urban, 10 July 1992.

29. 1767年5月16日付エティエンヌ・ノエル・ダミラビルへの手紙。

30. Suler J., 'The Online Disinhibition Effect', *Cyberpsychology and Behavior,* 2004.

31. Cheng J. et al., 'Antisocial Behavior in Online Discussion Communities', *Association for the Advancment of Artificial Intelligence*, 2015; Cheng J. et al., 'Anyone Can Become a Troll: Causes of Trolling Behavior in Online Discussions', Computer-Supported Cooperative Work, 2017.

32. フェイスブックの研究の背景はKramer A.D.I. et al., 'Experimental evidence of massive-scale emotional contagion through social networks', *PNAS*, 2014; D'Onfro J., 'Facebook Researcher Responds To Backlash Against "Creepy" Mood Manipulation Study', *Insider*, 29 June 2014より。

33. Griffin A., 'Facebook manipulated users' moods in secret experiment', *The Independent*, 29 June 2014; Arthur C., 'Facebook emotion study breached ethical guidelines, researchers say', *The Guardian*, 30 June 2014.

34. 例:Raine R. et al., 'A national cluster-randomised controlled trial to examine the effect of enhanced reminders on the socioeconomic gradient in uptake in bowel cancer screening', *British Journal of Cancer*, 2016; Kitchener H.C. et al., 'A cluster randomised trial of strategies to increase cervical screening uptake at first invitation (STRATEGIC)', *Health Technology Assessment*, 2016.広く使用されているにもかかわらず、無作為化実験(しばしばA/Bテストと呼ばれる)という概念が、たとえ個々の選択

11. Buckee C.O.F. et al., 'The effects of host contact network structure on pathogen diversity and strain structure', *PNAS*, 2004; Kucharski A., 'Study epidemiology of fake news', *Nature*, 2016.

12. Bessi A. et al., 'Science vs Conspiracy: Collective Narratives in the Age of Misinformation', *PLOS ONE*, 2015; Garimella K. et al., 'Political Discourse on Social Media: Echo Chambers, Gatekeepers, and the Price of Bipartisanship', *Proceedings of the World Wide Web Conference* 2018, 2018.

13. 背景はGoldacre B., *Bad Science* (Fourth Estate, 2008); The Editors of The Lancet, 'Retraction – Ileal-lymphoid-nodular hyperplasia, non-specific colitis, and pervasive developmental disorder in children', *The Lancet*, 2010より。

14. Finnegan G., 'Rise in vaccine hesitancy related to pursuit of purity', *Horizon Magazine*, 26 April 2018; Larson H.J., 'Maternal immunization: The new "normal" (or it should be)', *Vaccine*, 2015; Larson H.J. et al., 'Tracking the global spread of vaccine sentiments: The global response to Japan's suspension of its HPV vaccine recommendation', *Human Vaccines & Immunotherapeutics*, 2014.

15. 人痘接種法の背景は'Variolation – an overview', *ScienceDirect Topics*, 2018より。

16. Voltaire., 'Letter XI' from *Letters on the English*. (1734).

17. ベルヌーイの業績に関する背景はDietz K. and Heesterbeek J.A.P., 'Daniel Bernoulli's epidemiological model revisited', *Mathematical Biosciences*, 2002; Colombo C. and Diamanti M., 'The smallpox vaccine: the dispute between Bernoulli and d'Alembert and the calculus of probabilities', *Lettera Matematica International*, 2015より。

18. 三種混合ワクチンの効果と安全性については数多くの文献がある。例:Smeeth L. et al., 'MMR vaccination and pervasive developmental disorders: a case-control study', *The Lancet*, 2004; A. Hviid, J.V. Hansen, M. Frisch, et al., 'Measles, Mumps, Rubella Vaccination and Autism: A Nationwide Cohort Study', *Annals of Internal Medicine*, 2019; LeBaron C.W. et al., 'Persistence of Measles Antibodies After 2 Doses of Measles Vaccine in a Postelimination Environment', *JAMA Pediatrics*, 2007.

19. Wellcome Global Monitor 2018, 19 June 2019.

20. Finnegan G., 'Rise in vaccine hesitancy related to pursuit of purity', *Horizon Magazine*, 26 April 2018.

21. Funk S. et al., 'Combining serological and contact data to derive target immunity levels for achieving and maintaining measles elimination', *BioRxiv*, 2019.

22. 'Measles: Europe sees record number of cases and 37 deaths so far this year',

Casciani D., 'Did removing lead from petrol spark a decline in crime?', BBC News Online, 21 April 2014.

96. 2018年8月に著者が行ったメリッサ・トレイシーのインタビュー。

97. Lowrey A., 'True Crime Costs', *Slate*, 21 October 2010.

5章　オンラインでの感染

1. バズフィードの背景:Peretti J., 'My Nike Media Adventure', *The Nation*, 9 April 2001; Email correspondence with customer service representatives at Nike iD. http://www.yorku.ca/dzwick/niked.html Accessed: January 2018; Salmon F., 'BuzzFeed's Jonah Peretti Goes Long', *Fusion*, 11 June 2014; Lagorio-Chafkin C., 'The Humble Origins of Buzzfeed', *Inc.*, 3 March 2014; Rice A., 'Does BuzzFeed Know the Secret?', *New York Magazine*, 7 April 2013.

2. Peretti J., 'My Nike Media Adventure', *The Nation*, 9 April 2001.

3. 背景および引用は2018年2月に著者が行ったダンカン・ワッツのインタビューより。この研究に関する詳細な考察はWatts D., *Everything is Obvious: Why Common Sense is Nonsense* (Atlantic Books, 2011) を参照。

4. Milgram S., 'The small-world problem', *Psychology Today*, 1967.

5. Dodds P.S. et al., 'An Experimental Study of Search in Global Social Networks', *Science*, 2003.

6. Bakshy E. et al., 'Everyone's an Influencer: Quantifying Influence on Twitter', *Proceedings of the Fourth ACM International Conference on Web Search and Data Mining (WSDM'11)*, 2011.

7. Aral S. and Walker D., 'Identifying Influential and Susceptible Members of Social Networks', *Science*, 2012.

8. Aral S. and Dillon P., 'Social influence maximization under empirical influence models', *Nature Human Behaviour*, 2018.

9. データはUgander J. et al., 'The Anatomy of the Facebook Social Graph', *arXiv*, 2011; Kim D.A. et al., 'Social network targeting to maximise population behaviour change: a cluster randomised controlled trial', *The Lancet*, 2015; Newman M.E., 'Assortative mixing in networks', *Physical Review Letters*, 2002; Apicella C.L. et al., 'Social networks and cooperation in hunter-gatherers', *Nature*, 2012より。

10. 結論の根拠:Aral S. and Dillon P., *Nature Human Behaviour*, 2018; Bakshy E. et al., *WSDM*, 2011; Kim D.A. et al., *The Lancet*, 2015.

83. 引用は2018年10月7日に著者が行ったクリスチャン・ラムのインタビューより。

84. Perry W.L. et al., 'Predictive Policing', RAND Corporation Report, 2013.

85. Whitty C.J.M., 'What makes an academic paper useful for health policy?', *BMC Medicine*, 2015.

86. Dumke M. and Main F., 'A look inside the watch list Chicago police fought to keep secret', *Associated Press*, 18 June 2017.

87. SSLアルゴリズムに関する背景:Posadas B., 'How strategic is Chicago's "Strategic Subjects List"? Upturn investigates', *Medium*, 22 June 2017; Asher J. and Arthur R., 'Inside the Algorithm That Tries to Predict Gun Violence in Chicago', *New York Times*, 13 June 2017; Kunichoff Y. and Sier P., 'The Contradictions of Chicago Police's Secretive List', *Chicago Magazine*, 21 August 2017.

88. ポサダスによれば(*Medium*, 2017)、ハイリスク者の割合は287,404/398,684=0.72。そのうち8万8592人(31%)は逮捕されたり犯罪被害者になったりしたことは一度もなかった。

89. Hemenway D., *While We Were Sleeping: Success Stories in Injury and Violence Prevention*, (University of California Press, 2009).

90. 割れ窓理論に基づく対処法の背景はKelling G.L. and Wilson J.Q., 'Broken Windows', *The Atlantic*, March 1982; Harcourt B.E. and Ludwig J., 'Broken Windows: New Evidence from New York City and a Five-City Social Experiment', *University of Chicago Law Review*, 2005より。

91. Childress S., 'The Problem with "Broken Windows" Policing', Public Broadcasting Service, 28 June 2016.

92. Keizer K. et al., 'The Spreading of Disorder', *Science*, 2008.

93. Keizer K. et al., 'The Importance of Demonstratively Restoring Order', *PLOS ONE*, 2013.

94. Tcherni-Buzzeo M., 'The "Great American Crime Decline": Possible explanations', In Krohn M.D. et al., *Handbook on Crime and Deviance*, 2nd edition, (Springer, New York 2019).

95. 減少を説明するほかの仮説とそれに対する批判:Levitt S.D., 'Understanding Why Crime Fell in the 1990s: Four Factors that Explain the Decline and Six that Do Not', *Journal of Economic Perspectives*, 2004; Nevin R., 'How Lead Exposure Relates to Temporal Changes in IQ, Violent Crime, and Unwed Pregnancy', *Environmental Research Section A*, 2000; Foote C.L. and Goetz C.F., 'The Impact of Legalized Abortion on Crime: Comment', *Quarterly Journal of Economics*, 2008;

fort', *New York Times*, 2015.

70. Kucharski A.J. et al., 'Measuring the impact of Ebola control measures in Sierra Leone', *PNAS*, 2015.

71. Camacho A. et al., 'Potential for large outbreaks of Ebola virus disease', *Epidemics*, 2014.

72. Heymann D.L., 'Ebola: transforming fear into appropriate action', *The Lancet*, 2017.

73. 彼の言葉とされているが、明確な一次資料はない。

74. 12月初めには報告の遅れは平均2～3日になっていた。情報源:Finger F. et al., 'Real-time analysis of the diphtheria outbreak in forcibly displaced Myanmar nationals in Bangladesh', *BMC Medicine*, 2019.

75. 統計値はKatz J. and Sanger-Katz M., '"The Numbers Are So Staggering." Overdose Deaths Set a Record Last Year', *New York Times*, 29 November 2018; Ahmad F.B. et al., 'Provisional drug overdose death counts', National Center for Health Statistics, 2018; Felter C., 'The U.S. Opioid Epidemic', Council on Foreign Relations, 26 December 2017; 'Opioid painkillers "must carry prominent warnings"', BBC News Online, 28 April 2019より。

76. Goodnough A., Katz J. and Sanger-Katz M., 'Drug Overdose Deaths Drop in U.S. for First Time Since 1990', *New York Times*, 17 July 2019.

77. オピオイド危機の分析に関する背景と引用は2018年5月に著者が行ったロザリー・リカード・パクラのインタビューより。詳細はPacula R.L., Testimony presented before the House Appropriations Committee, Subcommittee on Labor, Health and Human Services, Education, and Related Agencies on April 5, 2017より。

78. 死亡率が1979年の人口10万人あたり11人から2015年の10万人あたり137人へと指数関数的に増加していることから、倍化時間=36/$\log_2$(137/11)=10年となる。

79. Jalal H., 'Changing dynamics of the drug overdose epidemic in the United States from 1979 through 2016', *Science*, 2018.

80. Mars S.G. '"Every 'never' I ever said came true": transitions from opioid pills to heroin injecting', *International Journal of Drug Policy*, 2014.

81. TCR Staff, 'America "Can't Arrest Its Way Out of the Opioid Epidemic"', *The Crime Report*, 16 February 2018.

82. Lum K. and Isaac W., 'To predict and serve?' *Significance*, 7 October 2016.

57. 背景はJohnson N.F. et al., 'New online ecology of adversarial aggregates: ISIS and beyond', *Science*, 2016; Wolchover N., 'A Physicist Who Models ISIS and the Alt-Right', *Quanta Magazine*, 23 August 2017より。

58. Bohorquez J.C. et al., 'Common ecology quantifies human insurgency', *Nature*, 2009.

59. Belluck P., 'Fighting ISIS With an Algorithm, Physicists Try to Predict Attacks', *New York Times*, 16 June 2016.

60. 時系列:'How The Anthrax Terror Unfolded', National Public Radio (NPR), 15 February 2011.

61. Cooper B., 'Poxy models and rash decisions', *PNAS*, 2006; Meltzer M.I. et al., 'Modeling Potential Responses to Smallpox as a Bioterrorist Weapon', *Emerging Infectious Diseases*, 2001.

62. おもちゃの列車模型のたとえはいくつかの分野で使われている(たとえば金融界ではエマニュエル・ダーマン)が、極めつけは疾病モデリングの講義で非常に効果的に用いた僕の昔の同僚のケン・イームズだろう。

63. Meltzer M.I. et al., 'Estimating the Future Number of Cases in the Ebola Epidemic – Liberia and Sierra Leone, 2014–2015', *Morbidity and Mortality Weekly Report*, 2014.

64. CDCの指数モデルでは毎月約3倍の増加と推定した。したがって、3カ月後には1月の値の27倍になると予想された(シエラレオネ、リベリア、ギニアの人口は合計2400万人前後だった)。

65. 'Expert reaction to CDC estimates of numbers of future Ebola cases', *Science Media Centre*, 24 September 2014.

66. 背景はHughes M., 'Developers wish people would remember what a big deal Y2K bug was', *The Next Web*, 26 October 2017; Schofield J., 'Money we spent', *The Guardian*, 5 January 2000より。

67. https://twitter.com/JoanneLiu_MSF/status/952834207667097600.

68. CDCの分析では、過少報告を説明するために患者数を2.5倍に増やしていた。もし同じ倍率を報告患者数に適用すれば、実際には7万5000人前後の感染者がいたことになり、CDCの予測とは133万人の開きがある。介入を用いたCDCモデルで感染爆発が説明できるという指摘はFrieden T.R. and Damon I.K., 'Ebola in West Africa – CDC's Role in Epidemic Detection, Control, and Prevention', *Emerging Infectious Diseases*, 2015より。

69. Onishi N., 'Empty Ebola Clinics in Liberia Are Seen as Misstep in U.S. Relief Ef-

42. 統計値はGrinshteyn E. and Hemenway D., 'Violent Death Rates: The US Compared with Other High-income OECD Countries, 2010', *The American Journal of Medicine*, 2016; Koerth-Baker M., 'Mass Shootings Are A Bad Way To Understand Gun Violence', *Five Thirty Eight*, 3 October 2017より。

43. 背景はThompson B., 'The Science of Violence', *Washington Post*, 29 March 1998; Wilkinson F., 'Gunning for Guns', *Rolling Stone*, 9 December 1993より。

44. Cillizza C., 'President Obama's amazingly emotional speech on gun control', *Washington Post*, 5 January 2016.

45. Borger J., 'The Guardian profile: Ralph Nader', *The Guardian*, 22 October 2004.

46. 背景はJensen C., '50 Years Ago, "Unsafe at Any Speed" Shook the Auto World', *New York Times*, 26 November 2015より。

47. Kelly K., 'Car Safety Initially Considered "Undesirable" by Manufacturers, the Government and Consumers', *Huffington Post*, 4 December 2012.

48. Frankel T.C., 'Their 1996 clash shaped the gun debate for years. Now they want to reshape it', *Washington Post*, 30 December 2015.

49. Kates D.B. et al., 'Public Health Pot Shots', *Reason*, April 1997.

50. Turvill J.L. et al., 'Change in occurrence of paracetamol overdose in UK after introduction of blister packs', *The Lancet*, 2000; Hawton K. et al., 'Long term effect of reduced pack sizes of paracetamol on poisoning deaths and liver transplant activity in England and Wales: interrupted time series analyses', *British Medical Journal*, 2013.

51. Dickey J. and Rosenberg M., 'We won't know the cause of gun violence until we look for it', *Washington Post*, 27 July 2012.

52. 背景と引用は2017年8月に著者が行ったトビー・デイヴィーズのインタビューより。

53. Davies T.P. et al., 'A mathematical model of the London riots and their policing', *Scientific Reports*, 2013.

54. 例：Myers P., 'Staying streetwise', *Reuters*, 8 September 2011.

55. De Castella T. and McClatchey C., 'UK riots: What turns people into looters?', BBC News Online. 9 August 2011の中の引用。

56. Granovetter M., 'Threshold Models of Collective Behavior', *American Journal of Sociology*, 1978.

lence in Glasgow: A preliminary pragmatic quasi-experimental evaluation of the Community Initiative to Reduce Violence (CIRV)', *Aggression and Violent Behavior*, 2014; Goodall C. et al., 'Navigator: A Tale of Two Cities', 12 Month Report, 2017.

32. 'Mayor launches new public health approach to tackling serious violence', London City Hall press release, 19 September 2018; Bulman M., 'Woman who helped dramatically reduce youth murders in Scotland urges London to treat violence as a "disease"', *The Independent,* 5 April 2018.

33. クリミアでのナイチンゲールの業績については以下を参照:Gill C.J. and Gill G.C., 'Nightingale in Scutari: Her Legacy Reexamined', *Clinical Infectious Diseases*, 2005; Nightingale F., *Notes on Matters Affecting the Health, Efficiency, and Hospital Administration of the British Army: Founded Chiefly on the Experience of the Late War* (London, 1858); Magnello M.E., 'Victorian statistical graphics and the iconography of Florence Nightingale's polar area graph', *Journal of the British Society for the History of Mathematics Bulletin*, 2012.

34. Nelson S. and Rafferty A.M., *Notes on Nightingale: The Influence and Legacy of a Nursing Icon* (Cornell University Press, 2012).

35. ファーに関する背景はLilienfeld D.E., 'Celebration: William Farr (1807–1883) – an appreciation on the 200th anniversary of his birth', *International Journal of Epidemiology*, 2007; Humphreys N.A., 'Vital statistics: a memorial volume of selections from the reports and writings of William Farr', *The Sanitary Institute of Great Britain*, 1885より。

36. Nightingale F., *A Contribution to the Sanitary History of the British Army During the Late War with Russia* (London, 1859).

37. Diamond M. and Stone M., 'Nightingale on Quetelet', *Journal of the Royal Statistical Society A*, 1981の中の引用。

38. Cook E., *The Life of Florence Nightingale* (London, 1913) [邦訳『ナイティンゲール——その生涯と思想』(中村妙子訳、時空出版、1993年)]

39. MacDonald L., *Florence Nightingale on Society and Politics, Philosophy, Science, Education and Literature* (Wilfrid Laurier University Press, 2003) の中の引用。

40. Pearson K., *The Life, Letters and Labours of Francis Galton* (Cambridge University Press, London, 1914).

41. Patel D.M. et al., *Contagion of Violence: Workshop Summary* (National Academies Press, 2012).

21. Tracy M. et al., 'The Transmission of Gun and Other Weapon-Involved Violence Within Social Networks', *Epidemiologic Reviews*, 2016.

22. Green B. et al., 'Modeling Contagion Through Social Networks to Explain and Predict Gunshot Violence in Chicago, 2006 to 2014', *JAMA Internal Medicine*, 2017.

23. グリーンらによるクラスターサイズ分布に負の二項分布を当てはめると、分散パラメータの最尤推定値k=0.096が得られる(計算法は:Blumberg S. and Lloyd-Smith J.O., *PLOS Computational Biology*, 2013より)。因みにMERSコロナウイルスはR=0.63、k=0.25 (Kucharski A.J. and Althaus C.L., 'The role of superspreading in Middle East respiratory syndrome coronavirus (MERS-CoV) transmission', *Eurosurveillance*, 2015より)。

24. Fenner F. et al., *Smallpox and its Eradication* (World Health Organization, Geneva, 1988).

25. Ganyani T. et al., 'Estimating the generation interval for coronavirus disease (COVID-19) based on symptom onset data, March 2020.' Eurosurveillance, 2020.

26. 暴力遮断手法の評価:Skogan W.G. et al., 'Evaluation of CeaseFire-Chicago', U.S. Department of Justice report, March 2009; Webster D.W. et al., 'Evaluation of Baltimore's Safe Streets Program', Johns Hopkins report, January 2012; Thomas R. et al., 'Investing in Intervention: The Critical Role of State-Level Support in Breaking the Cycle of Urban Gun Violence', Giffords Law Center report, 2017.

27. キュアバイオレンスへの批判の例:Page C., 'The doctor who predicted Chicago's homicide epidemic', Chicago Tribune, 30 December 2016; 'We need answers on anti-violence program', *Chicago Sun Times*, 1 July 2014.

28. Patel D.M. et al., *Contagion of Violence: Workshop Summary* (National Academies Press, 2012).

29. 背景は Seenan G., 'Scotland has second highest murder rate in Europe', *The Guardian*, 26 September 2005; Henley J., 'Karyn McCluskey: the woman who took on Glasgow's gangs', *The Guardian*, 19 December 2011; Ross P., 'No mean citizens: The success behind Glasgow's VRU', *The Scotsman*, 24 November 2014; Geoghegan P., 'Glasgow smiles: how the city halved its murders by "caring people into change"', *The Guardian*, 6 April 2015; '10 Year Strategic Plan', Scottish Violence Reduction Unit, 2017より。

30. Adam K., 'Glasgow was once the "murder capital of Europe". Now it's a model for cutting crime', *Washington Post*, 27 October 2018.

31. 暴力抑止部隊プログラムの取り組みすべてに対する公式の評価は入手できないが、いくつかの取り組みの評価は以下を参照:Williams D.J. et al., 'Addressing gang-related vio-

6. コレラを巡る背景Locher W.G., 'Max von Pettenkofer (1818–1901) as a Pioneer of Modern Hygiene and Preventive Medicine', *Environmental Health and Preventive Medicine*, 2007; Morabia A., 'Epidemiologic Interactions, Complexity, and the Lonesome Death of Max von Pettenkofer,' *American Journal of Epidemiology*, 2007.

7. García-Moreno C. et al., 'WHO Multi-country Study on Women's Health and Domestic Violence against Women', *World Health Organization*, 2005.

8. 2018年5月に著者が行ったシャーロット・ワッツのインタビューより引用。

9. 暴力の伝染に影響を与える要因に関する背景:Patel D.M. et al., *Contagion of Violence: Workshop Summary* (National Academies Press, 2012).

10. Gould M.S. et al., 'Suicide Clusters: A Critical Review', *Suicide and Life-Threatening Behavior*, 1989.

11. Cheng Q. et al., 'Suicide Contagion: A Systematic Review of Definitions and Research Utility', *PLOS ONE*, 2014.

12. Phillips D.P., 'The Influence of Suggestion on Suicide: Substantive and Theoretical Implications of the Werther Effect', *American Sociological Review*, 1974.

13. WHO. 'Is responsible and deglamourized media reporting effective in reducing deaths from suicide, suicide attempts and acts of self-harm?', 2015. https://www.who.int.

14. Fink D.S. et al., 'Increase in suicides the months after the death of Robin Williams in the US', *PLOS ONE*, 2018.

15. Towers S. et al., 'Contagion in Mass Killings and School Shootings', *PLOS ONE*, 2015.

16. Brent D.A. et al., 'An Outbreak of Suicide and Suicidal Behavior in a High School', *Journal of the American Academy of Child and Adolescent Psychiatry*, 1989.

17. Aufrichtig A. et al., 'Want to fix gun violence in America? Go local', *The Guardian*, 9 January 2017.

18. 2018年4月に著者が行ったチャーリー・ランズフォードのインタビューより引用。

19. Confino J., 'Guardian-supported Malawi sex workers' project secures funding from Comic Relief ', *The Guardian*, 9 June 2010.

20. Bremer S., '10 Shot, 2 Fatally, at Vigil on Chicago's Southwest Side', *NBC Chicago*, 7 May 2017.

ence, 2019.

69. Feinberg M. and Willer R., 'From Gulf to Bridge: When Do Moral Arguments Facilitate Political Influence?', *Personality and Social Psychology Bulletin*, 2015.

70. Roghanizad M.M. and Bohns V.K., 'Ask in person: You're less persuasive than you think over email', *Journal of Experimental Social Psychology*, 2016.

71. How J.J. and De Leeuw E.D., 'A comparison of nonresponse in mail, telephone, and face-to-face surveys', *Quality and Quantity*, 1994; Gerber A.S. and Green D.P., 'The Effects of Canvassing, Telephone Calls, and Direct Mail on Voter Turnout: A Field Experiment', *American Political Science Review*, 2000; Okdie B.M. et al., 'Getting to know you: Face-to-face versus online interactions', *Computers in Human Behavior*, 2011.

72. Swire B. et al., 'The role of familiarity in correcting inaccurate information', *Journal of Experimental Psychology Learning Memory and Cognition*, 2017.

73. 引用は2018年7月に著者が行ったブリオニー・スワイヤ=トンプソンのインタビューより。

74. Broockman D. and Kalla J., 'Durably reducing transphobia: A field experiment on door-to-door canvassing', *Science*, 2016.

4章　暴力の感染

1. 背景と引用は2018年4月に著者が行ったゲイリー・スラトキンのインタビューより。

2. 統計値はBentle K. et al., '39,000 homicides: Retracing 60 years of murder in Chicago', *Chicago Tribune*, 9 January 2018; Illinois State Fact Sheet. National Injury and Violence Prevention Resource Center, 2015より。

3. Slutkin G., 'Treatment of violence as an epidemic disease', In: Fine P. et al. John Snow's legacy: epidemiology without borders. *The Lancet*, 2013.

4. コレラに関するジョン・スノウの業績の背景はSnow J., *On the mode of communication of cholera*. (London, 1855); Tulodziecki D., 'A case study in explanatory power: John Snow's conclusions about the pathology and transmission of cholera', *Studies in History and Philosophy of Biological and Biomedical Sciences*, 2011; Hempel S., 'John Snow', *The Lancet*, 2013; Brody H. et al., 'Map-making and myth-making in Broad Street: the London cholera epidemic, 1854', *The Lancet*, 2000より。

5. 抽象化の理由:Seuphor M., *Piet Mondrian: Life and Work* (Abrams, New York, 1956); Tate Modern, 'Five ways to look at Malevich's Black Square', https://www.tate.org.uk/art/artists/kazimir-malevich-1561/five-ways-look-malevichs-black-square.

Vox, 8 April 2016; Bohannon J., 'For real this time: Talking to people about gay and transgender issues can change their prejudices', Associated Press, 7 April 2016より。

55. Mandel D.R., 'The psychology of Bayesian reasoning', *Frontiers in Psychology*, 2014.

56. Nyhan B. and Reifler J., 'When Corrections Fail: The persistence of political misperceptions', *Political Behavior*, 2010.

57. Wood T. and Porter E., 'The elusive backfire effect: mass attitudes' steadfast factual adherence', *Political Behavior*, 2018.

58. LaCour M.H. and Green D.P., 'When contact changes minds: An experiment on transmission of support for gay equality', *Science*, 2014.

59. Broockman D. and Kalla J., 'Irregularities in LaCour (2014)', Working paper, May 2015.

60. Duran L., 'How to change views on trans people? Just get personal', Take Two®, 7 April 2016.

61. コメントはGelman A., 'LaCour and Green 1, This American Life 0', 16 December 2015より。https://statmodeling.stat.columbia.edu/2015/12/16/lacour-and-green-1-this-american-life-0/

62. Wood T. and Porter E., 'The elusive backfire effect: mass attitudes' steadfast factual adherence', *Political Behavior*, 2018.

63. Weiss R. and Fitzgerald M., 'Edwards, First Lady at Odds on Stem Cells', *Washington Post*, 10 August 2004.

64. 引用は2018年11月に著者が行ったブレンダン・ナイハンのインタビューより。

65. Nyhan B. et al., 'Taking Fact-checks Literally But Not Seriously? The Effects of Journalistic Fact-checking on Factual Beliefs and Candidate Favorability', *Political Behavior*, 2019.

66. 例:https://twitter.com/brendannyhan/status/859573499333136384.

67. Strudwick P.A., 'Former MP Has Made A Heartfelt Apology For Voting Against Same-Sex Marriage', *BuzzFeed*, 28 March 2017.

68. あるテーマに関して意見を変えた人が、なぜ変えたかを説明すれば、一方的な主張よりも説得力があるという証拠もある。典拠:Lyons B.A. et al., 'Conversion messages and attitude change: Strong arguments, not costly signals', *Public Understanding of Sci-*

40. 背 景 はRoss R., Memoirs, *With a Full Account of the Great Malaria Problem and its Solution* (London, 1923) より。

41. Racaniello V., 'Koch's postulates in the 21st century', *Virology Blog*, 22 January 2010.

42. 2002年8月16日付けテレグラフ紙のアリス・スチュワートの死亡記事。

43. Rasmussen S.A. et al., 'Zika Virus and Birth Defects – Reviewing the Evidence for Causality', *NEJM*, 2016.

44. Greene G., *The Woman Who Knew Too Much: Alice Stewart and the Secrets of Radiation* (University of Michigan Press, 2001).

45. 背景と引用は2018年6月に著者が行ったニコラス・クリスタキスのインタビューより。

46. Snijders T.A.B., 'The Spread of Evidence-Poor Medicine via Flawed Social-Network Analysis', *SOCNET Archives*, 17 June 2011.

47. Granovetter M.S., 'The Strength of Weak Ties', *American Journal of Sociology*, 1973.

48. Dhand A., 'Social networks and risk of delayed hospital arrival after acute stroke', *Nature Communications*, 2019.

49. Background from: Centola D. and Macy M., 'Complex Contagions and the Weakness of Long Ties', *American Journal of Sociology*, 2007; Centola D., *How Behavior Spreads: The Science of Complex Contagions* (Princeton University Press, 2018).

50. Darley J.M. and Latane B., 'Bystander intervention in emergencies: Diffusion of responsibility', *Journal of Personality and Social Psychology*, 1968.

51. Centola D., *How Behavior Spreads: The Science of Complex Contagions* (Princeton University Press, 2018).

52. Coviello L. et al., 'Detecting Emotional Contagion in Massive Social Networks', *PLOS ONE*, 2014; Aral S. and Nicolaides C., 'Exercise contagion in a global social network', *Nature Communications*, 2017.

53. Fleischer D., Executive Summary. The Prop 8 Report, 2010. http://prop8report.lgbtmentoring.org/read-the-report/executive-summary.

54. ディープ・キャンバシングに関する背景はIssenberg S., 'How Do You Change Someone's Mind About Abortion? Tell Them You Had One', *Bloomberg*, 6 October 2014; Resnick B., 'These scientists can prove it's possible to reduce prejudice',

に注意。Kapitány R. and Nielsen M., 'Are Yawns really Contagious? A Critique and Quantification of Yawn Contagion', *Adaptive Human Behavior and Physiology*, 2017を参照のこと。

29. Norscia I. et al., 'She more than he: gender bias supports the empathic nature of yawn contagion in Homo sapiens', *Royal Society Open Science*, 2016.

30. Millen A. and Anderson J.R., 'Neither infants nor toddlers catch yawns from their mothers', *Royal Society Biology Letters*, 2010.

31. Holle H. et al., 'Neural basis of contagious itch and why some people are more prone to it'. *PNAS*, 2012; Sy T. et al., 'The Contagious Leader: Impact of the Leader's Mood on the Mood of Group Members, Group Affective Tone, and Group Processes', *Journal of Applied Psychology*, 2005; Johnson S.K., 'Do you feel what I feel? Mood contagion and leadership outcomes', *The Leadership Quarterly*, 2009; Bono J.E. and Ilies R., 'Charisma, positive emotions and mood contagion', *The Leadership Quarterly*, 2006.

32. Sherry D.F. and Galef B.G., 'Cultural Transmission Without Imitation: Milk Bottle Opening by Birds', *Animal Behaviour*, 1984.

33. 背景はAplin L.M. et al., 'Experimentally induced innovations lead to persistent culture via conformity in wild birds', *Nature*, 2015より。引用は207年8月に著者が行ったルーシー・アプリンのインタビューより。

34. Weber M., *Economy and Society* (Bedminster Press Incorporated, New York, 1968).

35. Manski C., 'Identification of Endogenous Social Effects: The Reflection Problem', *Review of Economic Studies*, 1993.

36. Datar A. and Nicosia N., 'Association of Exposure to Communities With Higher Ratios of Obesity With Increased Body Mass Index and Risk of Overweight and Obesity Among Parents and Children' *JAMA Pediatrics*, 2018.

37. 引用は2017年8月に著者が行ったディーン・エクルスのインタビューより。

38. Editorial, 'Epidemiology is a science of high importance', *Nature Communications*, 2018.

39. 喫煙とガンに関する背景はHowick J. et al., 'The evolution of evidence hierarchies: what can Bradford Hill's "guidelines for causation" contribute?', *Journal of the Royal Society of Medicine*, 2009; Mourant A., 'Why Arthur Mourant Decided To Say "No" To Ronald Fisher', *The Scientist*, 12 December 1988より。

tion of Social Behaviour to the Transmission of Influenza A in a Human Population', *PLOS Pathogens*, 2014.

16. Eames K.T.D. et al., 'Measured Dynamic Social Contact Patterns Explain the Spread of H1N1v Influenza', *PLOS Computational Biology*, 2012; Eames K.T.D., 'The influence of school holiday timing on epidemic impact', *Epidemiology and Infection*, 2013; Baguelin M. et al., 'Vaccination against pandemic influenza A/H1N1v in England: a real-time economic evaluation', *Vaccine*, 2010.

17. Eames K.T.D., 'The influence of school holiday timing on epidemic impact', Epidemiology and Infection, 2013.

18. Eggo R.M. et al., 'Respiratory virus transmission dynamics determine timing of asthma exacerbation peaks: Evidence from a population-level model', *PNAS*, 2016.

19. Kucharski A.J. et al., 'The Contribution of Social Behaviour to the Transmission of Influenza A in a Human Population', *PLOS Pathogens*, 2014.

20. Byington C.L. et al., 'Community Surveillance of Respiratory Viruses Among Families in the Utah Better Identification of Germs-Longitudinal Viral Epidemiology (BIG-LoVE) Study', *Clinical Infectious Diseases*, 2015.

21. Brockmann D. and Helbing D., 'The Hidden Geometry of Complex, Network-Driven Contagion Phenomena', *Science*, 2013.

22. Gog J.R. et al., 'Spatial Transmission of 2009 Pandemic Influenza in the US', *PLOS Computational Biology*, 2014.

23. Keeling M.J. et al., 'Individual identity and movement networks for disease metapopulations', *PNAS*, 2010.

24. Odlyzko A., 'The forgotten discovery of gravity models and the inefficiency of early railway networks', 2015.

25. Christakis N.A. and Fowler J.H., 'Social contagion theory: examining dynamic social networks and human behavior', *Statistics in Medicine*, 2012.

26. Cohen-Cole E. and Fletcher J.M., 'Detecting implausible social network effects in acne, height, and headaches: longitudinal analysis', *British Medical Journal*, 2008.

27. Lyons R., 'The Spread of Evidence-Poor Medicine via Flawed Social-Network Analysis', *Statistics, Politics, and Policy*, 2011.

28. Norscia I. and Palagi E., 'Yawn Contagion and Empathy in Homo sapiens', *PLOS ONE*, 2011. あくび実験の実施はそれほど難しくないものの、結果の解釈には課題が多いこと

3. Goffman W. and Newill V.A., 'Generalization of epidemic theory: An application to the transmission of ideas', *Nature*, 1964. しかしゴフマンのたとえにはいくつか限界がある。特に、噂の拡散にはSIRモデルが適していると彼は主張したが、ほかの人々は、そのモデルに簡単な微調整をしただけで非常に異なる結果になると反論している。たとえば単純な疫学モデルでは通常、一定期間が過ぎると人々は感染力を失うと想定する。多くの病気ではそう考えるのが合理的だ。ケンブリッジ大学の数学者であるダリル・デイリーとデビッド・ケンダルは、噂のモデルでは拡散者は自然に回復するとは限らず、誰かすでにその噂を聞いている人に出会ってはじめて、噂を広げることをやめるだろうと述べている。典拠：Daley D.J. and Kendall D.G., 'Epidemics and rumours', *Nature*, 1964.

4. ランダウの天才スケール。http://www.eoht.info/page/ Landau+genius+scale.

5. Khalatnikov I.M and Sykes J.B. (eds.), *Landau: The Physicist and the Man: Recollections of L.D. Landau* (Pergamon, 2013).

6. Bettencourt L.M.A. et al., 'The power of a good idea: Quantitative modeling of the spread of ideas from epidemiological models', *Physica A*, 2006.

7. Azouly P. et al., 'Does Science Advance One Funeral at a Time?', *National Bureau of Economic Research working paper*, 2015.

8. Catmull E., 'How Pixar Fosters Collective Creativity', *Harvard Business Review*, September 2008.

9. Grove J., 'Francis Crick Institute: "gentle anarchy" will fire research', *THE*, 2 September 2016.

10. Bernstein E.S. and Turban S., 'The impact of the "open" workspace on human collaboration.' *Philosophical Transactions of the Royal Society B*, 2018.

11. 背景と引用は「性に関する態度とライフスタイルの全国調査の歴史」(2009年12月14日にロンドン大学ユニバーシティカレッジ、医学の歴史に関するウェルカムトラストセンター主催によるロンドンでのウィットネスセミナー）より。

12. Mercer C.H. et al., 'Changes in sexual attitudes and lifestyles in Britain through the life course and over time: findings from the National Surveys of Sexual Attitudes and Lifestyles (Natsal)', *The Lancet*, 2013.

13. http://www.bbc.co.uk/pandemic.

14. Van Hoang T. et al., 'A systematic review of social contact surveys to inform transmission models of close contact infections', *BioRxiv*, 2018.

15. Mossong J. et al., 'Social Contacts and Mixing Patterns Relevant to the Spread of Infectious Diseases', *PLOS Medicine*, 2008; Kucharski A.J. et al., 'The Contribu-

90. Haldane A., 'Rethinking the Financial Network', Bank of England, 28 April 2009.

91. Buffett W., Letter to the Shareholders of Berkshire Hathaway Inc., 27 February 2009.

92. Keynes J.M., 'The Consequences to the Banks of the Collapse of Money Values', 1931 (from *Essays in Persuasion*).

93. Tavakoli J., Comments on SEC Proposed Rules and Oversight of NRSROs. Letter to Securities and Exchange Commission, 13 February 2007.

94. Arinaminpathy N. et al., 'Size and complexity in model financial systems', *PNAS*, 2012; Caccioli F. et al., 'Stability analysis of financial contagion due to overlapping portfolios', *Journal of Banking & Finance*, 2014; Bardoscia M. et al., 'Pathways towards instability in financial networks', *Nature Communications*, 2017.

95. Haldane A. and May R.M., 'The birds and the bees, and the big banks', *Financial Times*, 20 February 2011.

96. Authers J., 'In a crisis, sometimes you don't tell the whole story', *Financial Times*, 8 September 2018.

97. Arinaminpathy N. et al., 'Size and complexity in model financial systems', *PNAS*, 2012.

98. 銀行業に関する独立委員会。2011年9月最終報告勧告。

99. Withers I., 'EU banks spared ringfencing rules imposed on British lenders', *The Telegraph*, 24 October 2017.

100. 国際決済銀行。統計値開示:「2018年6月末時点の店頭デリバティブ統計値」2018年10月31日。

101. 2018年9月に著者が行ったバーバラ・カーズのインタビュー。

102. Jenkins P., 'How much of a systemic risk is clearing?' *Financial Times*, 8 January 2018.

103. Battiston S. et al., 'The price of complexity in financial networks', *PNAS*, 2016.

3章　アイディアの感染

1. 背景はShifman M., *ITEP Lectures in Particle Physics*, arXiv, 1995 より。

2. Pais A. J., *Robert Oppenheimer: A Life* (Oxford University Press, 2007).

76. Kilikpo Jarwolo J.L., 'The Hurt – and Danger – of Ebola Stigma', ActionAid, 2015.

77. Gregory A. et al., 'Coronavirus: hunt for Patient Zero, Britain's virus spreader', Sunday Times, 1 March 2020.

78. Meyer R., Madrigal A., 'Exclusive: The Strongest Evidence Yet That America Is Botching Coronavirus Testing', The Atlantic, 6 March 2020; UK testing data以下より閲覧可能: https://en.wikipedia.org/wiki/Template:COVID19_pandemic_data/United_Kingdom_medical_cases

79. Frith J., 'Syphilis – Its Early History and Treatment until Penicillin and the Debate on its Origins', *Journal of Military and Veterans' Health*, 2012.

80. Badcock J., 'Pepe's story: How I survived Spanish flu', BBC News Online, 21 May 2018.

81. Enserink M., 'War Stories', *Science*, 15 March 2013.

82. Lee J-W. and McKibbin W.J., 'Estimating the global economic costs of SARS', from *Learning from SARS: Preparing for the Next Disease Outbreak: Workshop Summary* (National Academies Press, 2004).

83. Haldane A., 'Rethinking the Financial Network', Bank of England, 28 April 2009.

84. Crampton T., 'Battling the spread of SARS, Asian nations escalate travel restrictions', *New York Times*, 12 April 2003. 感染爆発中には旅行制限が発令されたものの、そうした制限は患者の特定や接触追跡といった手段よりも封じ込めに対する効果は低かったようだ。実際、WHOはこの期間中に旅行制限の勧告は行っていない。'World Health Organization. Summary of WHO measures related to international travel', WHO, 24 June 2003.

85. Owens R.E. and Schreft S.L., 'Identifying Credit Crunches', *Contemporary Economic Policy*, 1995.

86. 背景および引用は2018年7月に著者がアンディ・ホールデンに行ったインタビューより。

87. Soramäki K. et al., 'The topology of interbank payment flows', *Federal Reserve Bank of New York Staff Report*, 2006.

88. Gupta S. et al., 'Networks of sexual contacts: implications for the pattern of spread of HIV', *AIDS*, 1989.

89. Haldane A. and May R.M., 'The birds and the bees, and the big banks', *Financial Times*, 20 February 2011.

62. Yorke J.A. et al., 'Dynamics and control of the transmission of gonorrhea', *Sexually Transmitted Diseases*, 1978.

63. May R.M. and Anderson R.M., 'The Transmission Dynamics of Human Immunodeficiency Virus (hHIV)', *Philosophical Transactions of the Royal Society B*, 1988.

64. Foy B.D. et al., 'Probable Non-Vector-borne Transmission of Zika Virus, Colorado, USA', *Emerging Infectious Diseases*, 2011.

65. Counotte M.J. et al., 'Sexual transmission of Zika virus and other flaviviruses: A living systematic review', *PLOS Medicine*, 2018; Folkers K.M., 'Zika: The Millennials' S.T.D.?', *New York Times*, 20 August 2016.

66. ほかの人々も別個に同じ結論に達している。典拠:Yakob L. et al., 'Low risk of a sexually-transmitted Zika virus outbreak', *The Lancet Infectious Diseases*, 2016; Althaus C.L. and Low N., 'How Relevant Is Sexual Transmission of Zika Virus?' *PLOS Medicine*, 2016.

67. HIV／エイズの初期の伝播の背景についてはWorobey et al. '1970s and "Patient 0" HIV-1 genomes illuminate early HIV/AIDS history in North America', *Nature*, 2016.; McKay R.A., '"Patient Zero": The Absence of a Patient's View of the Early North American aids Epidemic', *Bulletin of the History of Medicine*, 2014 より。

68. これはCDCの名称が1992年にCenters for Disease Control and Preventionに変わる前のことである。

69. McKay R.A. "Patient Zero": The Absence of a Patient's View of the Early North American aids Epidemic. Bull Hist Med, 2014.

70. Sapatkin D., 'AIDS: The truth about Patient Zero', *The Philadelphia Inquirer*, 6 May 2013.

71. WHO. Mali case, 'Ebola imported from Guinea: Ebola situation assessment', 10 November 2014.

72. Robert A. et al., 'Determinants of transmission risk during the late stage of the West African Ebola epidemic', *American Journal of Epidemiology*, 2019.

73. Nagel T., 'Moral Luck', 1979.

74. Potterat J.J. et al., 'Gonorrhoea as a Social Disease', *Sexually Transmitted Diseases*, 1985.

75. Potterat J.J., *Seeking The Positives: A Life Spent on the Cutting Edge of Public Health* (Createspace, 2015).

50. Fenner F. et al., 'Smallpox and its Eradication', World Health Organization, 1988.

51. Wehrle P.F. et al., 'An Airborne Outbreak of Smallpox in a German Hospital and its Significance with Respect to Other Recent Outbreaks in Europe', *Bulletin of the World Health Organization*, 1970.

52. Woolhouse M.E.J. et al., 'Heterogeneities in the transmission of infectious agents: Implications for the design of control programs', *PNAS*, 1997. これは19世紀の経済学者ビルフレド・パレートの観察をもとにした考えで、彼は20%のイタリア人が国土の80%を所有していると指摘した。

53. Endo A. et al., 'Estimating the overdispersion in COVID-19 transmission using outbreak sizes outside China', Wellcome Open Research, 2020; Adam D. C. et al., 'Clustering and superspreading potential of SARS-CoV-2 infections in Hong Kong', Nature Med, 2020.

54. Lloyd-Smith J.O. et al., 'Superspreading and the effect of individual variation on disease emergence', *Nature*, 2005.

55. Worobey M. et al., '1970s and "Patient 0" HIV-1 genomes illuminate early HIV/AIDS history in North America', *Nature*, 2016.

56. Cumming J.G., 'An epidemic resulting from the contamination of ice cream by a typhoid carrier', *Journal of the American Medical Association*, 1917.

57. Bollobas B., 'To Prove and Conjecture: Paul Erdős and His Mathematics', *American Mathematical Monthly*, 1998.

58. Potterat J.J., et al., 'Sexual network structure as an indicator of epidemic phase', *Sexually Transmitted Infections*, 2002.

59. Watts D.J. and Strogatz S.H., 'Collective dynamics of "small-world" networks', *Nature*, 1998.

60. Barabási A.L. and Albert R., 'Emergence of Scaling in Random Networks', *Science*, 1999. 似たような考えは1970年代に物理学者のデレク・ド・ソラ・プライスが学術論文の出版を分析した際にも浮上している。彼は、引用回数の極端な違いは選択的な愛着によって説明できるのではないかと示唆した。すなわち、すでに何度も引用されている論文のほうが、引用される可能性が高くなる。出典：Price D.D.S., 'A General Theory of Bibliometric and Other Cumulative Advantage Processes', *Journal of the American Society for Information Science*, 1976.

61. Liljeros F. et al., 'The web of human sexual contacts', *Nature*, 2001; de Blasio B. et al., 'Preferential attachment in sexual networks', *PNAS*, 2007.

Biotheoretica, 2002.

39. Smith D.L. et al., 'Ross, Macdonald, and a Theory for the Dynamics and Control of Mosquito-Transmitted Pathogens', *PLOS Pathogens*, 2012.

40. Nájera J.A. et al., 'Some Lessons for the Future from the Global Malaria Eradication Programme (1955–1969)', *PLOS Medicine*, 2011. 天然痘の根絶は1953年にも提案されたが、あまり熱心な支持は得られなかった。

41. 再生産数の背景についてはHeesterbeek J.A., 'A Brief History of Ro and a Recipe for its Calculation', *Acta Biotheoretica*, 2002 より。

42. Abbott S et al. Temporal variation in transmission during the COVID-19 outbreak. CMMID COVID-19 repository. 以下より閲覧可能: https:// https://cmmid.github.io/topics/covid19/global-time-varying-transmission.html.

43. 再生産数推定値:Fraser C. et al., 'Pandemic potential of a strain of influenza A (H1N1): early findings', *Science*, 2009; WHO Ebola Response Team, 'Ebola Virus Disease in West Africa – The First 9 Months of the Epidemic and Forward Projections', *NEJM*, 2014; Riley S. et al., 'Transmission dynamics of the etiological agent of SARS in Hong Kong', *Science*, 2003; Gani R. and Leach S., 'Transmission potential of smallpox in contemporary populations', *Nature*, 2001; Anderson R.M. and May R.M., *Infectious Diseases of Humans: Dynamics and Control* (Oxford University Press, Oxford, 1992); Guerra F.M. et al., 'The basic reproduction number (Ro) of measles: a systematic review', *The Lancet*, 2017.

44. Centers for Disease Control and Prevention, 'Transmission of Measles', 2017. https://www.cdc.gov/measles/transmission/html.

45. Fine P.E.M. and Clarkson J.A., 'Measles in England and Wales – -I: An Analysis of Factors Underlying Seasonal Patterns', *International Journal of Epidemiology*, 1982.

46. 'How Princess Diana changed attitudes to AIDS', BBC News Online, 5 April 2017.

47. May R.M. and Anderson R.M., 'Transmission dynamics of HIV infection', *Nature*, 1987.

48. Eakle R. et al., 'Pre-exposure prophylaxis (PrEP) in an era of stalled HIV prevention: Can it change the game?', *Retrovirology*, 2018.

49. Anderson R.M. and May R.M., *Infectious Diseases of Humans: Dynamics and Control* (Oxford University Press, Oxford, 1992).

March 2018; 'Pyramid schemes cause huge social harm in China', *The Economist*, 3 February 2018.

24. Rodrigue J-P., 'Stages of a bubble', extract from *The Geography of Transport Systems* (Routledge, New York, 2017). https://transportgeography.org/?page_id=9035.

25. Sornette D. et al., 'Financial bubbles: mechanisms and diagnostics', *Review of Behavioral Economics*, 2015.

26. Coffman K.G. et al., 'The size and growth rate of the internet', *First Monday*, October 1998.

27. Odlyzko A., 'Internet traffic growth: Sources and implications', 2000.

28. 暗号通貨に関するジョン・オリバーの発言：'You're not investing, you're gambling', *The Guardian*, 12 March 2018.

29. データはhttps://www.coindesk.com/price/bitcoinより。2017年12月18日に1万9395ドルだった価格が、2018年12月16日には3220ドルになった。

30. ロドリク「バブルの各段階」、*The Geography of Transport Systems* (Routledge, New York, 2017) より抜粋。https://transportgeography.org/?page_id=9035.

31. Kindleberger C.P. et al., *Manias, Panics and Crashes: A History of Financial Crises* (Palgrave Macmillan, New York, 1978).

32. Odlyzko A., 'Collective hallucinations and inefficient markets: The British Railway Mania of the 1840s', 2010.

33. Sandbu M., 'Ten years on: Anatomy of the global financial meltdown', *Financial Times*, 9 August 2017.

34. Alessandri P. et al., 'Banking on the State', *Bank of England Paper*, November 2009.

35. Elliott L. and Treanor J., 'The minutes that reveal how the Bank of England handled the financial crisis', *The Guardian*, 7 January 2015.

36. 2017年8月に著者が行ったニム・アリナミンパシーのインタビュー。

37. Brauer F., 'Mathematical epidemiology: Past, present, and future', *Infectious Disease Modelling*, 2017; Bartlett M.S., 'Measles Periodicity and Community Size', *Journal of the Royal Statistical Society. Series A*, 1957.

38. Heesterbeek J.A., 'A Brief History of Ro and a Recipe for its Calculation', *Acta*

8. マッケンジーら（2012）によると、「危機を引き起こしたのは『モデル中毒者たち』ではない。創造力豊かで知恵もある、情報に通じた内省的な当事者たちが、完全な自覚のもとにガバナンスにおけるモデル（模範）としての役割を悪用したのだ」。実例として、見積もりを操作して、CDOがもうかるうえにリスクも低いものであるかのように見せかけた例をいくつか引用している。

9. Tavakoli J., 'Comments on SEC Proposed Rules and Oversight of NRSROs', Letter to Securities and Exchange Commission, 13 February 2007.

10. MacKenzie D. et al., '"The Formula That Killed Wall Street"? The Gaussian Copula and the Cultures of Modelling', 2012.

11. *New Directions for Understanding Systemic Risk* (National Academies Press, Washington DC, 2007).

12. Chapple S., 'Math expert finds order in disorder, including stock market', *San Diego Union-Tribune*, 28 August 2011.

13. May R., 'Epidemiology of financial networks. Presentation at LSHTM John Snow bicentenary event, April 2013. ユーチューブで視聴可能。

14. メイの関与の背景は前掲を参照。

15. 'Was tulipmania irrational?' *The Economist*, 4 October 2013.

16. Goldgar A., 'Tulip mania: the classic story of a Dutch financial bubble is mostly wrong', *The Conversation*, 12 February 2018.

17. オンライン語源辞典。バブルの語源と意味。https://www.etymonline.com/word/bubble.

18. Frehen R.G.P. et al., 'New Evidence on the First Financial Bubble', *Journal of Financial Economics*, 2013.

19. 著者の許諾を得て転載。出典：Frehen R.G.P. et al., 'New Evidence on the First Financial Bubble', *Journal of Financial Economics*, 2013.

20. Odlyzko A., 'Newton's financial misadventures in the South Sea Bubble', *Notes and Records, The Royal Society*, 2018.

21. Odlyzko A., 'Collective hallucinations and inefficient markets: The British Railway Mania of the 1840s', 2010.

22. Kindleberger C.P. et al., *Manias, Panics and Crashes: A History of Financial Crises* (Palgrave Macmillan, New York, 1978).

23. Chow E.K., 'Why China Keeps Falling for Pyramid Schemes', *The Diplomat*, 5

59. Hudson H., 'Simple Proof of Euclid II. 9 and 10', *Nature*, 1891.

60. Chambers S., 'At last, a degree of honour for 900 Cambridge women', T*he Independent*, 30 May 1998.

61. Ross R. and Hudson H., 'An Application of the Theory of Probabilities to the Study of *a priori* Pathometry. Part II and Part III', *Proceedings of the Royal Society A*, 1917.

62. Letter GB 0809 Ross/161/11/01. Courtesy, Library & Archives Service, London School of Hygiene & Tropical Medicine. © Ross Family; Aubin D. et al., 'The War of Guns and Mathematics: Mathematical Practices and Communities in France and Its Western Allies around World War I', *American Mathematical Society*, 2014.

63. Ross R., 'An Application of the Theory of Probabilities to the Study of *a priori* Pathometry. Part I', *Proceedings of the Royal Society A*,, 1916.

2章　金融危機と感染症

1. 数学者のアンドリュー・オドリツコによると、最終的な損失は2万ポンド以上になった可能性さえある。さらに彼は、1720年と現代の貨幣価値の換算基準として1000倍が妥当だろうと指摘している。この時期のケンブリッジ大学での教授職によるニュートンの俸給は年に100ポンド前後だった。典拠:Odlyzko A., 'Newton's financial misadventures in the South Sea Bubble', *Notes and Records, The Royal Society*, 2018.

2. ソープおよびシモンズの背景についてはPatterson S., *The Quants* (Crown Business New York, 2010) より。LTCMの背景についてはLowenstein R., *When Genius Failed: The Rise and Fall of Long Term Capital Management* (Random House, 2000) より。

3. Allen F. et al., 'The Asian Crisis and the Process of Financial Contagion', *Journal of Financial Regulation and Compliance*, 1999.「金融危機の伝播」(financial contagion)という用語の普及に関するデータはGoogle Ngramより。

4. CDOの背景についてはMacKenzie D. et al., '"The Formula That Killed Wall Street"? The Gaussian Copula and the Cultures of Modelling', 2012 より。

5. 'Deutsche Bank appoints Sajid Javid Head of Global Credit Trading, Asia', *Deutsche Bank Media Release*, 11 October 2006; Roy S., 'Credit derivatives: Squeeze is over for EM CDOs', *Euromoney*, 27 July 2006; Herrmann J., 'What Thatcherite union buster Sajid Javid learned on Wall Street', *The Guardian*, 15 July 2015.

6. Derman E., 'Model Risk' *Goldman Sachs Quantitative Strategies Research Notes*, April 1996.

7. 2005年7月1日のCNBCのインタビュー。

45. Faria N.R. et al., 'Zika virus in the Americas: Early epidemiological and genetic findings', *Science*, 2016.

46. Andronico A. et al., 'Real-Time Assessment of Health-Care Requirements During the Zika Virus Epidemic in Martinique', *American Journal of Epidemiology*, 2017.

47. Rozé B. et al., 'Guillain-Barré Syndrome Associated With Zika Virus Infection in Martinique in 2016: A Prospective Study', *Clinical Infectious Diseases*, 2017.

48. Fine P.E.M., 'Ross's *a priori* Pathometry – a Perspective', *Proceedings of the Royal Society of Medicine*, 1975.

49. Ross R., 'An Application of the Theory of Probabilities to the Study of a priori Pathometry – Part I', *Proceedings of the Royal Society A*, 1916.

50. Clarke B., 'The challenge facing first-time buyers', *Council of Mortgage Lenders*, 2015.

51. Rogers E.M., *Diffusion of Innovations*, 3rd Edition, (New York, 1983)［邦訳『イノベーションの普及』（三藤利雄訳、翔泳社、2007年）］.

52. 背景についてはBass F.M., 'A new product growth for model consumer durables', *Management Science*, 1969より。

53. Bass F.M. Comments on 'A New Product Growth for Model Consumer Durables', *Management Science*, 2004.

54. ロスの単純な「感受性保持者—感染者」モデルはdS/dt＝－bSI, dI/dt＝bSIと表すことができる。ここでbは感染率を表す。新規の感染率がピークに達するのはdI/dtの増加が最速のとき、すなわちdI/dtの二次導関数がゼロに等しいときである。積の法則を用いれば、I＝(3－sqrt(3))/6=0.21となる。

55. Jackson A.C., 'Diabolical effects of rabies encephalitis', Journal of NeuroVirology, 2016.

56. Robinson A. et al., 'Plasmodium-associated changes in human odor attract mosquitoes', *PNAS*, 2018.

57. Van Kerckhove K. et al., 'The Impact of Illness on Social Networks: Implications for Transmission and Control of Influenza', *American Journal of Epidemiology*, 2013.

58. ハドソンの背景については、O'Connor J.J. et al., 'Hilda Phoebe Hudson', JOC/EFR, 2002; Warwick A., *Masters of Theory: Cambridge and the Rise of Mathematical Physics* (University of Chicago Press, 2003) より。

31. Letter GB 0809 Ross/106/28/60. Courtesy, Library & Archives Service, London School of Hygiene & Tropical Medicine. ©Ross Family.

32. Letter GB 0809 Ross/106/28/112. Courtesy, Library & Archives Service, London School of Hygiene & Tropical Medicine. ©Ross Family.

33. Heesterbeek J.A., 'A Brief History of Ro and a Recipe for its Calculation', *Acta Biotheoretica*, 2002.

34. ケルマックの背景についてはDavidson J.N., 'William Ogilvy Kermack', *Biographical Memoirs of Fellows of the Royal Society*, 1971; Coutinho S.C., 'A lost chapter in the pre-history of algebraic analysis: Whittaker on contact transformations', *Archive for History of Exact Sciences*, 2010より。

35. Kermack W.O. and McKendrick A.G., 'A Contribution to the Mathematical Theory of Epidemics', *Proceedings of the Royal Society A*, 1927.

36. Fine P.E.M., 'Herd Immunity: History, Theory, Practice', *Epidemiologic Reviews*, 1993; Farewell V. and Johnson T., 'Major Greenwood (1880–1949): a biographical and bibliographical study', *Statistics in Medicine*, 2015.

37. Dudley S.F., 'Herds and Individuals', *Public Health*, 1928.

38. Hendrix K.S. et al., 'Ethics and Childhood Vaccination Policy in the United States', *American Journal of Public Health*, 2016.

39. Fine P.E.M., 'Herd Immunity: History, Theory, Practice', *Epidemiologic Reviews*, 1993.

40. Duffy M.R. et al., 'Zika Virus Outbreak on Yap Island, Federated States of Micronesia' *NEJM*, 2009.

41. Mallet H-P. et al., 'Bilan de l'épidémie à virus Zika survenue en Polynésie française, 2013–14', *Bulletin d'information sanitaires, épidémiologiques et statistiques*, 2015.

42. Cao-Lormeau V.M. et al., 'Guillain-Barré Syndrome outbreak associated with Zika virus infection in French Polynesia: a case-control study', *The Lancet*, 2016.

43. Stoddard S.T. et al., 'House-to-house human movement drives dengue virus transmission', *PNAS*, 2012.

44. Kucharski A.J. et al., 'Transmission Dynamics of Zika Virus in Island Populations: A Modelling Analysis of the 2013–14 French Polynesia Outbreak', *PLOS Neglected Tropical Diseases*, 2016.

17. Sallares R., *Malaria and Rome: A History of Malaria in Ancient Italy* (Oxford University Press, 2002).

18. ロスは、被験者には内容を伝えてあり、実験のリスクは正当化できると、次のように主張した。「実験の成功には非常に大きな意味があることと、特効薬のキニーネが常に手元にあることから、この実験の実施は正当であると考える」(典拠:ロス、1923年)。しかし、リスクを被験者にどの程度包み隠さず説明したか明らかではなく、キニーネには現在マラリアの研究に用いられている治療薬ほどの効果はない(出典:Achan J. et al., 'Quinine, an old anti-malarial drug in a modern world: role in the treatment of malaria' *Malaria Journal*, 2011.)人間を用いる実験の倫理については7章で詳しく取り上げる。

19. Bhattacharya S. et al., 'Ronald Ross: Known scientist, unknown man', *Science and Culture*, 2010.

20. Chernin E., 'Sir Ronald Ross vs. Sir Patrick Manson: A Matter of Libel', *Journal of the History of Medicine and Allied Sciences*, 1988.

21. Manson-Bahr P., *History Of The School Of Tropical Medicine In London, 1899–1949*, (London, 1956).

22. Reiter P., 'From Shakespeare to Defoe: Malaria in England in the Little Ice Age', *Emerging Infectious Diseases*, 2000.

23. High R., 'The Panama Canal – the American Canal Construction', *International Construction*, October 2008.

24. Griffing S.M. et al., 'A historical perspective on malaria control in Brazil', *Memórias do Instituto Oswaldo Cruz*, 2015.

25. Jorland G. et al., *Body Counts: Medical Quantification in Historical and Sociological Perspectives* (McGill-Queen's University Press, 2005).

26. Fine P.E.M., 'John Brownlee and the Measurement of Infectiousness: An Historical Study in Epidemic Theory', *Journal of the Royal Statistical Society, Series A*, 1979.

27. Fine P.E.M., 'Ross's *a priori* Pathometry – a Perspective', *Proceedings of the Royal Society of Medicine*, 1975.

28. Ross R., 'The Mathematics of Malaria', *The British Medical Journal*, 1911.

29. Reiter P., 'From Shakespeare to Defoe: Malaria in England in the Little Ice Age', *Emerging Infectious Diseases*, 2000.

30. マッケンドリックの背景についてはGani J., 'Anderson Gray McKendrick', *StatProb: The Encyclopedia Sponsored by Statistics and Probability Societies*より。

3. Pastula D.M. et al., 'Investigation of a Guillain-Barré syndrome cluster in the Republic of Fiji', *Journal of the Neurological Sciences*, 2017; Musso D. et al., 'Rapid spread of emerging Zika virus in the Pacific area', *Clinical Microbiology and Infection*, 2014; Sejvar J.J. et al., 'Population incidence of Guillain-Barré syndrome: a systematic review and meta-analysis', *Neuroepidemiology*, 2011.

4. Willison H.J. et al., 'Guillain-Barré syndrome', *The Lancet*, 2016.

5. Kron J., 'In a Remote Ugandan Lab, Encounters With the Zika Virus and Mosquitoes Decades Ago', *New York Times*, 5 April 2016.

6. Amorim M. and Melo A.N., 'Revisiting head circumference of Brazilian newborns in public and private maternity hospitals', *Arquivos de Neuro-Psiquiatria*, 2017.

7. World Health Organization, 'WHO statement on the first meeting of the International Health Regulations (2005) (IHR 2005) Emergency Committee on Zika virus and observed increase in neurological disorders and neonatal malformations', 2016.

8. Rasmussen S.A. et al., 'Zika Virus and Birth Defects – Reviewing the Evidence for Causality', *NEJM*, 2016.

9. Rodrigues L.C., 'Microcephaly and Zika virus infection', *The Lancet*, 2016.

10. 別に記載がない限り、背景情報はRoss R., *The Prevention of Malaria* (New York, 1910); Ross R., Memoirs, *With a Full Account of the Great Malaria Problem and its Solution* (London, 1923) より。

11. Barnes J., *The Beginnings Of The Cinema In England, 1894–1901: Volume 1: 1894–1896* (University of Exeter Press, 2015).

12. Joy D.A. et al., 'Early origin and recent expansion of Plasmodium falciparum', *Science*, 2003.

13. Mason-Bahr P., 'The Jubilee of Sir Patrick Manson: A Tribute to his Work on the Malaria Problem', *Postgraduate Medical Journal*, 1938.

14. To K.W.K. and Yuen K-Y., 'In memory of Patrick Manson, founding father of tropical medicine and the discovery of vector-borne infections' *Emerging Microbes and Infections*, 2012.

15. Burton R., *First Footsteps in East Africa* (London, 1856).

16. Hsu E., 'Reflections on the "discovery" of the antimalarial *qinghao*', *British Journal of Clinical Pharmacololgy*, 2006.

13. 1918年のパンデミックの背景については以下を参照。Barry J.M., 'The site of origin of the 1918 influenza pandemic and its public health implications' *Journal of Translational Medicine*, 2004; Johnson N.P.A.S. and Mueller J., 'Updating the Accounts: Global Mortality of the 1918–1920 "Spanish" Influenza Pandemic' *Bulletin of the History of Medicine*, 2002; World War One casualty and death tables. PBS, Oct 2016. https://www.uwosh.edu/faculty_staff/henson/188/WWI_Casualties%20and%20Deaths%20%20PBS.html. ただし、1918年のインフルエンザパンデミックの源については、最近は別の説もあり、一部には、これまで考えられていたよりずっと早期に始まったという主張もある。たとえば、Branswell H., 'A shot-in-the-dark email leads to a century-old family treasure – and hope of cracking a deadly flu's secret', *STAT News*, 2018を参照。

14. メディアに掲載された引用の例:Gerstel J., 'Uncertainty over H1N1 warranted, experts say' *Toronto Star*, 9 October 2009; Osterholm M.T., 'Making sense of the H1N1 pandemic: What's going on?' Center for Infectious Disease Research and Policy, 2009.

15. Eames K.T.D. et al., 'Measured Dynamic Social Contact Patterns Explain the Spread of H1N1v Influenza', *PLOS Computational Biology*, 2012; Health Protection Agency, 'Epidemiological report of pandemic (H1N1) 2009 in the UK', 2010.

16. ほかにも、似たような結論に達したグループがあった。一例として、WHO Ebola Response Team, 'Ebola Virus Disease in West Africa – The First 9 Months of the Epidemic and Forward Projections', *The New England Journal of Medicine (NEJM)*, 2014.

17. 'Ransomware cyber-attack: Who has been hardest hit?', BBC News Online, 15 May 2017; 'What you need to know about the WannaCry Ransomware', Symantec Blogs, 23 October 2017. 攻撃が7時間で2000から8000に増えたことから、倍化時間=7/$\log_2$(80000/2000)=1.32時間となる。

18. Media Metrics #6: The Video Revolution. The Progress & Freedom Foundation Blog, 2 March 2008. http://blog.pff.org/archives/2008/03/print/005037.html. 所有率が1981年の2.2%から1985年の18%に上昇したことから、倍化時間=365×4/$\log_2$(0.18/0.02)=481日となる。

19. Etymologia: influenza. *Emerging Infectious Diseases* 12(1):179, 2006.

1章　感染の理論

1. Dumas A., *The Count of Monte Cristo* (1844–46), Chapter 117［邦訳『モンテ・クリスト伯』(山内義雄訳、岩波文庫、1956年）他多数］.

2. Kucharski A.J. et al., 'Using paired serology and surveillance data to quantify dengue transmission and control during a large outbreak in Fiji', *eLIFE*, 2018.

原注

序章

1. WHO, 'Coronavirus disease 2019 (COVID-19) Situation Report –24', 13 February 2020.

2. Kucharski A. J. et al., 'Early dynamics of transmission and control of COVID-19: a mathematical modelling study', Lancet Inf Dis, 2020.

3. Gale J., 'Coronavirus May Infect Up to 500,000 in Wuhan Before It Peaks', Bloomberg, 8 February 2020.

4. Cyranoski D., 'When will the coronavirus outbreak peak?' Nature, 18 February 2020.

5. The Novel Coronavirus Pneumonia Emergency Response Epidemiology Team. 'The Epidemiological Characteristics of an Outbreak of 2019 Novel Coronavirus Diseases (COVID-19) –China, 2020', China CDC Weekly, 2020.

6. Russell T. W. et al., 'Estimating the infection and case fatality ratio for COVID-19 using age-adjusted data from the outbreak on the Diamond Princess cruise ship', MedRxiv, 9 March 2020. (Later published in Eurosurveillance.)

7. Linde P., 'Uncontrolled spread of coronavirus in Spain forces a change of scenario', El Pais, 10 March 2020.

8. Hayes A, Nair A., 'Coronavirus: Sixth person dies in UK as confirmed cases rise to 382', Sky News, 10 Mar 2020; Jit M et al.
'Estimating number of cases and spread of coronavirus disease (COVID-19) using critical care admissions, United Kingdom, February to March 2020', Eurosurveillance, 2020.

9. Leclerc Q. et al., 'What settings have been linked to SARS-CoV-2 transmission clusters?' Wellcome Open Research, 2020.

10. Kucharski A. J. et al., 'Early dynamics of transmission and control of COVID-19: a mathematical modelling study', Lancet Inf Dis, 2020.

11. Lancet Global Health Lab, 17 March 2020. 以下より閲覧可能: https://www.lshtm.ac.uk/newsevents/news/2020/uk-public-health-rapid-support-team-deployed-help-international-coronavirus

12. Glenny M., 'Coronavirus is boomtime for computer hackers: how to keep your tech secure when working from home', Sunday Times, 24 May 2020.

Filter-bubbles (Bloomsbury, 2018) が、ケンブリッジ・アナリティカのスキャンダルを中心に、オンラインアルゴリズムについてのさまざまな主張の統計学的妥当性を評価している。シネイド・ウォルシュおよびオリバー・ジョンソン著 *Getting to Zero: A Doctor and a Diplomat on the Ebola Frontline* (Zed Books, 2018) は、西アフリカのエボラ流行への対応における政治的駆け引き、兵站、人的コストに関する体験談である。

チェンらによる論文 'Do Diffusion Protocols Govern Cascade Growth?' (AAAI, 2018) を参照のこと。フェイスブックのリサーチアーカイブ（https://research.fb.com/publications）に、オンラインでの行動やコンテンツの拡散をさらに詳しく調べた論文が多数ある。

ホイットニー・フィリップスの *The Oxygen of Amplification: Better Practices for Reporting on Extremists* (Data & Society, 2018) は、メディア操作の企てとそれに打ち勝つための方法をまとめた価値あるリポートである。ロジャー・マクナミー著 *Zucked: Waking Up to the Facebook Catastrophe* (HarperCollins, 2019) が、ソーシャルメディアプラットフォームの暗部を、トリスタン・ハリスおよびルネ・ディレスタの研究の詳細も含めて紹介している。シナン・アラルおよびディーン・エクルスによる 'Protecting elections from social media manipulation' (*Science*, 2019) が、オンライン操作とそれが選挙に影響を与えた可能性を厳密に評価するための方法を提案している。

6章

ミライ攻撃の起源とその置き土産についての詳細は『ワイアード』誌に載ったギャレット・グラフによる２本の記事 'How a Dorm Room Minecraft Scam Brought Down the Internet' (2017) および 'The Mirai Botnet Architects Are Now Fighting Crime With the FBI' (2018) を参照のこと。コンピュータウイルスやワームの歴史に関する技術的な詳細については、フレッド・コーエンによる 'Computer Viruses – Theory and Experiments' (1984) やスチュアート・スタニフォードらによる 'How to own the Internet in Your Spare Time' (*Proceedings of the 11th USENIX Security Symposium*, 2002) のような画期的な論文がある。マルウェアの感染爆発をネットワークが方向づけした経緯を含め、ネットワーク理論の歴史を取り上げた書籍としては、アルバート＝ラズロ・バラバシ著 *Linked: The New Science of Networks* (Perseus, 2002)［邦訳『新ネットワーク思考―世界のしくみを読み解く』（青木薫訳、NHK出版、2002年）］がある。

7章

ジェニファー・ガーディおよびニック・ローマンによる 'Towards a genomics-informed, real-time, global pathogen surveillance system' (*Nature Reviews Genetics*, 2018) が、病気の診断や追跡に遺伝子配列決定というツールがどう利用できるかを概説している。'Outbreak analytics: a developing data science for informing the response to emerging pathogens' (*Philosophical Transactions of the Royal Society B*, 2019) が、感染爆発の際のデータサイエンスの利用ならびにその改善すべき点を探っている。

ニューヨークのタクシー分析とその意味についての詳細は、Neustarブログへのアンソニー・トッカーの２件の投稿 'Differential Privacy: The Basics' および 'Riding with the Stars: Passenger Privacy in the NYC Taxicab Dataset'（https://research.neustar.bizから入手できる）を参照。マシュー・サルガニック著 *Bit By Bit: Social Research in the Digital Age* (Princeton University Press, 2018)［邦訳『ビット・バイ・ビット：デジタル社会調査入門』（瀧川裕貴・常松淳・坂本拓人・大林真也訳、有斐閣、2019年）］が、現代の社会行動研究にまつわる倫理的ならびに論理的問題への思慮に富む概説を提供している。

8章

デイビッド・サンプター著 *Outnumbered: From Facebook and Google to Fake News and*

ニコラス・クリスタキスとジェイムズ・ファウラーによる*Connected: The Amazing Power of Social Networks and How They Shape Our Lives* (HarperPress, 2011) に詳しい。後続の論文 'Social contagion theory: examining dynamic social networks and human behavior' (*Statistics in Medicine*, 2013) では、自分たちの研究に対する批判や、社会的伝染を評価する際の技術的な困難さについて考察を加えている。デイモン・セントラの著書 *How Behavior Spreads: The Science of Complex Contagions* (Princeton University Press, 2018) に、複合伝染に関する彼の研究だけでなく、行動の大規模研究から得たその他の洞察も載っている。ショーン・テイラーおよびディーン・エクルスによる'Randomized experiments to detect and estimate social influence in networks' (*Complex Spreading Phenomena in Social Systems*, 2018) は、社会的伝染を研究するための手法に関する技術面の総括としてすぐれている。

NATSAL研究から得られた洞察についての詳細は、デビッド・シュピーゲルハルターの著書 *Sex by Numbers: What Statistics Can Tell Us About Sexual Behaviour* (Wellcome Collection, 2015)［邦訳『統計学はときにセクシーな学問である』(石塚直樹訳、ライフサイエンス出版、2018年)］を参照のこと。ルーシー・アプリンによる'Culture and cultural evolution in birds: a review of the evidence' (*Animal Behaviour*, 2019) が、動物における文化の発達を鳥類中心に概説している。

4章

暴力の拡散に関する考察や事例研究の詳細は、カール・ベル、ゲイリー・スラトキン、シャーロット・ワッツの貢献も含め、*Contagion of Violence: Workshop Summary*, part of the Forum on Global Violence Prevention (The National Academies Collection, 2013) 所収の論文を参照のこと。

D.A.ヘンダーソン著*Smallpox: The Death of a Disease – The Inside Story of Eradicating a Worldwide Killer* (Prometheus, 2009) に、接触追跡とワクチンの包囲接種を用いて天然痘を根絶した直接の体験談が載っている。ニール・ファーガソンと同僚らによる論文 'Planning for smallpox outbreaks' (*Nature*, 2003) が、天然痘やその他の新興感染症のモデル化ならびにその限界を取り上げている。アーロン・キングと同僚らによる'Avoidable errors in the modelling of outbreaks of emerging pathogens, with special reference to Ebola' (*Proceedings of the Royal Society B*, 2015) が、感染性疾患の感染爆発予測における潜在的な落とし穴について、専門的に記述している。

キャシー・オニール著 *Weapons of Math Destruction: How Big Data Increases Inequality and Threatens Democracy* (Penguin, 2016) は、警察活動に使われるものも含め、普及している多くのアルゴリズムに内在する先入観や偏見に光を当てている。現代生活におけるアルゴリズムの役割とリスクについての詳細は、ハンナ・フライ著 *Hello World: How to be Human in the Age of the Machine* (Penguin, 2019) を参照のこと。

5章

ダンカン・ワッツ著 *Everything is Obvious: Why Common Sense is Nonsense* (Atlantic Books, 2011) に、オンラインでの社会的行動の解釈と予測という難問への有益な洞察が載っている。その研究の技術的な側面は、のちにジェイク・ホフマンおよびアミット・シャルマと共同で出した論文 'Prediction and explanation in social systems' (*Science*, 2017) に詳しい。オンラインコンテンツの再生産数の各成分をデータに基づいて分析した研究については、ジャスティン・

参考文献

本書で取り上げたテーマについてもっと知りたい場合は、以下に挙げる記事や論文、書籍が参考になるだろう。念のため、本書中の図の作成に要したデータおよび符号はすべて、https://github.com/adamkucharski/rules-of-contagion/から取得できるようにしてある。

1章

機構的モデリングの理論、並びにそこから導かれる集団免疫のような概念についての詳細は、以下に挙げるポール・ファインの3つの論文を参照のこと:'Ross's A Priori Pathometry – A Perspective' (*Proceedings of the Royal Society of Medicine*, 1975); 'John Brownlee and the measurement of infectiousness: an historical study in epidemic theory' (*Journal of the Royal Statistical Society: Series A*, 1979); 'Herd Immunity: History, Theory, Practice' (*Epidemiological Reviews*, 1993)。ロスの分析およびその後世への影響に関するさらに専門的な解説については、デイビッド・スミスと同僚らによる論文'Ross, Macdonald, and a Theory for the Dynamics and Control of Mosquito-Transmitted Pathogens' (*PLOS Pathogens*, 2012) を参照のこと。

2章

ドナルド・マッケンジーおよびテイラー・スピアーズによる論文"The Formula That Killed Wall Street"?: The Gaussian Copula and the Material Cultures of Modelling' (2012) に、CDOの元となったモデルのすぐれた口述歴史が記載されている。20年の間隔をあけて書かれたマイケル・ルイスの著書、*Liar's Poker: Rising Through the Wreckage on Wall Street* (W. W. Norton & Company, 1989) および *The Big Short: Inside the Doomsday Machine* (W. W. Norton & Company, 2010) [邦訳『世紀の空売り:世界経済の破綻に賭けた男たち』(東江一紀訳、文芸春秋、2013年)] が、モーゲージ・トレーディングが始まった経緯と、のちにそれが引き起こした大混乱を解説している。ヘッジ(リスク分散)とは名ばかりのヘッジファンドの破綻については、ロジャー・ローウェンスタインによる*When Genius Failed: The Rise and Fall of Long-Term Capital Management* (Random House, 2000) に詳しい。

ソーシャルネットワークが淋病やその他の性感染症の感染爆発をどう方向づけるかに関するジョン・ポタラの研究の詳細は、彼の著書*Seeking the Positives: A Life Spent on the Cutting Edge of Public Health* (CreateSpace, 2015) を参照のこと。疾病モデリングの技術面の概説としては、マット・キーリングとペジ・ロウハニによる*Modelling Infectious Diseases in Humans and Animals* (Princeton University Press, 2007) が、学部学生のときに初めて読んで以来、僕にとってなくてはならない参考書となっている。

アンディ・ホールデンのスピーチ 'Rethinking the Financial Network' (Bank of England transcript, 2009) は、生態学、疫学、金融市場のあいだのつながりに関するタイムリーな考察だった。のちに彼がロバート・メイと連名で出した論文 'Systemic risk in banking ecosystems' (*Nature*, 2011) ではそれをさらに発展させ、より専門的に詳細に論じている。

3章

社会的ネットワークの動態については、肥満をはじめとする特性の拡散に関する研究も含め、

【わ行】

【0-9】

【A-Z】

【ま行】

【や行】

【ら行】

【な行】

【は行】

【た行】

【さ行】

索引

著者略歴――――
アダム・クチャルスキー(Adam Kucharski)
1986年生まれ、ロンドン在住。ケンブリッジ大学で数学の博士号を取得。ロンドン大学衛生熱帯医学大学院で数理モデリングを教えながら統計学や社会行動の論文を発表する。著書に『文庫 ギャンブルで勝ち続ける科学者たち：完全無欠の賭け』（草思社）がある。

訳者略歴――――
日向やよい(ひむかい・やよい)
会津若松市出身。東北大学医学部薬学科卒業。主な訳書に「新型・殺人感染症」（NHK出版）、「死体捜索犬ソロが見た驚くべき世界」（エクスナレッジ）、「RAW DATA（ロー・データ）」（羊土社）などがある。

感染の法則
ウイルス伝染から金融危機、ネットミームの拡散まで

2021年3月5日　第1刷発行

著　者　アダム・クチャルスキー
訳　者　日向やよい
装幀者　秦浩司
発行者　藤田　博
発行所　株式会社 草思社
〒160-0022　東京都新宿区新宿1-10-1
電話　営業 03(4580)7676　編集 03(4580)7680

本文組版　株式会社 キャップス
印刷所　中央精版印刷 株式会社
製本所　大口製本印刷 株式会社
翻訳協力　株式会社 トランネット

ISBN978-4-7942-2504-7 Printed in Japan　検印省略

造本には十分注意しておりますが、万一、乱丁、落丁、印刷不良などがございましたら、ご面倒ですが、小社営業部宛にお送りください。送料小社負担にてお取替えさせていただきます。